知られざるナチスの陰謀

THE NAZI CONSPIRACY

The Secret Plot to Kill Roosevelt, Stalin, and Churchill

Brad Meltzer, Josh Mensch

ブラッド・メルツァー
ジョシュ・メンシュ

花田知恵 訳

ローズヴェルト、スターリン、チャーチルを暗殺せよ

河出書房新社

ローズヴェルト、スターリン、チャーチルを暗殺せよ　目次

何十年も前、ミシガン大学で歴史学を専攻していた私に、第二次世界大戦の分野に飛び込んでみてはどうかと勧めてくれた恩師トム・コリアー教授に

――BM

亡父スティーヴン・H・メンシュ（一九四三年～二〇二一年）に

――JM

ローズヴェルト、スターリン、チャーチルを暗殺せよ

〈文章に関する注記〉

古い資料から引用する場合は、現代の読者に明確に伝わるように、原典の綴りや大文字、句読点を修正、変更した。言葉づかいにはほとんど手を加えていないが、加工した場合、文中や脚注で示した。

〈編集部より〉

訳注は〔 〕で示した。その他のカッコは原書に準ずる。

主な登場人物

フランクリン・デラノ・ローズヴェルト……アメリカ合衆国第三二代大統領
ヨシフ・スターリン……ソ連首相
ウィンストン・チャーチル……イギリス首相
アドルフ・ヒトラー……ドイツ国家元首
フランツ・マイヤー……ナチスのスパイ
リリ・サンジャリ……フランツ・マイヤーの恋人
ラインハルト・ハイドリヒ……国家保安本部長官
ヴァルター・シェレンベルク……親衛隊保安部（ＳＤ）国外諜報局局長
カール・コレル……ナチスのスパイ
マイク・ライリー……ホワイトハウスのシークレットサービス
ゲヴォルク・ヴァルタニアン……ソ連のスパイ
オットー・スコルツェニー……ナチスの「特殊部隊」指揮官
ベニート・ムッソリーニ……イタリアの独裁者

プロローグ

一九四三年一一月二八日、イラン、テヘラン

大統領は身を潜めている。

通りにはずらりと兵士が並んでいる。無数の兵士が何ブロックにもわたって道路の両側に立っている。ほとんどはソヴィエト軍の制服だが、たまにアメリカ軍とイギリス軍の制服も交じる。

兵士たちは威嚇するように自動小銃を持っている。暑く乾いた空気のなか、武器と身体を盾にして、前に出ようとする騒がしい群衆を押しとどめている。群衆は何事か——というより、誰が来るのか——ひとめ見ようと身を乗り出す。[1]

ここはイランの首都テヘラン、その活気ある街を貫く大通り。

一九四三年一一月末の今、騒々しさが最高潮に達している。[2]今日からここは、世界に拡大した戦争の行方を決める最も重要な会談の場となる。準備は秘密裏に進められてきたが、それが今や一般にも公表された。[3]イランは戦争には加わっていないとはいえ連合国の占領下にある。今回、ソ連の要人警護部隊が出張ってきているのはそのためだ。

にわかに喧噪がひときわ高まる。兵士も見物人も近づいてくる車列に目をやる。軍用車両と一般乗用車が交じる車列の真ん中に、強い日差しを浴びて進んでくる車体の長い黒のセダンが見えた。これこそ、兵士たちが警護を命じられた車だ。

それが通り過ぎる束の間、前の席のドライバーが見えた。後部座席には老境にさしかかった白髪ま

じりの長身の男が座っている。道路の両側で群衆が首を伸ばす。断続的に、車のリアガラスを通して乗客の姿が見える。

見物人は一斉に前のめりになる。アメリカ合衆国大統領フランクリン・デラノ・ローズヴェルト、その人をひとめ見ようと——少なくとも彼らはそれが車中の人物だと思っている。

大統領一行は買い物客で賑わう市場や集合住宅が立ち並ぶ目抜き通りを進む。住宅の窓辺や屋上にも見物人がいる。黒のセダンの行く先は秘密でもなんでもない。市の中心部の北にある、高い塀に囲まれた警備の厳重なソ連大使館だ。そこでローズヴェルト大統領は同盟国の首脳ふたり、すなわちソ連首相ヨシフ・スターリンとイギリス首相ウィンストン・チャーチルと会う[4]。

これは歴史的に重要な首脳会談になる。連合国側の三巨頭《ビッグ・スリー》全員が初めて顔を合わせるのだ。この会議は開催地をめぐる調整と警備の問題で手間取り、準備に一年近くかかった[5]。

しかし、この仰々しいイベントはすべてが見かけどおりではない。群衆も兵士も——車列の随行員の大半も——知らされていないのだが、このセダンの後部座席にいる白髪まじりの男は、実はアメリカ合衆国大統領ではない。そこにいるのは、防弾ベストを着て大統領の替え玉を演じているシークレットサービスの要員だ。

本物の大統領はこの車列のどこにもいない。本物の大統領は裏通りを疾走する薄汚れた小型乗用車の後部座席で身を伏せている。大統領が乗っていると思われた高級な黒のリムジンは武装車両と兵士に護られているのに対し、本物の大統領を乗せた地味な車をエスコートしているのは一台のジープのみで、入り組んだ裏通りをかなりのスピードで走っていた[6]。

なぜこんな手の込んだことをするのか。

前夜遅く、ソ連の情報部トップからアメリカ側にある知らせがもたらされた。連合国占領下にあるこの街にナチスの工作員が潜り込んだ。その使命は、ローズヴェルト、チャーチル、スターリンの殺害である。にわかには信じがたい陰謀、というより呆れるほど大胆な企てだ。ここテヘランで、歴史的な会談が行われている最中に、三巨頭の暗殺とは。[7]

暗殺が成功すれば、その影響は想像を絶する。

第二次世界大戦の戦禍はすでに四年近く世界に広がっていた。ヨーロッパ全土、アジア、北アフリカは徹底的に破壊された。人々の苦しみと奪われた命は計り知れず、今も増え続けている。民間人の犠牲者は膨大な数にのぼっていた。[8] 目下、戦争が早々に終わる兆しは見えない。

戦争の原動力は複数の国に根を下ろしたおぞましいイデオロギーであり、特にナチ政権下のドイツできわめて過激な形で現れていた。

急進的なゆがんだ愛国主義の上に築かれたその思想は、人種差別的な憎悪や大衆が好むプロパガンダ、陰謀論などで盛り上がり、人種的マイノリティを悪者に仕立て、ナルシストの指導者を個人崇拝することでさらに増長した。[9] かつては民主主義の価値観を受け入れていた国が、このイデオロギーに影響され、それを提唱する残虐な政党に牛耳られ、独裁主義と敵意、暴力の国に変貌していた。この悲惨な戦争を始めたのは、ドイツとその主要な同盟国であるイタリアと日本だ。[10]

世界の軍事大国の衝突はそれ自体が凄まじい破壊をもたらすが、危機にさらされているのはそれだけではない。ナチスは勢力を拡大するにつれ、通常の戦争の範囲を超えた大量虐殺におよんでいた。狙われたのは彼らが「望ましくない」と決めつけたロマの人々、精神障害者、ポーランド人、その他のスラヴ民族だった。女性子供を含め民間人が毎日のように投獄され、拷問され、強制労働で死に追いやられ、わけもなく殺害されていた。

特にナチスは最初期からユダヤ人という特定の集団を中傷し、非難し、その残虐性を彼らに向けてきた。ナチス指導部は、いわゆるヨーロッパの「ユダヤ人問題」を解決するため、戦争中に大量殺戮のシステムを作り上げた。言語に絶するその恐ろしい全容を世界が知るまでには何年もかかった。[11]

連合国はかねてよりアメリカ、イギリス、ソ連の首脳による会談を計画し、ようやく開催にこぎ着けた。最終的にナチス・ドイツに勝ち、世界に甚大な被害をおよぼしているこの戦争を終わらせるには、特別な軍事作戦が必要になる。それを決めるために開かれるこのテヘラン会談は最も重要な、そしておそらく唯一のチャンスになる。[12] 作戦を立案し実行するには、前例のない規模で各国が軍事的に協調することが求められ、それは途方もなく巨大な事業になるだろう。

数百万の、もしかしたら数千万の命がこの会談の成功にかかっている。

ナチスの計画通りに事が進めば、三巨頭は生きてこの街を出られない——そして連合国の勝利の望みは彼らとともに潰える。

これは大げさでもなんでもない。連合国の存亡の危機だ。

そして今、大統領は猛スピードで走る車の後部座席で誰にも見つからないように身を伏せていた。

第1部

最高司令官

1

二年前……一九四一年一二月七日、太平洋

艦隊はこの一〇日間、ひそかに航行してきた。

穏やかな日曜の朝、太平洋に曙光が射し始めると艦隊は針路を転じる。[1]

陸影は見あたらない。太平洋の広大なスケールから見れば、この軍艦の群れなど小さな点にすぎない。しかし、人間のスケールで見ると艦隊はまさに大艦隊であった。巨大な航空母艦六隻、戦艦二隻、駆逐艦九隻、巡洋艦三隻、油槽船八隻、小型の支援船数隻。加えて、波の下には五隻の特殊潜航艇も同行している。各空母の飛行甲板には何十機もの艦上機が並び、艦隊の総員は合わせて数万人にのぼる。[2]

艦隊は一〇日間の航海のほとんどを東へ進んできた。意外にも、東アジアの片隅の港から中部太平洋まで五六〇〇キロ[3]におよんだその動きは、この海域一帯に張り巡らされた敵のレーダー網にかからなかった。艦隊の航路については一切が極秘扱いで計画され、決定された。

今、アリューシャン列島から南へ数百キロのところで、艦隊司令官は南へ方向転換するため一連の指令を出す。各艦が針路を変えるにつれ、船足の遅い油槽船は艦隊から離れる。残りの艦船は二〇ノットから二五ノットに加速し、空母甲板から航空機を発進させるのに見合った勢いをつける。[4]

午前六時〇五分、旗艦空母の甲板で緑のライトが振られる。[5]発進の合図だ。艦上機は一機また一機とエンジンを唸らせて甲板を滑走し、暗い朝の空気を裂いて、海原の上空へと飛び立っていく。同時

に他の空母も艦上機を発進させる。

航空機は艦隊の上空を旋回し行動を開始する。合わせて一八三機[6]が戦闘隊形を組み、母艦を残して南へ向かう。

偵察機が先行して雲のなかへ消える。その任務は前方の海と空を偵察し、付近の無線周波数に合わせ、自軍の航空機や空母が敵に感知された兆候はないかを確認することだ。

九〇分後の午前七時四〇分頃[7]、先頭のパイロットがはるか前方にかすかな陸影を確認。彼らは互いに合図を送る。まだ気づかれていない。視界良好。異常なし。攻撃のときだ。

目標――面積一六〇〇平方キロに満たない小島。交戦中ではない国の島。しかし日本海軍の指揮官たちはそこに戦闘機、爆撃機、雷撃機、急降下爆撃機による大規模攻撃を計画していた。

奇襲――最大の衝撃と破壊をもたらす先制攻撃。

それからの二時間で世界は一変する。

2

四時間前……ワシントンDC

午前八時四五分、大統領フランクリン・デラノ・ローズヴェルトはまだベッドにいる。ガウンを着て、朝食のトレイを前にして[1]。しかし、これは優雅な朝食とはほど遠い。書類の束に囲まれ、傍らの電話は鳴りやまない。

　彼はこのように一日を始めることがよくある。ベッドから出ずに国務に取りかかるのだ。大統領は二〇年前、ポリオに罹ってから足が不自由になり、彼にとって部屋から部屋の移動は楽ではないため、ベッドで朝食をとりながら仕事をするほうが効率がよいこともある[2]。

　前夜、大統領は遅くまで起きていた。夜半を過ぎてもまだ、国家安全保障担当官と電話で緊急のやり取りをしていた。

　その夜の早い時刻に、アメリカ海軍情報部は、東京の大日本帝国政府がワシントンDCにいる駐米大使に宛てた極秘の覚書の電信を傍受して翻訳した。覚書は一四に分割され、指定したスケジュール通りにアメリカ側に届けるようにと大使に命じていた[3]。

　海軍省が傍受したのは一四本のうち一三本目までで、最後の部分はおそらくこれから来ると思われた。覚書は近年のアメリカの外交政策に関する日本の対応を几帳面に解説し、中国や南太平洋地域の様々な領土への日本の進出を阻止せんとアメリカが突きつけている、不当としか言いようのない要求を拒否する旨が書かれていた。加えて、アメリカが経済制裁と石油の禁輸を継続しているのは容認できないと述べていた。

　要するに、これまで行われてきたアメリカと日本の交渉は決裂したということだ。

　大統領は以前から、このような関係悪化だけは絶対に避けたいと願っていた。ローズヴェルトの最大の関心事はナチス・ドイツとの戦争でイギリスを物資面で支援することであり、それがアメリカの外交政策の方針である[4]。

　今、ベッドのなかでローズヴェルトは一三本の電信を読み返し、その意味を読み取ろうとしていた。午前九時三〇分頃、海軍省の急使が到着。海軍がつい今し方傍受し、解読し、翻訳した一四本目を持ってきた[5]。

この最後の部分は、それまでの分で匂わせていたことを正式に述べるものだった。日本は「平和を確立する試みが」失敗し「今後交渉を続けても合意に達する見込みはないと宣言せざるを得ない」[6]

数分後、大統領は同時に発信された別の解読済みの電信を受け取る。そこには、駐米大使に向けて先の覚書をアメリカ政府高官にきっかり午後一時に送信すること、と指示されていたが、なぜその時刻が重要なのかについては何も書かれていなかった。さらに不気味なことに、日本大使館にある機密文書をすべて廃棄し、大使館を閉鎖せよと命じていた[7]。

これは悪い知らせだ。そろそろベッドから出る頃合いだ。

大統領はベッドから起き上がり、外交と安全保障を担当する幹部との電話会議やミーティングを調整する。午前中の半ばには、彼らは覚書の分析を終えていた。

彼らの一致した意見では、日本が東南アジアにあるアメリカに友好的な要衝を狙って軍事行動を起こすことが予想された[8]。おそらくイギリス領シンガポールまたはグアム島が狙われるか、あるいはオランダ領東インドの油井を掌握しようとするかもしれない。アメリカ保護領のフィリピンを攻撃する可能性もある。

もしそうなったら、アメリカはどうすればいい？　対抗するために軍事行動に出るのか？

ホワイトハウスで担当官たちが議論するなか、ローズヴェルトはこの日、通常の日曜体制の最小限のスタッフでは足りないと思った。幹部を集めなければならない。まもなく、ホワイトハウスのオペレーターはワシントンDC全域に電話をかけ、買い物に出かけているか、教会に行っているか、家族と一緒にいるか、思い思いに過ごしている高官たちに連絡を取る[9]。

電話を受けたひとりがローズヴェルトの秘書、グレース・タリーだ。彼女はワシントンDCの自宅アパートメントでくつろいでいた。「大統領からの呼び出しです」とホワイトハウスのオペレーターが告げる[10]。「迎えの車が今、そちらに向かっています」。タリーはのちに次のように振り返る。「消防士のように」[11]すばやく着替え、迎えの車を待つために外に出た。

　続々と集まってきたホワイトハウスのスタッフは緊張している。南太平洋のどこかで軍事行動が開始されるかもしれない。多忙を極める大統領の妻エレノア・ローズヴェルトはその日、支持者のためにホワイトハウスで大人数の昼食会を準備していた。「直前になってフランクリンから出席できそうもないと伝言があったとき、私はがっかりしましたが、驚きませんでした」[12]と、のちに彼女は語っている。よくあることだが、夫が出席できないのなら、彼女が大統領の代理を務め、客を迎えるまでだ。昼食会に出る代わりに、大統領はホワイトハウスの書斎で長年の側近、ハリー・ホプキンズとデスクの上のサンドイッチを前に話し合っている。ふたりは今後の戦略を練っている。

　そして、午後一時四七分、大統領とホプキンズの遅めのランチは、海軍長官フランク・ノックスの電話で中断される[13]。

　大統領が電話に出ると、ノックスはひとつ咳払いしてから話し始めた。声が震えている。彼の報告によれば、国防総省は「ホノルルの司令官が、空襲を受けている、これは『訓練ではない』と警告する無線を受信した」[14]。ノックスは少し間を置いて続ける。「どうやら日本がパールハーバーを攻撃したようです」[15]

　パールハーバー？　ハワイの？　あり得ない。

　ハワイのオアフ島にあるアメリカ海軍基地は、攻撃されるはずがないと考えられてきた。それに、その位置からして、日本の権益から遠く離れている。だから、わざわざ日本がハワイを攻撃する理由が見当たらない。

　ランチを共にしていたホプキンズ――ローズヴェルトが絶大な信頼を寄せる外交政策顧問でもある――は信じなかった。「私は、何かの間違いでしょうと言った」と彼は当日のメモに書いている。「日本がホノルルを攻撃するわけがない[16]」

しかし、大統領は嫌な予感がした。何が起こったか見極めなければならない。

その頃、グレース・タリーは自身のデスクで懸命に大統領宛ての電話を捌いている。ノックスの電話が終わるとすぐに、ホワイトハウスのオペレーターが「海軍作戦部長のハロルド・スタークが大統領につないでくれと言っています」と彼女に告げる。

「私が対応したとき、スターク海軍大将の声には衝撃のあまり、まだ信じられないといったニュアンスが感じられました」[17]とタリーはのちに振り返る。大統領に電話を取り次ぐと、スタークはあり得ないと思っていたことが本当に起こったと報告した——日本がパールハーバーを攻撃。基地は完全に不意を衝かれ、大惨事になったと[18]。

ひとつ、明らかなことがある。これはローズヴェルトの大統領在職期間中、最悪の日になる[19]。

在職中、ローズヴェルトは沈着冷静で高い評価を得ていた。評判に違わず、今回も彼のスタッフがハワイからの知らせで「ヒステリーに近い」状態になっても、彼は冷静さを失わなかった。大統領は「見たところ、誰よりも完全に落ち着いていました」とタリーは語る。しかし「新しい報告が入るたびに、険しい顔で首を横に振り、口元を引き締めていました[20]」

実際、恐ろしいニュースがひっきりなしに入ってくる。アメリカ海軍基地は完全に無警戒だった。誰も戦闘配置についておらず、弾薬は倉庫や保管室にしまい込まれていた。湾内の軍艦は恰好の標的になった[21]。

日本軍機の第一波は「戦艦の並び」に目標を定めた[22]。アメリカ海軍太平洋艦隊の主力艦が並んで停泊しているところだ。攻撃機はまず機銃掃射と狙い澄ました魚雷で戦艦オクラホマに襲いかかった[23]。燃料タンクに引火して大爆発が起こり、衝撃で港が揺れた。巨大な戦艦は船体に穴を開けられ、そこから浸水して左舷側へ傾いた。数分後、オクラホマは四〇〇名を超える乗員もろとも湾の底に沈み始める[24]。

一時間と経たないうちに、基地全体が地獄と化していた。戦艦二隻が撃沈され、このほか数隻の戦艦、駆逐艦、巡洋艦が攻撃により大破した。港は炎に包まれ、残骸であふれた。また日本軍機の一群は海上を離れ、付近の飛行場を攻撃した。この奇襲攻撃により、基地の海軍の航空機はほとんど破壊された。

初期の報告によると、二〇〇〇人を優に超える兵士や民間人が死亡した。さらに一〇〇〇人が重傷を負った。基地にいた水兵の平均年齢は一九歳だった[25]。

攻撃そのものの凄まじさだけでなく、それが世界におよぼす影響は絶大だった。このとき、日本はヨーロッパでの戦争でイギリスと戦っていたドイツおよびイタリアと同盟を結んでいた。日本によるアメリカ奇襲攻撃は世界のパワーバランスを変えたが、その結果何が起こるかは予想できなかった。

ホワイトハウス西棟は依然として衝撃とパニックに包まれている。午後、うわさが広がると記者たちが話を聞きつけ、まもなく報道陣がホワイトハウスを取り囲む。

混乱のなか、午後五時、休みなく続く緊急会議と電話で一日を過ごしたあと、ローズヴェルト大統領は執務室に隣接する小さな書斎に引っ込む。グレース・タリーひとりを伴った[26]。

明日、上下両院で演説することになる。今、この書斎に座り、彼は何を話すか考えている。

この数時間、国務省は大統領に見せるためのスピーチ原稿を大急ぎでまとめていた。それが今、彼の目の前にある。一五ページあり、日本とのこれまでの外交関係について長々と語り、奇襲攻撃に対する様々な軍事的評価を詳しく解説したものだった。

ローズヴェルトは原稿を脇に放り投げる。演説をするのは議会でだが、本当の聴衆はアメリカ国民である。外交政策について説明するのではなく、明らかにショックを受けている国民に語りかけるものでなければならない。演説は短く、簡潔で、力強いものでなければならない。一言一句が重要だ[27]。

タイプライターを前にしたタリーの傍らで、ローズヴェルトは椅子に深く腰かけ、煙草を吹かしながら、口述を開始する。

合衆国大統領にして最高司令官、フランクリン・デラノ・ローズヴェルトは明日、国民に語りかけるのだ。

3

アメリカは頑なに参戦を避けてきた。

多くの国々同様、アメリカも先の第一次世界大戦で多くの若い兵士を失った。一九一九年にヴェルサイユ条約が結ばれて米兵が帰還したあと、アメリカの国民感情は孤立主義に傾いた。平均的なアメリカ人にとって、多大な破壊と苦痛をもたらした世界大戦はそれ相応の成果がなかったように思えた。だから、なぜまたアメリカの若い兵士を海の向こうへ送って、遠い国の国境紛争のために戦って死なせなければならないのか？　特に従軍経験者や愛する人を亡くした人々が感じていたこの幻滅と困惑は、アメリカの同世代に深く浸透していた。

そしてヴェルサイユ条約からほぼ一〇年後、一九二九年の株価大暴落によりアメリカは破滅的な不況に突入する。[1] 数年のうちに国民の四分の一近くが失業し、[2] 国中に未曽有のレベルの貧困がはびこり、住まいを失った人が激増する。

フランクリン・ローズヴェルトは一九三二年、低迷したままの国を救う使命を背負って大統領に選ばれた。前任者とは違って彼は大胆で積極的な対策を講じ、経済を刺激して雇用を創出する連邦政府主導の政策を実行した。次第に彼は貧困撲滅と最貧困層の生活改善に取り組むことが自身の道徳的使命であると考えるようになった。

彼は「我々の成長の証は、持てる人の富を増やせるか否かではなく、持たざる人に充分に手を差し伸べられるか否かにかかっている」と宣言した。[3] そして経済は徐々に回復した。

孤立主義と経済低迷のこの時代、軍事力に重点が置かれなかったのは当然だ。一九三九年、アメリカの軍事力は世界第一九位、ポルトガルより下でブルガリアをわずかに上回るだけだった。[4]

それでもアメリカは、アドルフ・ヒトラーというドイツの若き指導者が新たな政治運動の波に乗ってのし上がっていく様を警戒して注視していた。ヒトラーは、このままでは国が滅びると危機感をあおり、彼の国民社会主義政党は国内の敵を一掃して徐々に権力基盤を固めていった。一九三〇年代初めから半ばには、彼は権力を完全に掌握していた。[5]

まもなく国民社会主義ドイツ労働者党（ナチ党）と呼ばれるこの党は、怒りに満ちた愛国主義を利用し、不安と偏見にとらわれた地方の住民や労働者階級のあいだで支持を増やした。ドイツは第一次世界大戦に負けてから国力を削がれ、経済はその後の世界恐慌で大打撃を受けていた。こうした情勢から生じた不安をナチズムは巧みに利用した。

愛国の旗で囲まれ、軍国主義的な音楽が演奏される大規模集会で、ヒトラーはドイツの力を取り戻すと誓う大げさな演説を行い、支持者たちを熱狂させた。国内の問題のおおもとは移民や人種的マイノリティであると主張し、この「国内の敵」への憎悪をあおった。

解決策として、ヒトラーとナチ党は「伝統的な価値観」への回帰と、民族的に「純粋な」ドイツ人の新たな誇りを求めた。ナチズムは人種差別主義と外国人嫌いを助長するばかりでなく、知識人や都会の上流階級、女性解放主義などの革新的な思想を嫌悪した。ナチス指導部はときどき、自分たちの思想を「ナショナリズム」のひとことで言い表したが、これは愛国心に移民や非白人の少数集団に対する不安と憎悪、そして外国の影響に対する恐れと憎しみがゆるやかに結び付いたものだった[6]。一九四〇年にヒトラーが宣言したように、このナショナリズムとは「ドイツを再び偉大な国にするという、ひとつの強力な新しい思想」であった[7]。

ヒトラーや他の党幹部の発言や政策の多くは陰謀論にもとづいていた。彼らの主張によれば、第一次世界大戦末期、「世界主義者《グローバリスト》」の陰謀によりドイツは敗北し、経済と文化を破壊されたが、これを裏で繰っていたのはユダヤ人である。この邪悪で、そしてあえて意味をぼかした主張を唱えることで、ナチスは陰で暗躍したとされる裕福なユダヤ人を悪魔化するとともに、貧しい労働者階級のユダヤ人がヨーロッパの町や市に侵入して、正直で勤勉な人々の仕事を奪っていると糾弾した[8]。

ユダヤ人や移民に対する憎悪は、党を団結させ、労働者階級の支持を集めるスローガンとなった。「(ユダヤ人は)我々の人種を滅ぼし、道徳を腐敗させ[9]、習慣を空洞化し、力を削いだ」とヒトラーの宣伝大臣ヨーゼフ・ゲッベルスは党のビラに記している。「ナショナリストとして、我々はユダヤ人に反対する。なぜなら、ヘブライ人はわが国の名誉と自由にとって永遠の敵であるからだ」

ローズヴェルトや他の大国の指導者たちは、ヒトラーとナチ党が台頭し、権力を握り、人種的マイノリティの集団に対して組織的な迫害を始めるのを注視していた。一九三五年、ドイツの新しい「ニュルンベルク法[10]」は、白人優位主義とユダヤ人の市民権剝奪を暗に定めたものだった。ナチスが政治的敵対者を排除し、マイノリティ集団を虐待するためにますます暴力を行使するようになると、ローズヴェルトはナチズムを「あらゆる法、あらゆる自由、あらゆる道徳、あらゆる宗教の敵である」と断じた[11]。

いっぽう、ヒトラーはヴェルサイユ条約を破って公然と再軍備に取りかかり、隣国を正統なる「祖国」であると主張して軍事力で脅して併合した[12]。

ローズヴェルトはナチズムを大きな脅威であると考え、何度もそれを公言してきた。しかし、一九三九年九月にヒトラーがポーランドに侵攻し、これを受けてイギリスとフランスがドイツに宣戦布告しても、大統領は議会の強力な孤立主義とそれを支持する国民に逆らえなかった[13]。一九四〇年の三期目を目指した大統領選挙中、ローズヴェルトは国民世論に迎合し、「以前にも言いましたが、また何度でも言います。皆さんのご子息が外国の戦争に送り出されることは決してありません[14]」と約束した。のちに彼はこの発言を後悔する。

今日、アメリカ人は皆、我々はナチスと戦うために立ち上がったと考えたがるが、一九四〇年当時、一般のアメリカ人のほとんどはヨーロッパの出来事に無関心だった。さらに悪いことに、アメリカ国内にはもっと邪悪な分子が定着していた。

一九三〇年のアメリカの国勢調査によると、アメリカに暮らすおよそ七〇〇万人がドイツ生まれか、ドイツ移民二世だった。母国でのヒトラーの台頭に多くの人はぞっとしたが、ドイツ系アメリカ人のなかには[15]、反ユダヤ主義と白人至上主義を標榜するナチスのイデオロギーに賛同し、これはアメリカでも支持されると考えた者もいた。キリスト教戦線やドイツ系アメリカ人協会といった親ナチス組織が北西部や中西部の州一帯に現れた。

これらの集団は、保守的な社会の価値観と国旗を振りかざす愛国主義に、すでに国中にはびこっていた反ユダヤ主義や人種差別主義を混ぜたアメリカナイズされたナチスの主張を広めようとした。一部の親ナチス集団は、ドイツのヒトラー青少年団をモデルに、独自の青少年団を設立した。ニュージャージーやロングアイランド、その他の州で、アメリカ人の少年少女の集団がヒトラー式の敬礼を習い、ナチスの腕章を着けて小さな町を行進する姿が見られた[16]。

一九三九年二月二〇日、ドイツ系アメリカ人協会はニューヨーク市のマディソン・スクエア・ガーデンで二万人が参加する大規模集会を開いた[17]。ステージの奥にはジョージ・ワシントンの巨大な肖像画が飾られ、その両脇にはナチスの鉤十字とアメリカ国旗が掲げられていた。

その晩の最初の登壇者は「もしジョージ・ワシントンが今、生きていたら、彼はアドルフ・ヒトラーの友人になっていただろう!」[18]と述べ、喝采を浴びた。集会の基調演説は同協会の会長、フリッツ・クーンが行い、愛国的なアメリカ人は「無神論のユダヤ的マルクス主義分子を排除した非ユダヤ的アメリカのために戦う」義務があると語った[19]。ある時点で、聴衆に紛れていたユダヤ人青年がステージに駆け上がって集会に抗議したが、協会のメンバーに取り囲まれて倒され、群衆の目前で殴る蹴るの暴行を加えられた。

ヒトラーを支持したのはこの協会のような草の根の組織だけではない。著名人のなかにもナチスのシンパがいた。

自動車メーカーのフォード・モーター・カンパニーを創業した当時アメリカで最も有名な人物、ヘンリー・フォードは露骨な反ユダヤ主義者で、それをためらいもせず公言していた。フォードは自ら発行する新聞〈ディアボーン・インディペンデント〉に、「国際ユダヤ人——世界の問題」と見出しをつけた長文を載せている。アドルフ・ヒトラーはフォードの記事を褒め称え、「我々はハインリヒ・フォードをアメリカで成長しているファシスト運動のリーダーととらえている……ちょうど、彼の反ユダヤ的記事を翻訳して公開したところだ」と述べた[20]。

さらに影響力を持っていたのは、有名な飛行家、チャールズ・リンドバーグだ。国の英雄として名を馳せていたリンドバーグは親ドイツの白人至上主義者でナチスの反ユダヤ政策を支持していた。彼が言うには、航空分野は「黄色、黒、茶色の海が迫るなかでも、白色人種がかろうじて維持できる貴重な財産のひとつ」だった[21]。

リンドバーグは「アメリカ第一主義委員会」と呼ばれる組織のスポークスマンになった。この組織

1939年2月20日、親ナチス組織、ドイツ系アメリカ人協会が主催したニューヨークのマディソン・スクエア・ガーデンにおける集会ではジョージ・ワシントンを描いた大きな垂れ幕を中央に掲げ、その両脇にアメリカ国旗とナチスのシンボルが掲げられた。同協会はワシントンの誕生日に合わせて集会を開いた。（Bridgeman Images）

が設立されたのは、アメリカがヨーロッパの戦争に加わるのを阻止するためだった。リンドバーグがローズヴェルトの対抗馬として、一九四〇年の大統領選に出るとのうわさも流れていた。[22]

同時に、アメリカ人のなかにはナチスの脅威に衝撃を受け、アメリカはもっと強くヒトラーに反対しなければならないと考える人もいた。当然のことながら、ユダヤ系アメリカ人社会がその最前線に立った。[23]実際にユダヤ人差別を経験していた彼らは、憎悪がいかに速く増長し広がるかを知っていた。

一九三八年一一月九日、ドイツで水晶の夜《クリスタル・ナハト》――「割れたガラスの夜」――が起こった。その晩、突撃隊（SA）と呼ばれるナチ党の準軍事組織がユダヤ人に対する全国規模の迫害を扇動し、ドイツ市民の怒りを焚きつけて破壊行動に導いた。武装した攻撃者は二六七のシナゴーグを破壊し、無数のユダヤ人の病院や学校、会社を荒らし略奪した。警察が傍観するなか、ＳＡ「当局」は無抵抗のユダヤ人市民を殴り、逮捕し、ときには殺害した。[24]

クリスタル・ナハトはその後に起こるもっと大規模な蛮行に比べれば、小さな事件にも見える。しかし、これはナチスの暴虐性を示す最初の動かぬ証拠となり、国際社会が注目するきっかけとなった。まもなく、ユダヤ系アメリカ人はアメリカが軍事力で直接ナチズムの悪と戦うよう働きかける。

この反ナチス感情はときにはフィクションの分野で表現された。一九三八年、ユダヤ人漫画家、ジェリー・シーゲルとジョー・シュスターはアメリカ国旗の三色を身にまとった「スーパーマン」を生みだした。[25]絶体絶命の窮地に立たされた人を救うために超能力を発揮するヒーローだ。一九四〇年には、労働者階級の別のユダヤ人ふたり、ジョー・サイモンとジャック・カービーがナチズムと真っ向から対決する「キャプテン・アメリカ」を創造した。[26]一九四一年三月の初号の表紙には、赤白青を身にまとった筋肉隆々のヒーローがアドルフ・ヒトラーを殴りつけている姿が描かれていた。アメリカ人の大半が参戦に反対していた時代、これは明白な政治的声明であり、アメリカがユダヤ人や他の弱者をナチスの暴力から守るために立ち上がるファンタジーだった。

しかし、実際にはほとんどのアメリカ人はヨーロッパのナチズムの脅威を知らず、関心もなかった。アメリカ人は外国の紛争にまた巻き込まれてはたまらないと思っていた。世論を考えると、ローズヴェルトは参戦したくてもできなかったし、議会がそれを承認しそうにない。ヒトラーが中欧のほとんどを征服しても、一九四〇年春にフランスが降伏しても、アメリカは戦争に加わらなかった。[27]

ローズヴェルトは派兵以外のできるだけのことをした。一九四一年三月、「武器貸与《レンドリース》」[28]法案に署名し、これによりアメリカは武器や軍事物資をイギリスに無償で「貸与する」ことが可能になった。この政策は国内で政治的抵抗に遭い、孤立主義者の上院議員ロバート・タフトは「武器を貸すということは、チューインガムを貸すようなものだ。そんなもの、誰も返してもらいたくない」[29]と訴えたが、このレンドリース法はイギリスの存続にとって不可欠になる。それでも、一九四一年四月の時点で、アメリカ人の八一パーセントという圧倒的大多数が参戦に反対だった[30]。

彼らの考えは、何か途方もなく大きな出来事でもなければ変えられそうにない。それは、すぐそこまできていた。

4

二年後……一九四三年一一月、イラン、クム近郊

輸送機のキャビンは暗く、身を切る冷気が流れ込む。雲の下、外は闇[1]。絶え間ない風の唸りを除いて、最も大きく響いていたのは、キャビンに座った制服姿の男たちが立てる規則正しい呼吸音だ。
六、七人ほどの男たちが暗い空間の両側のベンチに座っている。彼らは軍用の酸素ボンベを使いながら、なるべく節約に努めている。輸送機は呼吸がほぼ困難になる高度五五〇〇メートルのピークに達したところだった[2]。
今、同機は山脈を無事に越え、下降に入る。数人が酸素不足でパニックを起こしかけたとき、再びキャビンに酸素が満ちる。

男たちの肩にはソ連の赤軍の徽章である赤い星がついている。彼らが携帯しているライフルや拳銃

もソ連の武器、そして軍靴やコートもソ連軍のものだ。もし彼らがこの暗く、風が吹き込むキャビンで酸素を節約して話せるなら、ロシア語を話しているはずだ。

彼らは全員パラシュートを着けている。数分後、軍曹がキャビンの扉を開けると、男たちは降下を開始するだろう。計画では、彼らは外に出て数秒後にパラシュートを開くことになっていた。闇夜のなか、数百メートル落下したあと、彼らは平坦な砂漠に着地する。ソ連が占領するイランのクム市の郊外の砂漠に。[3]

だが、このソ連のパラシュート部隊にはどこか異様なところがあった。彼らを運んでいる航空機――重爆撃機にもなるJu290輸送機[4]――はソヴィエト機ではなくドイツ機だ。パイロットはソ連のパイロットではなく、ドイツ人のパイロット。まもなく機の荷物室の扉を開ける軍曹はソ連の軍曹ではなく、ドイツ空軍の軍曹である。[5]

ここにいるパラシュート兵は赤軍兵士に変装しているが、実はナチスの工作員だった。ベルリンの親衛隊（SS）の情報機関の特殊部隊で訓練され、送り出された兵士たちだ。

すべて計画通りに進めば、着地後もすぐに敵と見破られる心配はない。当然だ。彼らはソ連軍の武器を携帯し、肩に本物の赤い星の徽章のついたソ連軍の制服を着ているのだから。

この男たちはクム市の郊外で現地の工作員と落ち合い、トラックに乗って首都テヘランへ向かうよう指示を受けていた。

そこで、彼らの秘密の任務が始まる。

5

二年前……日本

結局、激化する世界大戦にアメリカを引きずり込んだのはナチス・ドイツではなかった。地球の反対側にある国、日本だった。

一九三〇年代、日本が軍備を拡張し他国を侵し始めた理由は、ドイツやイタリアのファシスト政権の戦略とは無関係だった。背景には、東アジアの複雑な歴史と政治的問題があった。ある意味、日本が軍国主義を推し進めたのは、ヨーロッパによるアジアの植民地化の影響である。アジアの国は強くならなければ、ヨーロッパ列強に征服されて搾取されると学んだのだ。

それまでの数十年間にイギリス、オランダ、フランスはアジアの領土と天然資源を奪い、その国民を支配した。[1] 実際、日本がヨーロッパから奪い取ろうとしたのは、南太平洋地域のこれらの領土の一部だった。

しかし、日本はアジアの人々をヨーロッパ支配から「解放」すると唱えながら、その行動は征服と同じだった。ナチス・ドイツの台頭に触発された日本は独自の民族優位性を掲げ、日本人をアジアの最上位に置いた。その後この民族主義は、日本が独断で劣っていると見なした朝鮮人や中国人など、他の民族集団に対する残虐行為を正当化するのに利用された。[2]

一九一〇年、日本は朝鮮を併合し、完全に支配した。一九三一年には、中国東北部の満州に侵攻し、満州国という「傀儡《かいらい》国家」を樹立した。[3] そして、一九三七年一二月、中国本土で情け容赦ない攻撃を開始する。まず上海を征服し、その後、首都南京に攻め入った。その結果起こった「南京大虐殺」では、子供を含め二〇万人の中国の民間人が虐殺されたと言われている。[4] 暴虐の限りを尽くす兵士たちは女性や少女への組織的な強姦におよび、このような所業はその後、日本の征服地で繰り返される。

侵略行為や民間人の虐殺が報道されると、日本は国際社会から批判を浴びた。日本軍兵士が中国人捕虜を斬首する写真は大きな衝撃を与えた。劣勢に立たされた中国政府はやむなく首都を内陸の北京に移し、国民を守るために力を貸して欲しいと欧米諸国に訴えた。イギリスとアメリカは、日本の軍事的侵略を強く非難した。[5]

対する日本は、白人のヨーロッパ人がアジアの人々に何十年も同様の仕打ちをして、正当化してきたのだから、これは二重規範だと主張した。外務大臣松岡洋右《ようすけ》の言に従えば「欧米諸国は日本にポーカーを教え、チップをほぼすべて手に入れてしまうと、このゲームは道徳に反すると言って、コントラクト・ブリッジを始めた[6]」

その通りだとしても、ローズヴェルト大統領の態度ははっきりしていた。彼はヨーロッパ、アジアを問わず、いかなる植民地主義にも反対だった。時計の針を巻き戻して過去の植民地化をなかったことにはできないが、今は敵対的な軍事侵攻に断固反対の立場だ。[7] この方針とアジアでの中国支援のため、ローズヴェルトは日本のさらなる領土拡大を抑止する政策をとる。その抑止を担うのが、アメリカ海軍太平洋艦隊である。総司令部はハワイにあり、フィリピンや他の南太平洋にも基地がある。

一九四〇年九月、日本はドイツ、イタリアと日独伊三国同盟を結び、正式にヨーロッパのファシスト政権と同盟を組んだ。[8] 日本とドイツは互いに地球の反対側にあるが、アメリカ、イギリス、ソ連への敵意を共有していた。一九四一年、ヒトラーに会うためにベルリンを訪問した山下奉文《ともゆき》将軍は「日本とドイツは共通の精神的基盤を持っているため、来るべき時代において、両国の利害は一致するだろう」と表明した。[9]

精神はさておき、日本がヒトラーと同盟を結んだことは戦略的ギャンブルだった。アメリカ国民が再び戦争に巻き込まれるのはご免だと反対しているのを逆手に取り、日本はナチス・ドイツと同盟を結ぶことで両国の拡大政策にアメリカが介入してくるのを防げるはずと期待していた。ところが、これは相手の危機感を高めただけで、アメリカは日本の侵略を糾弾し、厳しい経済制裁を科した。これには日本海軍の動きを封じ込める石油禁輸措置も含まれていた。[10]

それでもローズヴェルトは、日本がアメリカに全面戦争を仕掛けるとは想像もしていなかった。「そんなことになれば、我が国にも日本にもよいことはひとつもなく、戦争に突入すれば双方とも傷つく」[11]と彼は親しくしていた日本人の駐米大使に語っていた。ヨーロッパの戦況に気を取られていたローズヴェルトは、アジアに関しては、関係する国々の総意により太平洋地域の戦争には発展しないだろうと考えていた。

言うまでもなく、日本はそう考えていなかった。日本の軍事指導者たちは領土拡大に固執するあまり、アメリカとの対決は不可避との思いを強めていった。優位に立っている今、ただちに攻撃すべきだ。外交努力の成果を待っていたら、その間にアメリカは海軍を増強し——すでにイギリスを支援するレンドリース法により軍拡が進んでいた——日本は太平洋での優勢を失うだろう。[12]日本の指導者たちは、不意打ちすれば一度の大規模攻撃でアメリカ海軍の艦隊を弱体化できるし、そのような日本の破壊力を目の当たりにしたアメリカは二度と太平洋に出張ってくることはないだろうと予想した。[13]

そうはならなかった。しかし、一九四一年の夏から秋にかけて、日本の外交官たちが表向きの外交努力を続けるあいだに、軍の最高幹部は世界史上まれにみる大胆な奇襲をひそかに計画していた。日本の総理大臣東条英機はアメリカへの奇襲が途方もなく大きな賭であることを認識し、「我が帝国は興廃の瀬戸際に立たされている」[14]と同僚の将軍たちに語った。

一九四一年一一月二六日、日本の空母や戦艦は択捉島中部にある単冠湾《ひとかっぷわん》をひそかに出発した。一〇日後、艦隊は五六〇〇キロ進んでハワイ諸島のオアフ島に近づいていた。[15]

軍事的、戦略的に見れば、この作戦は見事に成功したと言えるだろう。しかし、最後には日本の指導部の期待とはほぼ正反対の結果になる。

6

一九四一年一二月八日、ワシントンDC

「戦争！　オアフ島、日本軍機の爆撃を受ける」[1]

攻撃から数時間後、〈ホノルル・スター・ブレティン〉の夕刊に特大の見出しが躍る。第一報を伝えたホノルルの報道機関に続き、まもなくアメリカ中のラジオ局や他の新聞も報じ始める。一二月八日の月曜には、国中のメディアが洪水のように押し寄せる新しい情報を必死で処理していた。[2]

実は、攻撃されたのはパールハーバーだけではなかった。パールハーバーは太平洋に展開する日本軍の奇襲作戦のひとつにすぎなかった。その晩、香港、マレー半島、フィリピン、ウェーキ島、グアム島も同時に攻撃を受けた。[3]ドイツ軍はヨーロッパ中でおおぜいの人を死に追いやっていたが、それを上回る衝撃だった。

戦争は西へも東へも拡大していた。国民はいくつもの問いに対する答えを求めていた。

なぜアメリカ海軍はこれほど無防備だったのか？　これはヨーロッパでの戦争にどんな影響を与えるのか？　なによりも、アメリカは自分の国が攻撃されたことに対してどう行動すべきか？

午後一二時三〇分、大統領補佐官たちがローズヴェルトを車椅子に乗せ、ホワイトハウスの東側ゲートで待機していた車の後部座席へ運んだ。

大統領の側近、ヘンリー・モーゲンソー財務長官は、大統領に護衛をつけて軍事車両で移動することを強く勧めた。直近の攻撃に鑑み、用心に越したことはないとして。しかし、ローズヴェルトはそれを断り、トップをおろしたコンバーティブルで移動することにこだわった。自分はアメリカ合衆国大統領である。こそこそ逃げ隠れするどこぞの得体の知れない軍事独裁者ではない。

午後一時を少しまわったところで車は目的地に着く。上下両院の全議員が詰めかけた議会議事堂。ホワイトハウスと議会担当の記者たちも集まり、建物を出たり入ったりして最高司令官の到着を待っていた。

大統領が午後一時三〇分頃に議場に入っていくと、議員たちはスタンディング・オベーションで迎えた。[4]ローズヴェルトは議会に多くの敵がいたが、今日は――少なくともこの瞬間は――政治家たちは意見の違いを脇に置き、そろって拍手で迎えた。

演説や他の公的行事に臨むとき、ローズヴェルトとその側近たちは、車椅子でどう移動し、どうやってステージに上げるかなど細かく段取りを決めていた。それもこれも、なるべく障害を目立たせないようにして普通の公人と変わらないことを示すためだった。[5]

今日は違った。大統領は議場の全員の目の前で、壇上までのわずかな数歩を自力で歩む。バランスを取るために肩に置かれた介助者の手を除き、ひとりで全体重を装具にかけながら重い足を引きずっていく。これには相当な集中が必要だ。以前、転んで床に倒れたことがある。議会ではすでに高まっていた感情に加え、この身体の弱さと勇気を目の当たりにした全員が固唾を呑んでいる。[6]

ローズヴェルトは転ばずに演壇までたどりつく。両腕を演台についてその一九〇センチ近い身体を支える。全世界の目が彼に注がれるなか、大統領は明瞭に理路整然と話し始める。それは前日、グレース・タリーに口述筆記させた言葉だ。「昨日、一九四一年一二月七日――屈辱として永遠に記憶されるその日――アメリカ合衆国は日本帝国の海軍部隊と航空部隊の、突然の意図的な攻撃にさらされました」

ローズヴェルトは話すあいだ、身振り手振りを交えない。身体を支えるために台から手を離せないからだ。そのため、頭の動きで強調を示す。「昨日のハワイ諸島への攻撃でアメリカ海軍と兵士が甚大な被害を受けました」。そして、少し間を置き「残念ながら、非常に多くのアメリカ人の命が失われました」と述べる。

攻撃から丸一日経ち、大切な人が亡くなったとの知らせを受ける家族が国中で出ていた。今後、さらに多くの家族が同様の知らせを受けるだろう。

「私は全力で国を守るだけでなく、このような卑怯な手段によって国が危険にさらされることが二度とあってはならないと断言します。それは議会と国民の総意であると確信しています」

ここで一斉に拍手がわき、満場総立ちとなる。これは議会がすべきことを承認する明白なシグナルだ。

彼はスピーチではあえて日本にしか言及しなかったが、より大規模な戦争の文脈で語っていることは明らかだった。「戦闘行為が開始されました」とローズヴェルトは断言する。「アメリカの国民、国土、国益が重大な危機に瀕している事実を無視することはできません」

「我が軍への信頼、そして国民の不退転の決意をもって、我々は当然の勝利を得るでしょう――神に誓って」

最後に、ローズヴェルトは議会に対して「アメリカ合衆国と大日本帝国」が戦争状態にあることを宣言するよう正式に求める。[7]

スピーチは万雷の拍手による中断を含めて六分足らずで終わった。「彼の生涯であれほど国民と気持ちがひとつになったのは、あのときだけだと思う」と、ある上級補佐官は述べ[8]、この演説はあらゆる方面から絶賛された。

ローズヴェルトが議場を出てからおよそ三三分後、上下両院は日本に対する宣戦布告を可決する。上院は八二対〇、下院は三八八対一だ。[9]

多くの疑問が残ったままだが、ひとつ明白な事実がある。アメリカ合衆国は戦争状態にある。

あれからまだ一日半。ラジオ放送CBSニュースのブロードキャスター、ローウェル・トーマスが述べたように「これは、わが国の歴史上、最も重要な週末だったかもしれない[10]」

この先何が起こるか彼が知ったら、なんと言うだろう。

7

その前夜……一九四一年一二月七日、イギリス、バッキンガムシャー

ニュースはすぐに広まる。

パールハーバーのニュースは、わずか数時間でハワイから一万一〇〇〇キロ離れたところまで伝わり、別の大陸でダイニング・テーブルについていたこの男のもとへ届く。

六八歳、ずんぐりとした短軀、丸く突き出た腹、四角い二重顎、しわが刻まれた眉間、鋭い眼光。もう二年間、彼はヨーロッパの最後の砦――イギリス諸島――をナチス・ドイツの攻撃と占領から守るという類のない大きな重荷を背負っていた[1]。

ウィンストン・チャーチル、イギリス首相――今夜、その彼がめずらしく言葉を失っている。

味方にとっても敵にとっても、チャーチルは活力の権化だ。彼の口から言葉の奔流がやむことはめったにない。その弁舌、弁論術、才気は、食と酒と葉巻への愛着とともに伝説となっている。不健康な習慣と加齢をものともせず、常に活気にあふれ、疲れを知らない人だった。昼間の入浴とブランデーを愛し、それでリフレッシュしたあとは夜を徹して仕事を続けることもあった[2]。

チャーチルはイギリスの名家に生まれ、精鋭の陸軍士官学校に学んだ。軍隊では軍人と記者を兼務し、弱冠二五歳で国会議員に当選した。荒れる庶民院〔アメリカ議会の下院に相当〕は彼の攻撃的な弁論スタイルにとって理想的な訓練場になった。第一次世界大戦では海軍大臣を務め、イギリス帝国の将校として海外に赴き、閣僚を幾度か務めるなど何十年も公人の道を歩んだ。またその間に歴史や文学をテーマにした本を何冊か著した[3]。

一九三〇年代、チャーチルは六〇代にさしかかり、公的生活からの引退を考えていた。あるいは自分ではそのつもりだった。しかしナチス・ドイツの台頭に伴い、彼はヒトラーに対するイギリスとフランスの宥和政策を公然と糾弾する。ヒトラーはヴェルサイユ条約に違反して再軍備を行い、隣接する領土の併合を進めた[4]。チャーチルによれば、譲歩する人とは「ワニに充分な餌を与えれば、食べられる順番が最後になると期待する」人のことだった[5]。一九三九年後半、自信をつけたヒトラーがポーランドに侵攻し、チャーチルの正しさが証明された[6]。また、この事件をきっかけにイギリスはドイツに宣戦布告する。

戦争が始まり、ネヴィル・チェンバレン首相の任期が終わろうとしていた一九四〇年初め、チャーチルがナチスの脅威を早くから見抜いていたこと、そして彼の軍隊と政治の経験から、国の指導者に彼が選ばれるのは当然だった。[7]「私は宿命を背負って歩んでいると感じた」と、のちにチャーチルは語っている。「これまでの人生はすべて、この時、この試練のための準備に過ぎなかったのだと」[8]

ヒトラーとナチス・ドイツがチェコスロヴァキアやポーランド、ノルウェー、オランダ、ベルギーなどの国々を残虐な武力で併合し、占領し、征服したあとの一九四〇年五月一三日、チャーチルは首相に就任してから初めて庶民院で行った演説で、己の使命を次のように述べた。

我々の方針は何かと問われれば、私はこう答える。戦うことである。海で、陸で、空で、我々の

1941 年に撮影されたイギリス首相ウィンストン・チャーチル。1940 年 5 月の首相就任以来、チャーチルはその時間のほとんどをナチス・ドイツとの戦争のために費やした。(World History Archive / Alamy Stock Photo)

持てる力と神が与えたもうた力のすべてを尽くして戦うことであり、これまで人類が犯してきた邪悪で嘆かわしい罪の数々を凌駕するおぞましい暴政と戦うことだ。それが我々の方針である。我々の目的は何かと問われれば、私は一語で答えられる。勝利。如何なる犠牲を払ってでも勝利。あらゆる恐怖を克服しての勝利……なぜなら、勝利なくしては生き残れないからだ。

自身の役割としては、彼は「私には血と労苦と涙と汗以外に差し出せるものは何もない」と簡潔に語った。[9] まもなくこの言葉はイギリス国民の戦争協力を表すことになる。

問題は、最大の国難の時に舵取りを任されたことだ。首相に就任してから一か月後、フランスが降伏する。ドイツ軍の戦車がパリに入城した。それまでフランスは世界最大の軍隊を有していた。ドイツはそれを簡単に粉砕したのだ。

そのような強さを前に、ヨーロッパ大陸のより小さな国々はドイツに降伏するか、滅亡の危機に瀕するか、ふたつにひとつだった。ムッソリーニ率いるイタリアは早速ドイツ側について参戦し、地中海の防衛を固めた。[10] ヒトラーは占領地域から資源や財産、武器を奪ってドイツの国力を増強した。残るはイギリスのみだった。ドイツの地上部隊の大軍団がイギリス本土に押し寄せるのを阻止していたのは、イギリス空軍と海軍が防衛する英仏海峡だけだった。イギリスの同盟国であるカナダやオーストラリアをはじめ、数か国から支援を受けていたが、あまり頼りにはならなかった。

一九四〇年六月、ドイツが誇る空軍はイギリスを征服するために空襲を開始した。爆撃機が都市部を攻撃し、民間人を標的に最大の被害を与えて降伏を迫る作戦だ。チャーチルが首相に就任してからわずか一か月で、イギリスの存続が危ぶまれていた。[11]

彼の最大の望み、そして彼が考えるイギリスの救いはアメリカの参戦だった。彼は強い味方を切望し、必要としていた。ローズヴェルト大統領を尊敬していたし、彼ならナチスの脅威を理解していると考えていた。しかし、チャーチルがいくらしぶとく懇願しても――しかもチャーチルはかなりしつこい――ローズヴェルトはアメリカを参戦させなかったし、またそうすることができなかった[12]。二年近くのあいだ、チャーチルはアメリカが考えを変えるような何かが起こることを願うばかりだった。

その夜、日本軍がパールハーバーを奇襲したとの知らせが届いたとき、チャーチルはロンドン郊外にある首相別邸チェッカーズでダイニング・テーブルについていた。軍事顧問数名、アメリカ人外交官二名と共にディナーを兼ねたミーティングをしていた。背景にはラジオ放送が流れていた。

ＢＢＣラジオのアナウンサーが臨時ニュースを読み上げる――日本の帝国海軍がパールハーバーを爆撃。最初、チャーチルと彼の顧問たちには事情が飲み込めない[13]。「パールハーバー」という名称はアメリカ人以外には馴染みがなかった[14]。同席者の何人かは、アナウンサーが「パールリバー」と言ったように聞こえ、中国の川のことだと思った。ふたりのアメリカ人は正確に聞き取ったが、ニュースに戸惑い、口をはさんで招待者の聞き間違いを訂正するのをためらっていた。

いかにもイギリスらしく、真実は執事によってもたらされる[15]。使用人部屋でニュースを聞いた執事が晩餐の間《ま》に入り、日本がハワイにあるアメリカ海軍の基地を攻撃したと伝える。

部屋は静まりかえった。チャーチルでさえ、しばらく黙っている。戦争におけるイギリスの役割は、英仏海峡をめぐってドイツ空軍と戦いを繰り広げていた最中の一九四一年六月、ヒトラーがソ連に侵攻して再び世界に衝撃を与えてから、いっそう複雑になっていた[16]。

ドイツが「バルバロッサ作戦[17]」と呼んだこの侵攻のため、ドイツは史上最大規模の攻撃部隊を展開した。ドイツ軍の歩兵師団や装甲師団が、東欧の広域を猛烈な勢いで一斉に東へ進撃し、その間、空軍が上から破壊をもたらした。ドイツ軍が通り過ぎたあとにはおびただしい数の死が残された。数か月のうちに、強大なドイツ軍の前線は数百キロを移動し、地上部隊がレニングラードやモスクワに迫っていた[18]。

侵攻が始まったとき、チャーチルはソ連にできる限り支援すると約束し、他の同盟諸国も同様にするよう訴えた。

しかし、ソ連と同盟を結ぶことは簡単ではなかった[19]。まず、ソ連は共産主義国であり、イギリスの主義主張とは相容れない。ソヴィエト体制と同盟を結ぶためには、政治的、経済的、倫理的見解の大きな違いを乗り越えなければならない。チャーチルは議会での演説で、これこそイギリスがなすべきことだと明言した。


過去二五年間、この私ほど一貫して共産主義と戦ってきた者はいない……これについての発言を撤回するつもりはない。しかし、現在繰り広げられている一大事を前にすべてが消え去った……ナチズムと戦っている如何なる人も国も、我らの支援を受けるであろう。したがって、我々はロシアとロシアの国民を助けるためにできる限りの援助を行う[20]。


さらなる問題は、つい二年前まで、ソ連がヒトラーと手を組んでいたことだ[21]。独自に領土拡大を目指すソ連は、一九三九年、ドイツと共に武力でポーランドを征服し、その後の蛮行に加わった。ソ連は実際、開戦時にはドイツ側についていた。ヒトラーが突然同盟を破棄して攻め入ってきたために、ドイツと対決する側になった。この理由ひとつとっても、ソ連は信頼できないパートナーだった。それに、ソ連と同盟を組めば、鉄拳で国を治めていることで知られる男、すなわちスターリンと、否が応でも付き合っていかなければならない。

少なくとも経済的な公平性を目指していたそれまでの共産主義の指導者とは違い、スターリンは露骨な権力欲のみに突き動かされた権威主義的な独裁者だった。スターリンはヒトラーのように、日常的に殺人や暴力で政敵を排除していた。またヒトラーのように自国の少数者集団を大量虐殺しており、スターリンの異名、「鋼鉄の男」は彼の冷酷な性格に由来していた。[22]

今や、その男がチャーチルと同じ側にいる。

首相は戦争に加えて、スターリンとのこの不安な関係のために窮地に立たされていた。ぜひとも助けが欲しい。パートナーが必要だ。この戦争が始まってから二年ものあいだ、彼はアメリカ合衆国がそのパートナーになってくれることを切に願い、祈っていた。

したがって、チェッカーズで彼らがダイニング・テーブルを囲んでいたとき、執事がもたらしたニュースに最初に反応したのはチャーチルだ。立ち上がってナプキンをむしり取ると、足早に部屋を出る。駐英アメリカ大使のジョン・ワイナントを含め数人があとに続く。

チャーチルは隣の書斎に入ると、居ても立ってもいられなくなる。何かしなければならない――しかし、何をすればいい？　南太平洋に艦隊を送ればいいのか？

彼を落ち着かせるのはワイナントだ。ラジオの臨時ニュースで外交政策を決めることはできない。ワイナントが、まずワシントンＤＣに電話して事実を確認しましょうと言う。すぐにワイナントはホワイトハウスに電話する。ローズヴェルト大統領に電話がつながる。

チャーチルが受話器を受け取る。「大統領、あの日本のことは本当ですか？」と彼は訊く。

「ええ。日本がパールハーバーを攻撃しました」とローズヴェルトが答える。それから、少し間を置いて大統領が発した言葉は、開戦以来チャーチルが聞いたなかで最も大きく流れを変えるものだった。

「もう我々は同じ船に乗っているわけですね」[23]

同じ船に乗っている。アメリカが参戦するという意味にとれる。

通話はすぐに終わる。チャーチルは目の前にいるアメリカ人の前で喜びを表さないように気をつけた。なんと言っても、アメリカは悲劇に見舞われたところだ。しかし、国が滅びるかと思われた二年を過ごしたあとでは、チャーチルは後日自身が述べるように「この上ない喜び」を感じている。彼は以前、外務大臣から聞いた言葉を思い出す。アメリカは「巨大なボイラー」のようなもの――いったん火をつけたら、それが生み出すエネルギーには限りがない。

会議と電話で数時間過ごしたあと、チャーチルはようやくその日の仕事を終える。彼はのちに記している。「感動で胸がいっぱいになり、満ち足りた。疲れていた私はベッドに入り、救われ感謝する者として眠りについた[24]」

それでも喜ぶのはまだ早い。明日、ローズヴェルト大統領は日本に対する宣戦布告の承認を議会に求め、それを得るだろう。ドイツやイタリアに対する宣戦布告は求めないだろうし、求めたとしても議会が承認しないだろう。

実際、アメリカがドイツと戦争を始めるとしたら、それを決断させるのはウィンストン・チャーチルでもフランクリン・ローズヴェルトでも、はたまたアメリカ議会でもない。それを決断させるのは、数千キロ離れたところにいるまったく別の人物である。

8

一九四一年一二月七日、プロイセン、ラステンブルク

誰かが総統に報告せねばならない。

ここはワルシャワの北およそ二四〇キロのところにある東プロイセン（現ポーランド）の深い森のなかの要塞、狼の巣《ヴォルフスシャンツェ》。[1] 六か月前のソ連侵攻後、ヒトラーは東部戦線に近いこの地に参謀が集まれるように秘密の指揮所を開設した。

ヨーロッパの反対の端のチェッカーズでイギリス首相が夕食をとっていた別邸から一六〇〇キロ離れたここでも、日本のパールハーバー攻撃は寝耳に水だった。

「狼の巣」でナチス幹部がそれを知ったのは、チャーチルに後れることほんの数分だったと思われる。そこでいくぶん厄介な問題が生じた。情報将校の誰かがその件を帝国の指導者、すなわちアドルフ・ヒトラー総統に伝えなければならない。[2]

ヒトラーの執務室と居室は「狼の巣」の中心にあった。建物全体が要塞化され、警備を厳重にし、敵に所在が知られてもそう簡単には侵入されない構造になっていた。[3] ここには一〇〇〇人近い兵士と要員が詰めていた。その一〇〇〇人のなかにはドイツ人に限った女性一五人も含まれ、彼女らの唯一の役目はヒトラーの食事の毒味だった。もし敵がまんまと彼の食事に毒を盛ったとしても、この女性たちの誰かが命を落とすだけで、総統に害はおよばない。[4]

最近、ヒトラーはベルリンから指示を出すよりも、プロイセンの森の、この人里離れた「要塞」で過ごすことが多かった。彼は東部戦線でのドイツ軍の日々の戦況が気がかりで仕方がないのだが、ここにいれば情報が得やすいからだ。

その年の半ば、ソ連侵攻を決断したのは彼の最大の賭であり、すばらしい一手になると自負していた。劣等のスラヴ民族を征服し、共産主義の害悪を取り除き、ソ連の豊かな資源を手に入れ、東部のおおぜいのユダヤ人を制裁することは、彼の壮大な計画の基盤だった。

ところが、東部戦線はヒトラーの思い通りには進まなかった。一九四〇年、ドイツ軍は前面の敵を蹴散らしながら中欧から西欧へ迅速に進撃を果たしたため、それを思えばソ連も簡単に倒せるだろうとヒトラーは予想していた。最初、ドイツ国防軍は期待通りの戦果をあげ、数百万の兵士と戦車が夏のあいだに数百キロを前進し、行く手を阻むソ連軍の各師団を含め、あらゆるものを抹殺した。

しかし、このめざましい緒戦のあと、進撃は止まった。ドイツ軍は疲弊し、しかも広大なソ連の土地で数百万の兵士の食糧と装備を行き渡らせるのは難しかった[5]。対するスターリンはヒトラーの裏切りによる最初の衝撃から立ち直り、赤軍を再編制して国全体の臨戦態勢を整えた。疲れ切ったドイツ軍がようやくレニングラードやモスクワに迫ると、以前より増強し、組織化されたソ連軍の強い抵抗に遭った。

ドイツの攻勢が衰え始めたちょうどそのとき、最強の敵が現れた。昔から侵略軍を退けてきた「冬将軍」と呼ばれる長く厳しいロシアの冬だ。一一月、気温は急激に下がり、北極からの寒風が凍ったツンドラを吹き抜けてきた。

ヒトラーは初秋までには対ソヴィエト戦に勝利しているものと確信していたため、彼も参謀も歩兵師団や装甲師団の兵士たちに適切な冬装備を用意していなかった。寒気にさらされた兵士たちは敵と戦う前に凍傷で死に始めた。そして、一二月五日、ソ連の将軍たちは敵の衰えを見てとると、モスクワを目指すドイツ軍に対して奇襲の反攻を開始した。打撃を受けたドイツ軍はソヴィエトの前線から撤退し、ヒトラーを激怒させた[6]。

今や本格的な冬になり、ヒトラーはやむなく軍を防衛拠点まで撤退させる。ドイツはソ連西部地域の大半を占領していたため、ほとんどの兵士は冬のあいだもソ連領内に駐留していたが、主要都市への新たな攻勢は春が来るまで待たなければならない[7]。当然、その機に乗じてスターリンは防衛を強化するだろう。

依然としてドイツのほうが優勢だ。しかし、これはドイツにとって開戦以来、初めての敗北だった。これは小さいが致命的なキズだ。このニュースがベルリンに伝われば、ドイツの士気に支障が出るとヒトラーは危惧した。なによりも、負けは彼を弱く見せる。これは偉大な総統にとって最悪だ。[8]

そういうわけで、一二月七日の夜、ヒトラーは機嫌が悪かった。

ソ連の反攻からまだ二日しか経っていない。パールハーバーのニュースを聞いたとき、ヒトラーはチャーチルやローズヴェルトと同様に驚いた。奇襲は完全に極秘で進める必要があるため、日本は同盟国にも計画を明かしていなかった。ニュースは「青天の霹靂《へきれき》」だったと、あるナチス高官は述べている。[9]

「狼の巣」では、最初、この展開を危惧する幹部もいた。ロシアで一時撤退を余儀なくされた今、アメリカの参戦はなんとしても避けたい。

しかし、これを朗報ととらえる人物がひとりいた。アドルフ・ヒトラー、その人である。

あるナチス幹部の供述によれば、ヒトラーは「このニュースを聞いたとき、腿をたたいて喜んだ」という。[10]鬱屈と怒りの二日間を過ごしたあと、総統はにわかに快活になった。パールハーバー攻撃は彼に新たな活気と勢いをもたらし、ロシアから気をそらすことに役立った。戦争はこれで流れが変わる。この場に居合わせた人は「まさに重荷をおろしたような感じだった。彼はひどく興奮し、まわりの人間に新しい世界秩序について語り出した」と説明している。[11]さらに、ヒトラーは己を中心とする文明の大衝突という大仰な物語《ナラティブ》を思いつく。

ヒトラーの情熱はその場にいたナチス幹部に伝染する。あるいは少なくとも、全員が共感するように強いられる。その晩、「狼の巣」は「歓喜と恍惚に包まれ[12]」、そしてナチスの外務大臣ヨアヒム・フォン・リッベントロップは「日本がアメリカ合衆国を攻撃したことを飛び跳ねて喜んだ[13]」

偶然にもヒトラーは、三日後に帝国議会で大演説を行うことになっていた。まさに絶好のタイミングだ。この演説は、東部戦線の失態から世界の目をそらし、パールハーバー後の世界のナラティブを構築しようとする総統にとって完璧な場となるだろう。

翌朝の一二月八日、総統は東プロイセンからベルリンの公邸までおよそ七二〇キロを移動した。そこですぐに宣伝大臣のヨーゼフ・ゲッベルスと会い、今度の演説の準備に取りかかる。そして準備により多くの時間をかけるために、演説を一日ずらし、一二月一一日に行うことにした[14]。

ベルリンにいた閣僚の一部は、「狼の巣」の参謀と同様に、パールハーバー攻撃への言及は慎重にするよう進言する。ドイツ軍はすでに広範囲に展開し、東方ではソ連と、西方ではイギリスと戦っている今、敵が増えるような事態は絶対に避けたい。今回で言えば、その敵とはアメリカ合衆国だ。アメリカと戦う日本を支援するとしても、アメリカとドイツが直接戦うことになる戦略はとるべきではないと提案する。そうすれば、アメリカは日本に対してのみ宣戦布告するだろうし、その状態に保っておくのが最善である。

ヒトラーは怒ってそのような意見を退けた。第一、彼はアメリカなど恐れてはいない。誇り高き白人種のヨーロッパの強国と比べると、アメリカは基本的に弱い国だと彼は見なしている。アメリカは元来の白色人種の伝統を捨て、劣等人種がひしめく雑種国家となった[15]。ヒトラーの盟友であるイタリアのベニート・ムッソリーニが蔑んだように、アメリカは「黒人とユダヤ人の国」だ[16]。

軍事的要因とは別に、ヒトラーは力強さを醸し出す必要があると考えていた。常に攻撃的で、物事の采配を振っていなければならなかった。フォン・リッベントロップは総統の意を汲んで「偉大な国は宣戦布告されることはない。自ら宣戦布告するものである」[17]と述べた。ヒトラーは軍幹部に意見を問うことも、伝えることもせず、外務大臣にアメリカ合衆国に対して正式に宣戦布告する用意を指示し、ゲッベルスと共に演説原稿を練る。

一二月一一日、午後三時、ローズヴェルトが議会で演説してから三日後、アドルフ・ヒトラーは八六五人の議員が席についているベルリンのクロル・オペラハウス〔国会議事堂が焼失してから議場として使われていた〕に入る。ヒトラーは公然と彼に反対する議員を残らず追放または逮捕していたため、今日の相手は忠実な者ばかりだ。演説はドイツだけでなく世界に放送される。

「勝利万歳《ジークハイル》」の叫びが響き渡る。巨大なナチスのシンボルが背景に掲げられた演壇にヒトラーが進み出る。その壇上からアドルフ・ヒトラーは語り始める。

まず最新の戦況報告から始め、東部戦線でのドイツ軍の勝利を褒め称える。戦死者数については数字をごまかす。ヒトラーの指導戦術のひとつは、ナチスの宣伝方法に表れているが、それは真実を無視して彼自身とナチスに好ましいものだけを伝えるというものだった。もし真実が好ましくなかったら、嘘を言うだけだ。これらの嘘は彼の宣伝機関によって増幅され、真実は葬り去られ、忘れられる。[18]

ソ連での戦いについて述べるあいだ、ヒトラーは東部戦線での敵の反攻にはひとことも触れない。当初の目標に反して冬がくる前のモスクワ攻略に失敗したことも、春まで攻勢を待たなければならないことにも触れない。彼の目論見が外れたせいで多くのドイツ兵が飢えと寒さに苦しみ、一部は赤軍の捕虜となっていることも一切語らない。

ヒトラーがすぐに気づいたように、ロシアでの悪い知らせから注意をそらすのはよい手だ。特に新しいナラティブが用意できている場合は。

したがって、演説の半ばで彼はトーンを変えて「炉辺でしゃべるのが好きな男」と嫌みを言う。もちろん、聴衆には誰のことかすぐにわかる。フランクリン・ローズヴェルトが毎週行う「炉辺談話」は誰もが知っていた。ヒトラーは続いてローズヴェルトの性格や能力を攻撃し、「無知」で「知性に欠ける」と侮辱する。侮辱は大統領夫人エレノア・ローズヴェルトにも向けられる。彼女が先頃、ナチスを非難する発言をしたからだ。

それから話はローズヴェルトの政策の罵倒に移り、彼が大統領に就任してから「アメリカの国の借金は大幅に増加し、ドルの価値を下げた」うえ、「経済的生活のさらなる崩壊を招いた」と語る。ローズヴェルトの代表的な経済政策については、「ニューディール法はすべて間違っていた。ひとりの男が犯した間違いでは最大のものだった」と主張する。

当然のことながら、ヒトラーも帝国議会議員も、ローズヴェルトの国内経済政策など、どうでもよかった。これはメインイベントの前振りに過ぎなかった。

ヒトラーの声はさらに重苦しく、不気味になる。ローズヴェルトの経済政策が失敗したのは「彼が支援を得るために呼び寄せた輩、というより彼を呼び寄せた輩がユダヤ人であることを考えると、少しも驚きではない」と述べる。ここで拍手喝采が起こる。ヒトラーは「極悪非道な卑劣なユダヤ人がこの男のもとに集まり、彼は両手を差し伸べたのである」と声を荒らげる。

ここでヒトラーは壮大なナラティブに入る。ローズヴェルトはチャーチル同様、「アングロ・サクソン・ユダヤ資本家の世界」に属すると断じる。彼らはグローバリストである。そして、ユダヤ人の存在は「すべて崩壊のためにあり、決して秩序のためではない」と訴える。ローズヴェルト大統領はこの大いなる陰謀の一部である。彼はドイツで、そしてヨーロッパ中で白人種の伝統的価値観を脅かしている「永遠のユダヤ人」に操られている。ドイツ国民は総統を支持し、これらの外敵やユダヤ人と戦わなければならない。

盛り上がった拍手喝采が長く続いたあと、ヒトラーは正式に発表する。ドイツはアメリカ合衆国に宣戦布告する。「我々の敵は、己を欺いてはならない」と彼は勝ち誇ったように強調する。「我々が知るドイツ二〇〇〇年の歴史において、今日ほど我々が団結したことはなかった」[19]

この宣言とともに、世界の情勢は決定的になる。ナチス・ドイツ、イタリア、日本と、イギリス、ソ連、アメリカとの戦争である。

ヒトラーから見て、帝国議会での演説は彼の目標を達成した。ドイツ国民の目を最近の対ソ連戦の敗北からそらした。彼は力を誇示し、アメリカがドイツに宣戦布告する前に、アメリカに宣戦布告することによって世界の主導権を握った。そして、ドイツ人の破滅を目論むユダヤ人の陰謀の一端をア

1941年12月11日、日本のパールハーバー（真珠湾）攻撃から4日後、アドルフ・ヒトラーはベルリンのクロル・オペラハウスで開かれた帝国議会で演説する。彼の演説は戦争の行方を決定的に変えることになる。（© SZ Photo / Bridgeman Images）

メリカが担っていると訴えた。

この演説でヒトラーはローズヴェルトを三〇回以上、名指しした。偶然ではない。鮮明な敵を創造する必要があった。なによりも、ヒトラーは物事を個人的なことに置き換えて考えるのが好きだった。自分の強力な軍隊が世界中で死と苦痛をもたらすいっぽう、ドイツの壮大な計画を阻む大国の首脳と対決する人物という自画像を描いた[20]。

チャーチル。スターリン。ローズヴェルト。これがヒトラーの敵だ。壮大な気力のぶつかり合いで勝つのは自分だと彼は思っていた。

三人の首脳に対する彼の個人的な執着がナチス・ドイツの最も重大な決断を招き入れる。実際、ほぼ二年後、史上まれに見る大胆な暗殺計画に結びつく。

第2部

嵐と破滅

9

一三か月後……一九四三年一月、イラン、テヘラン

彼は周囲に溶け込む方法を心得ている。

テヘランの市場は普段通り買い物客であふれ、カフェや店はにぎわい、狭い街路は車と自転車と通行人でごった返している。世界の多くの国や都市とは違って、この国、この街の暮らしは戦争が始まった三、四年前とほとんど変わっていないように見える。一部の例外を除き、最も目につく制服といえば黄土色で、これは地元イランの治安部隊のものだ。[1]

しかし多くの国々と同様に、イランは戦争で中立を保つことができなかった。北はソ連と国境を接し、現在、連合国に占領されている。[2] 首都テヘランは米英ソの部隊によって監視されている。

だからこそ、時折テヘランのカフェや市場に出没するこの二〇代後半の痩せ型の男は、目立ってはならない。実際、彼は必要に迫られて変装していた。

彼の名はフランツ・マイヤー。[3] しかしこの名前を知っている者はこの街ではほんのわずかだ。それ以外の人には彼は偽名で通している。なぜそこまで秘密にするのか?

フランツ・マイヤーはナチ党員である。これを知られてはならない。

なぜここにいるのか?

今から四年前、二〇代半ばのマイヤーはポツダムに住み、法学院を卒業したばかりで、政府機関で秘書的な仕事に就いていた。戦争が始まると、彼も多くのドイツの若者と同じく、熱烈にナチスの大

義に賛同し、入党した。[4]
最初、軍の通信兵として訓練を受けたが、まもなく上官が彼の才能を生かせる分野へ彼を転属させた。彼はナチスの情報機関である親衛隊保安部（ＳＤ）に入った。[5] ＳＤは、ドイツの以前からある国防軍情報部《アプヴェーア》――一〇年の歴史があり、ある程度の自治権をもつ――とは違い、ナチ党の内部機関であり、アドルフ・ヒトラーのみに従う。[6]
マイヤーはＳＤの新人仲間でローマン・ガモタという若い隊員と親しくなった。軽い気持ちでふたりは「中東任務」を志望したが、それが何を意味するか、これからどこへ行くことになるかも知らなかった。数週間と経たず、ふたりは中立国のイラン行きを命じられ、そこで正体を隠してドイツのために活動することになった。[7]
つまり、ナチスのスパイになるのだ。
マイヤーとガモタは事前にほとんど訓練を受けなかった。のちにイギリスの情報部はこの二名の若いスパイの任務について、次のように記録している。

ＳＤは彼らに当該国の正確な情報を与えることができなかった。また、諜報活動や無線通信、破壊工作の訓練もしなかった。現地の連絡先、具体的な任務、情報の伝達法も何も伝えられていなかった。彼らが第六局の主任から命じられたのは、とにかくペルシア[*1]に行って現地の事情に精通しろということだけだった。[8]

実際には、これらの指令は伝わらなかった。ふたりは首都テヘランに入り、ドイツ大使館と連絡を取った。身元を隠すための仮の仕事に就き、この街で特定の任務のない諜報員として自主的に活動することになった。[9]

ふたりは現地の言葉も習慣もわからないまま暮らし始めたが、当初はそれほど苦労しなかった。なぜならイランは開戦時、親ドイツ政権だったからだ。イランの独裁者である皇帝レザー・シャーは一九三〇年代にヒトラーを尊敬し、ナチズムを知り、これを取り入れようと熱心だった。

ヒトラーはレザー・シャーの媚びへつらいを好意的に受け止め、関係強化に努めた。ドイツにおける白人優越主義と反ユダヤ主義を成文化した、悪名高い「人種法」であるニュルンベルク法を改正し、優秀なアーリア人種に「ペルシア民族」を名誉アーリア人として含めたこともある。[10]

ヒトラーの真の狙いはもちろん、イラン人を讃えることよりも、その関係から得られるメリットのほうだ。イランには石油があり、ドイツは増え続ける軍事資源のためにとにかく石油が欲しい。ふたつめに、イランにはペルシア湾からカスピ海に抜ける交易ルートなど、戦略上の多くの利点がある。[11]テヘランのスパイ、マイヤーとガモタの生活を一変させたのは、このふたつめの利点――戦争におけるイランの地理的位置――だった。

一九四一年六月のドイツによるソ連侵攻後、連合国の最優先課題は、アメリカとイギリスの武器や物資をドイツの大規模な侵略に抵抗するソ連に届けることだった。米英はソ連軍に物資を届けるには、イラン縦貫鉄道が最適なルートだとすぐに気づいた。

連合国はさっそく動いた。一九四一年八月、ソ連とイギリスの部隊が同時に北と東からイランに攻め入り、親ドイツ政権をたちまち降伏に追い込んだ。

このときヒトラーの盟友で独裁者のレザー・シャーは国外へ亡命し、後継には連合国に協力的な彼の息子、モハンマド・レザー・シャーが即位した。[12]現在、イランはソ連、イギリス、アメリカに支配されており、つまり米英の武器がこの国を通過して無事にソ連へ届けられている。[13]

若いドイツ人のスパイにとってすべてが一変した。住んでいた場所がいきなり敵地になった。ナチスの諜報員という正体が知られたら、逮捕されるか殺される。しかも連合国がイランとドイツの通信を遮断したため、ベルリンの上官と連絡を取る手段が奪われた。

「国内の状況は悪くなるいっぽうだ」とマイヤーは一九四二年六月二八日、日記に書いている。「昨日はまたラジオや新聞で枢軸国の人間を匿うなと呼びかけていた。匿ったら厳罰に処すと国家警察が警告していた[14]」

本国からはなんの音沙汰もなかった。ベルリンにいる彼らの上官はふたりのことを忘れたか、もう死んだと思ったようだった。マイヤーが述べたように、彼らは「敵のなかで敵のように暮らし、昼も夜も四六時中、危険にさらされていた[15]」

このような状況下で、マイヤーの相棒ガモタは「中東任務」を放棄することに決めた。連合国が侵攻してきたあと、国境を接する中立国トルコへ逃れるため、彼はテヘランから出て行った[16]。

しかしマイヤーは逃げなかった。イランに暮らしながら、彼は徐々にドイツ協力者のネットワークを構築していった。現在、米英ソに支配されたこの街で、彼は地元住民を親ドイツの反体制活動に引き抜き、時機がきたら連合国に反旗を翻す準備をしていた。彼の腹心の友のひとりは名をヴァジリといい、テヘランの警察署長の息子だった。マイヤーは、物事をそつなく進めるために地元の役人に賄賂を贈る方法をヴァジリから学んだ[17]。

実際、マイヤーはこの地域のベテラン諜報員を自負していた。彼の日記によれば、彼は現地の言語を習得し、人々や文化を理解していた。

徐々にではあるが、私は確実にペルシア人の扱い方を学んだ。彼らのだましの手口を知った。これについては彼らはどの民族よりも巧みだ。正しく扱えば、彼らはどんな危険も問題も犠牲もいとわない……おそらく、まず嘘に耐える方法を学ばねばならない——小さな嘘、大きな嘘、人と上手くやっていくために親友にもつける嘘[18]。

マイヤーは一九四二年のほとんどを、隠れ家を取り替え、偽名を使い分け、様々に変装し、常に移動していた。数か月間、彼はテヘラン郊外の親ドイツ派の家の屋根裏に住んでいた──イギリス当局の家宅捜索に遭うまでは。マイヤーにとって幸運なことに、たまたま彼は家にいなかったが、彼の身分証や日記は押収された。そのとき、彼はイギリスに目をつけられていたことを知った。[19]

このように運の良いときも悪いときもあったが、マイヤーに迷いはなかった。彼は献身的なドイツのスパイとして活動に励んでいた。とはいえ、彼をテヘランにとどめていたのは総統への忠誠心だけではない。彼がとどまっていた理由はほかにもあり、それは政治とは関係なかった。

ナチスのスパイ、フランツ・マイヤーには恋人がいたのだ。

マイヤーがリリ・サンジャリに出会ったのは、テヘランに来てまもなくの頃だった。当時彼女は一九歳で、マイヤーとガモタが隠れ蓑の職を得た貿易会社に勤めていた。リリはイランの裕福な家の娘で、一家は短い期間ドイツに住んでいたこともあり、リリは子供時代の一時期をベルリンで過ごした。マイヤーの祖国との関連が、ふたりを近づけたのかもしれない。

連合国に支配されると、マイヤーは地下潜伏を強いられ、と同時にふたりの関係も地下に潜った。リリとは隠れて会うことしかできなくなり、マイヤーと少しでも関わっていることが知られたら彼女も家族も危険にさらされるため、会えない期間が長く続いた。[20] イギリス当局は、屋根裏部屋の捜索でリリがマイヤーに宛てた手紙を入手したが、それには彼の潜伏の様子が書かれている。

私がどれだけあなたのもとへ駆けつけたいと願っているか……でも、道中が危険でひとりでは行けないのです。そうできたら、長い時間あなたと一緒にいられるでしょうに。今回は短い手紙になるのをどうか怒らないで。今、急いでいるのです……あと数分あるので、あなたに会いたい、とても愛しています、とだけお伝えします。昨日よりも今日、絶対に今日よりも明日のほうがもっと愛しています。どうにかして早く会えますように。[21]

一九四三年の初頭、フランツ・マイヤーにとって人生は複雑だった。敵国に支配された外国の街で、潜伏スパイとして複数の変装と偽名を使い分けていた。一歩間違えば、逮捕されるかさらに悪い事態になる。その間ずっと、彼は名家の女性とひそかに交際を続け、彼女の家族を危険にさらしていた。しかし実のところ、マイヤーの複雑な問題はまだ始まったばかりだった。リリ・サンジャリについてはマイヤーも知らないことがあった。さらに、彼のテヘラン生活を思わぬ方向へ大きく変える世界的イベントが進行中だった。

＊1　当時の欧米人は誤ってイランを「ペルシア」と呼んでいた。イラン政府は「イラン」と称していたため、本書ではこれを採用している。「ペルシア」は本来、この地域の人口の大多数を占める民族を指す言葉だが、欧米人は非ヨーロッパ系のイラン人を指す言葉としてひんぱんに誤用している。いずれのケースでも、本書ではこの用語を正しく使用するが、当時の資料・情報源から引用する場合は、執筆者や話者が用いた言葉通りに記載している。

10

一九四三年一月二四日、モロッコ、カサブランカ

記者会見は予告もなく、急遽行われる。

それでも、低木の植え込みや色鮮やかな熱帯の花々に囲まれ、暖かい日差しが降り注ぐ芝生の庭に世界各国の通信社や新聞社、軍の報道機関から派遣された記者数十人が集まり、折りたたみ椅子を出して座ったり、地面に膝をついてしゃがんだりしている。

彼らが集まっていたのは、モロッコはカサブランカ郊外にある豪華なアンファ・ホテルのガーデン・ヴィラ[1]。この絵のように美しいたたずまいとは裏腹に、ホテルの敷地の外にはまったく違う光景が広がっている。〈ニューヨーク・タイムズ〉によると「周辺一帯が兵士、高射砲、有刺鉄線で埋め尽くされていた[2]」

この一〇日間、アンファ・ホテルは米英首脳とその随行員たちの会議の場となっていた。それを締めくくる記者会見は、直前になって通知された。首脳会談についてはこれまで完全に秘されていたが、手続きが終了した今、出席者たちは協議内容を明かすことができる。

芝生の上には、記者たちと向き合うように白い革張りの肘掛け椅子が二脚、並んでいる。一方には、アメリカ合衆国大統領、フランクリン・デラノ・ローズヴェルトが座っている。前の方に座っていたAP通信の記者によると「グレイのスーツに黒いネクタイを締め、いつものように長いホルダーで煙草を吸っていた[3]」

ローズヴェルトの後ろとその周りには軍幹部がいて、多くは立っている。まもなく「チャーチル首相が葉巻をくわえたまま現れ[4]」、もうひとつの白い椅子に座った。

世界大戦を戦っている連合国の首脳ふたりが並んで座っている。

このイベントは多くの点で前例がない。ローズヴェルトはモロッコまで現職大統領としては初めて飛行機で移動した。また現職大統領がアフリカ大陸を訪問するのも、これが初めてだった。ローズヴェルトは到着するとすぐに、ジープで近くの前線基地へ赴き、これから戦場へ向かう部隊を視察した。大統領が戦時中に前線の兵士を訪問するのは、南北戦争以来初めてだった。

しかし、これらの「初めて」も、ついに明かされようとしている訪問の目的の前にかすんで見えた——現在世界を覆っている大戦争の状況を把握し、今後の戦略を決めるための連合国首脳とその参謀の会議。

記者会見が始まり、ローズヴェルトが先に話す。

「この一週間、この一〇日間の努力は歴史上前例がないと言えるでしょう」大統領は集まった記者たちに語る。「両国の参謀は同じホテルに滞在し、緊密に連絡を取り合いました。誰もが、相手国の同輩と個人的にも親交を結びました」

実際は、そうとも言い切れなかった。米英の代表はたびたび口論になり、互いに文句を言い、見解の相違が尽きないなか、大小問わず意見の対立を解消するために会議は長引いた。それでも大統領と首相、彼らの参謀は、世界に注目されていることを意識していた。強く結束しているところを見せなくてはならない。

「史上初と思われますが、会議では世界全体について話し合われました」とローズヴェルトは続ける。「ひとつの前線、ひとつの海、ひとつの大陸ではありません。文字通り全世界です。だからこそ、首相と私はこの会議が世界的な側面をもつという点で、唯一無二と思っているのです」

1943年1月、モロッコ、カサブランカで10日間にわたって行われた首脳会談のあと、アンファ・ホテルの庭園で記者会見を開くウィンストン・チャーチルとフランクリン・ローズヴェルト（着席、左）。記者会見中、両首脳は連合国軍の翌年の戦略について話す。（Universal History Archieve / UIG / Bridgeman Images）

連合国は「世界のあらゆる地域で枢軸に対して主導権を保持するという決意を確認しました」とローズヴェルトは述べる。隣のチャーチルにうなずき、大統領は続ける。「私たちは皆、心のなか、頭のなかで思ってはいても、首相も私自身もそれを紙面に表したことはないと思います。つまり、それはドイツと日本の戦力を完全に排除しない限り、世界に平和が訪れることはないとの確信であります」

用意したメモを見ながら大統領は最後の点を具体的に述べる。「ドイツ、日本、イタリアの戦力を完全に排除するとは、この三国の無条件降伏を意味します」[5]

「無条件降伏」という言葉に記者たちはどよめく。驚いて大統領を見つめ、素早くペンを走らせる。

無条件降伏は戦争中の戦略の重要な転換を表していた。つまり連合国は、ドイツ、イタリア、日本との和平交渉を拒否するという意味だ。たとえ敵が譲歩するとしても、戦争を終わらせるための妥協は一切行わない——つまり、双方にとって、それは完全勝利か完全敗北のどちらかだ。条件を決めるのは勝者である。

ローズヴェルトの言葉の選択に驚いたのは報道陣だけではない。「私はそばにいたが、大統領がそれを言ったとき、首相はとっさに大統領のほうを向いた[6]」とジョン・L・マクリア米海軍大佐はのちに語っている。「その言葉にびっくりしているように見えた」。他の目撃者も同様に、チャーチルの驚いたような反応に気づいた。

会談の記録には「無条件降伏」が協議され、合意されたとあり、したがって、チャーチルはローズヴェルトがそう考えていたことには驚かなかっただろう。彼が驚いたのは、世界中の報道陣の前で彼がそれを表明したことだった。秘密の会議では、これを公表する予定はなかったし、チャーチルはのちに自分なら言わなかっただろうと心情を吐露している。

チャーチルが見守るなか、ローズヴェルトは、「これはドイツ、イタリア、日本の国民を破滅させるということではありませんが、これらの三国が他国の征服および他民族支配の根拠にしている理論を打破するものであります[7]」と続ける。

さらにいくつか声明を出して大統領は話を終える。今度はチャーチルの番だ。今この場で、数十人の記者を前に彼はローズヴェルトの言葉を裏付けるかどうか決断しなければならない。

「さて」と首相は始める。「ひとつ言っておきたいことがあります。自信を持って言えることですが、この戦争で何が起ころうとも、私と大統領のあいだには何も入り込む隙はありません。彼と私は友人としてパートナーとしてこの戦争に臨み、共に行動しているのです[8]」

チャーチルにとって、ローズヴェルトとの個人的な連帯感は以前からあった。日本のパールハーバー攻撃、そしてドイツの対米宣戦布告から数日後、イギリスの首相と参謀は大西洋を横断する蒸気船に乗ってワシントンDCを訪問し、二国間の軍事同盟を正式に結んだ。両国首脳は合同記者会見を開き、一九四一年一二月二六日、チャーチルはアメリカ連邦議会で演説するが、これは外国の首脳としては非常に稀なことだった。[9]

チャーチルはアメリカの報道陣と国民に温かく迎えられ、熱狂的と言えるほど歓迎された。議会での演説でチャーチルは「我々が対峙する力は巨大であります」と警告した。しかし、諸国が結束すれば「我々は己の運命を握れると確信しています。我々に課された使命は我々の身に余るほど重いものではありません。その艱難辛苦は我々の忍耐の限界を超えるものではありません。我々が己の大義を信じていれば、そして不屈の信念を保っていれば、必ずや報われるときが来るのです」

彼は、両国の絆がさらに深まることを予言するかのように演説を締めくくった。「私は揺るぎない希望と確信を抱いています。今後、イギリスとアメリカの国民が自身の安全のために、そして全人類の幸福のために、威厳と正義、平和とともに歩むことを確信しています」[10]

この訪問は公式行事に加え、首脳ふたりが個人的に親しくなる機会でもあった。もちろん両者は以前にも会談したことはあったが、チャーチルが賓客としてホワイトハウスに滞在するのはこれが初めてだった。

ローズヴェルトは静かで整然とした状態のホワイトハウスを好んだ。チャーチルの到来は竜巻のようだった。

首相は東棟に入るや否や、部屋を換えてくれと言い、自身のスタッフの執務室用に非常に細かい要望を出した。彼の声は廊下の端から端まで響き渡った。ホワイトハウスの執事、アロンゾ・フィールズは後年、到着したばかりのチャーチルに言われたことを回想している。

「いいか、フィールズ。私たちがここを去るとき、お互い気持ちよく別れたいだろ？……朝食前にタンブラーに入れたシェリー、昼食前にスコッチのソーダ割り、就寝前にフランス産のシャンパンと年代物のブランデーを必ず部屋に用意してもらいたい」[11]

フィールズはチャーチルの要望にできるだけ添えるよう努めたが、彼の就寝時間を把握するのは不可能に近かった。首相は規則正しい生活を送っていなかったし、自身や大統領のスタッフを臨時の夜の会議や政策会議に呼び出し、それが明け方まで続くこともあったからだ。

彼の訪問は大統領にとっても驚きの連続だった。ある日の午前中、チャーチルと緊急に話し合う必要があり、ローズヴェルトの側近ハリー・ホプキンズが大統領を車椅子に乗せて、彼の部屋へ連れて行くと、驚いたことに対応に出てきたチャーチルは「素っ裸で、湯に浸かっていたせいか肌がピンク色に輝いていた」とホプキンズは述べている。決まり悪さを隠すためか、チャーチルはにっこり笑って「イギリス首相はアメリカ合衆国大統領に隠し立てすることは何もありません」と言った。[12]

気性の違いはあれど、この首脳ふたりはすぐに友情を育んだ。どちらも自信家で楽観的で、非常に精力的に働き、仲間意識を大切にし、国の長としての仕事に笑いを織り込むのが好きだった。たちまち堅苦しさを取り払ったふたりは互いに打ち解けた。なによりも、彼らの絆は共通の使命からきていた――ナチズムに勝ち、この戦争に勝利するためにできることはなんでもやり、ともに力を尽くす。

当初の予定では、チャーチルのホワイトハウス訪問は一週間だったが――ディナーに呼ばれて長居する客のように――彼はそれを三週間に延ばした。しまいにはホワイトハウスのスタッフは言うまでもなくローズヴェルトも疲れ切っていた。しかし、チャーチルが「アルカディア会談」とコードネームをつけたこの最初の直接会談は、戦時中のパートナーシップの始まりに過ぎなかった。一九四二年を通して、両首脳は絶えず連絡を取り合い、公の場では常に共同戦線を張っていることを示した。

あれからほぼ一年後、今、ここカサブランカで、アンファ・ホテルの陽光降り注ぐ芝生に集まった記者団を前に、チャーチルの念頭にはローズヴェルトとの公私にわたる友情があったに違いない。

彼はまず、複数の前線での軍事作戦についてかいつまんで報告し、それから戦争が予想外に長引いていることに対する国民の苛立ちに向き合った。「進展がない局面でも計画と目的はあります」と首相は述べ、各地に兵士や装備を輸送する難しさを説明する。

今、チャーチルは話を続けながら、決断を迫られている。ローズヴェルトと同じ文言を繰り返すか？　アメリカとイギリスは「不屈の意志をもって」戦争を戦い抜くだろうと彼は語る。少し間をとってから、彼は続ける。「世界を嵐と破滅のなかに陥れた犯罪的な勢力から無条件降伏を勝ち取るまで」[13]

チャーチルは大統領を支持するほうを選んだ。ローズヴェルトの声明を繰り返すことで、チャーチルは自分なら控えていたであろう発言をあえてした。広く一般に批判されるとしても、一緒に受け止めるのだ。

カサブランカ会談の様々なニュースのなかで、世界中の大見出しを飾ったのは、この「無条件降伏」だった。後年、この首脳会談そのものが「無条件降伏」会談と呼ばれることもある。

この新たな方針は、厳密に言うと、連合国が交戦国との和平交渉を一切行わないことを意味した。ローズヴェルトもチャーチルも、前年に枢軸国が爆発させた残虐性を目の当たりにした——戦争の成り行きに鑑みれば、この先何が起こるかは明らかである。

11

一九四三年一月

「嵐と破滅」

戦争真っ只中の一九四三年初頭、チャーチルは世界の状況をこう言い表した。

確かに、パールハーバー攻撃から一二か月、一九四二年はヨーロッパとアジアでの戦争が拡大し、世界が戦火に包まれて未曽有の破壊がもたらされた年だった。

アメリカが正式に参戦してから、連合国側はアメリカ、イギリス、ソ連が中心となり、中国、カナダ、オーストラリア、南アフリカのほか、小国がいくつか加わっていた。

もう一方の側ではナチス・ドイツがヨーロッパ大陸全土を支配し、イタリアだけでなくルーマニア、ハンガリー、フィンランド、スロヴァキア、ユーゴスラヴィア、ブルガリア、クロアチア独立国などの国々から軍事支援を確保または強制していた。ドイツの同盟国イタリアは、ドイツ軍の支援を得て地中海沿いの南ヨーロッパに防波堤を築いていた。

日本はパールハーバー攻撃後も優れた海軍力と航空戦力を発揮し続け、グアム、香港、フィリピン、オランダ領東インド、マレー半島、シンガポール、ビルマ、太平洋の国々やヨーロッパがそこに保有している海外領土を次々と征服していった。

一九四三年初頭、戦争は拡大し、複雑になっていたが、だいたい主な三つの戦域に分けられた。

太平洋戦線では、数十の国と無数の島々を含む南太平洋の支配権をめぐって、日本がアメリカとその同盟国であるオーストラリア、ニュージーランドと戦っていた。

地中海戦線または北アフリカ戦線とも呼ばれる南部戦線では、地中海地域をめぐってイギリス、アメリカ、カナダの部隊がイタリアおよびドイツ軍と戦っていた。この戦域は人的損耗という意味では他の戦域ほど激しくなかったものの、政治的に複雑で、多くの国や元植民地では政府が二つに割れたり、寝返ったりしていた。

そして、東部戦線だ。

ナチス・ドイツによるソ連への全面侵攻がもたらした黙示録的な破壊と多大な苦難は、この戦争の他のどの戦域とも、以前と以後のどの戦争とも比べものにならない。

この侵攻は、部分的には軍事戦略として意味づけられる。ヒトラーはソ連を制圧しさえすれば、ナチス・ドイツを阻むものはいなくなると考えていたし、おそらくそれは正しい。その時点で戦争に勝てただろう。

しかし、ドイツがバルバロッサ作戦と呼んだこの侵攻には別の根拠もあった。ナチスのイデオロギーでは、ポーランド人とロシア人を含むスラヴ民族は劣っていて、人間以下の存在とされていた。ソ連国民はヒトラーが嫌う共産主義者であり、共産主義者はナチ党が政権を握るために戦った強力な敵だった。しかもソ連にはユダヤ人が多い。ナチスの陰謀論では、ユダヤ人は誇り高きドイツ人にとって善なるもの、聖なるものをすべて汚し、破壊を目論んでいる敵である。

結局はそういうことだった。共産主義者とユダヤ人。ナチスによれば、彼らはドイツの敵だ──そして、「東方の群れ」は人間以下の存在であるため、その命はいくら犠牲にしてもかまわない。

その結果、言語を絶する残虐性と恐怖に満ちた侵攻が行われた。

ナチスの軍団がソ連の領土に攻め入ったとき、ドイツ軍の指揮官たちは「大釜の戦い」を意味する強力な戦術、「包囲戦《ケッセルシュラクト》」をたびたび用いた。まず陸軍の部隊が村や町や都市に近づいて砲弾の雨を降らせ、空軍が上空から爆撃する。続いて戦車の群れが速やかに北と南から近づいて「大釜」を形成し、なかに閉じ込められた兵士や民間人、家屋、動物、車両などあらゆるものを燃やし尽くす。これは命をまったく顧みない冷酷で効果的な戦術だった。

そこから逃れる唯一の経路は、東方に向かっていたため、さらにソ連領の奥に進むことになり、ドイツ軍は執拗に進軍を続けた。

町や村を荒らし、民間人を虐殺しながら進むナチスの軍団は、意図的に農場や食糧備蓄、灌漑《かんがい》設備をすべて破壊し、国中に恐ろしい飢饉をもたらした。これは民間人をできるだけ多く餓死させるナチスの「飢餓作戦」[1]の一環だった。

戦車が到着する前に逃げることができた住民は別の地獄に遭遇した。おおぜいの人々が——その多くは農民だったが、持てるだけのわずかな身の回り品を持って未舗装の道や野原、沼地を徒歩や荷車で逃げた。

列車で旅をしていたある作家は、窓の外に見た光景を次のように記している。

見渡す限り、大地は人で覆われていた。地べたに寝そべり、座り、群れをなしていた。彼らは包みやナップサック、旅行鞄、子供、手押し車を携えている。こんな光景は見たことがない。急いで家を離れる人がよくこれだけ大量の家財道具を持ってきたものだ。この野原にはおそらく数万の人間がいる……野原全体が動き出し、線路に近づき、列車ににじり寄り、車両の壁や窓を叩き始める。列車を脱線させる勢いだ。やがて列車は動き出し[2]……

ソ連はこの食糧も水も避難所も医療も得られない人々の洪水に対して、まったく何もできなかった。しかも、戦争で孤児になり、病気や飢えにさらされた子供たちがおおぜい彷徨っていた。この人道上の大惨事に救済策はなく、多くが自国で難民となって死んでいった。

侵略者と戦うソ連軍もひどい有り様だった。兵士たちはたいてい食糧も装備も訓練も不充分だった。医療は乏しく、多くの負傷兵が戦場に置き去りにされて死んだ。ソ連軍の指揮官たちは、敵の進軍を遅らせて防御の時間を稼ぐために、全滅を前提に武装も貧弱な歩兵部隊を送り出すことがよくあった。退却[3]や戦場からの逃亡を試みた兵士たちは処刑された。

一般的なソ連兵にとって、ときには状況があまりにも悲惨で、戦死するか捕虜になる未来しか見えないため、敵に撃たれたふりをして自分の左手を撃つという恐ろしい手を使う者が現れた。そうすれば前線から病院へ後送されるからだ。

指揮官たちはこの偽装を知ると、左手にそれらしい銃痕のある者がいれば報告するようにと野戦病院に命じ、通報された兵士たちは処刑されるか刑務所に送られた。ある野戦病院の医師は彼らに同情し、左手を負傷した兵士を診ると、本人のためを思って手の傷が発覚しないように左腕を切断した。これが厳しい現実だった。ソ連の刑務所で死ぬか、頭を撃たれて処刑されるよりも、片腕で生きるほうがましだ。

一九四二年を通して東部戦線での戦いは続き、ソ連の死者数はひとことで言えば凄絶だった。キエフ包囲戦に限っても、七〇万を超えるソ連兵と民間人[4]が殺されるか、捕らえられた。囚人のほとんどは捕虜収容所や労働収容所で死んだ。一九四一年から四二年にかけてのソ連での戦闘で数十万が死亡し、それより小さな数十の戦闘で五万人以上が犠牲になった。

ドイツ軍も、ソ連侵攻後の最初の二年の戦いで大きな人的損失を被り、一九四一年半ばから四二年末にかけて、月平均およそ六万の兵士が戦死していた。戦争の基準からすると、これだけでも膨大な数だが、ソ連の死者数は同時期のドイツのそれと比べるとほぼ一〇倍だ。[5]さらに、枢軸国の損失は戦場で死んだ兵士の数だが、ソ連の死者数には女性や子供など大量の非戦闘員が含まれていた。

ソ連の無辜《むこ》の民間人に降りかかった苦痛と損失の圧倒的規模を物語る例がある。レニングラード包囲戦だ。

一九四一年後半、ソ連に侵攻したドイツの三個軍集団のうち、最も北寄りの北方軍集団が装甲・砲兵・歩兵の各師団を先頭に、空軍の支援を受けてバルト海諸国を突き進み、人口三五〇万のソ連第二の都市で、かつてサンクトペテルブルグと呼ばれていたレニングラードの郊外に迫った。ドイツ軍は市内に進撃して降伏を勝ち取ったとしても、生き残った住民を拘束したり、収容したりする手間がかかるため、都市を包囲し、食糧供給を断って住民を抹殺することにした。ヒトラーは軍集団の司令官たちにこの戦略をとるよう指示していた。

総統はペテルブルグを地球上から消し去るつもりだ。市を包囲したあと、降伏の交渉要請は拒否されるだろう。住民の移送や食糧に関わる問題は我々の手に余るし、またそうすべきではないからだ。我々の生存をかけたこの戦争において、この大都市の人口の一部でも維持することにはまったく関心がもてないのである。〔6〕

要するに、あからさまな目的は住民をひとり残らず餓死させることだった。市の全面降伏を含め、ソ連にそれを防ぐ手立てはなかった。

ドイツ軍による包囲が始まると、子供四〇万人を含むおよそ一〇〇万の市民が必死で避難を試みた。住民の一部は南や東へ逃げようとしたが、多くは市を包囲していたドイツ兵に殺され、そこを突破できても、まもなく飢えや寒さで死んだ。ドイツによる包囲の「鉄の環」が完全に閉じたとき、およそ一七〇万人のレニングラード市民が脱出の望みを絶たれたまま残っていた。

翌年にかけて起こったことは、ある推定によると近代都市で見られた最大の人命損失となった。すぐに飢餓が始まり、毎月、毎月いつまでも続いた。住民に何も残さないようにドイツ空軍が町の食糧備蓄倉庫を爆撃していた。市当局は配給制を導入して残ったパン切れを配ったが、一日の配給量はわずかで、パンはたいてい古くなっていて、おがくずを混ぜて焼いたものだった。

飢えた人々はやがて馬や犬、猫を食べ、ネズミや虫など害獣・害虫まで食べた。これらが食べ尽くされると、今度は革や木、糊、他の原材料を食べるようになった。病気と栄養失調が蔓延し、街頭に死体が積まれた。死体の撤去には貴重なカロリーを消費する労力が必要になるため、市当局は死体の移動を禁止した。

この絶望的な極限状態のなかで、住民の一部は考えられない行動に出た。ソ連の治安機関は、人肉食の罪で二〇〇〇人を超える住民を逮捕した[7]。悲惨なことに、逮捕者の多くは、腕のなかで死にかけている痩せ細った子供に食べさせようと最後の手段に出た母親たちだった。

一九四二年初頭、包囲戦がピークに達したとき、月におよそ一〇万人が餓死または病死していた。春から夏にかけて、ソ連軍が包囲網に穴を開け、断続的に食糧を運び込むことに成功した。これが効いて、死亡率はいくらか減少したが、一九四三年の冬が迫ったとき、依然として町の状態は非常に悪かった。包囲が解かれるまでには、推定で九〇万人[8]が市内で死んだ。

レニングラードが飢餓にあえぐあいだも、ドイツ軍はソ連の他の市や村を容赦なく叩きつぶしていた。

それでも一九四二年末、荒廃の一八か月を過ごしたあと、ソ連はまだ持ちこたえていた。一九四一年末に激しい攻防戦でモスクワを失いかけたが、スターリンは首都の周りに難攻不落のバリアを築き、これにより、ドイツはソ連を倒すための別の方法を取らざるを得なくなった。

ヒトラーが戦略を大きく見誤ったことがまもなく明らかになった。ソ連は早々に降伏するものと彼は考えていた。「ドアを蹴るだけで腐った建物全体が倒壊するだろう[9]」と、総統は司令官たちに語っていた。ノルウェー、ベルギー、デンマーク、フランスといった国々は、ドイツ軍の恐ろしい力を少し経験するだけですぐに降伏した。だが、ソ連はこれらの国々とは違った。どれだけの人的犠牲を払おうとも、ドイツ軍の圧倒的な猛攻に耐える構えだった。

この長い戦いのあいだに、ソ連軍の将校は経験を積み、兵卒は適切な訓練を受けるようになっていた。さらに、アメリカがソ連に提供する航空機、トラック、武器、食糧、原材料を増やしていた。ソ連軍は依然として大量の戦死者を出していたが、毎月数千人の一〇代の若者が徴兵年齢に達し、戦死した兵士の穴を埋めて戦闘部隊に加わっていた。ドイツ軍が新たな部隊を東部戦線まで何千キロも輸送しなければならないのに対し、ソ連は新兵をほぼ即座に前線に送ることができた。

それでも一九四二年の秋、東部戦線のドイツ陸軍はまだ世界最強の戦闘能力を保持していた。冬が迫り、ヒトラーはロシア南部への大攻勢を計画した。目標は中規模の工業都市スターリングラードの攻略である。同市は南部の油田とつながっていて、ドイツ軍がそこを占領し維持できれば、最終的にソ連軍を無力化できるとヒトラーは期待した。スターリンの名を冠したこの都市への攻撃は象徴的な効果もある。

特に重要ではない一都市を狙ったこの攻勢のために、ドイツ軍は一〇〇万を超える兵士を動員し、そこにはイタリアやルーマニア、ハンガリーの兵士も含まれ、歩兵部隊は一〇〇〇輛の戦車、二〇〇〇機を超える航空機、一万三〇〇〇門の大砲の支援を受けていた。

市を防衛するため、ソ連はおよそ一二〇万の兵士、一二〇〇輛の戦車、一四〇〇機の航空機、一万五〇〇〇門の大砲を配備した。ソ連軍はおよそ四〇万の住民を避難させず、健常者は皆、バリケードづくりや塹壕掘り、対戦車地雷の敷設に動員された[10]。

ローズヴェルトとチャーチルが、カサブランカ会談に向けて準備していた一九四二年末には、世界各地が黙示録的な破滅の危機に直面していた。民間人がレニングラードで飢え、中国で虐殺されていた。ドイツ軍は数百万の戦争捕虜を殺害し、先住民を地球上から一掃しようとしていた。無数の町や村や都市が破壊され消滅していた。戦禍に見舞われてすでに荒廃していた国の至るところに、飢餓と疫病が広がっていた。そしてドイツ軍はロシア南部で、人類史上、最も血なまぐさい戦闘となる軍事作戦を開始しようとしていた。

これらは戦争の代償だった。ローズヴェルトが思うに、この戦争を始めたのは枢軸国であり、故にその責任を負うのは彼らである。「無条件降伏」が唯一の選択肢であると大統領が宣言した背景には、世界規模の激動があった。

無条件降伏とは、ナチス・ドイツと大日本帝国との交渉の余地はないという意味だ。両国はことごとく約束を破り、あらゆる条約に違反し、想像を絶する戦争犯罪を行っている。ヒトラー自身の言葉を借りれば、枢軸国は人命を顧みない「絶滅戦争[11]」に着手したのだ。

一九四三年初頭、戦争がこの先、月単位ではなく年単位で長く続くことは明らかだった。連合国にとってこの大きな災難を終わらせる方法は、力を合わせ、共同計画を練り、持てる力をすべて投入して戦うことだけだった。

そのためには連合国が一致団結しなければならないが、ローズヴェルトがまもなく思い知るように、この途方もない災難を前にしても、結束は思いのほか難しかった。

12

一九四三年一月、イラン、テヘラン

ナチスのスパイ、フランツ・マイヤーに新しい任務が生まれた。

正確に言えば「新しい」ではなく、「復活した」任務で、彼は意気込みを新たにした。

連合国首脳がカサブランカの世界の舞台で会っていた頃、マイヤーは地味な仕事に取り組んでいた――戦争の行方を変える仕事だと彼自身は思っていた。

マイヤーが突然張り切り出したのは、思わぬ出来事があったからだ。この二か月のあいだに――正確な日付は不明――マイヤーはテヘランで自分の日常が激変するラジオ放送を聞いた。表面的には、なんの変哲もない放送だ。ヨーロッパのドイツ支配地域のラジオ局が流す通常のニュースだが、そこで最新の戦況を伝えるアナウンサーは、歪曲の混じる台本を読み上げるだけだ。

しかし、マイヤーにとっては通常の放送ではなかった。アナウンサーは彼だけに伝わる特定の言葉や言い回しを繰り返した。

マイヤーがその計画を思いついたのは、テヘランを支配する連合国が日本の外交官のテヘラン訪問を許可したと知ったときだった。彼は自分の手紙を人づてに日本人外交官に渡し、これを東京に持ち帰ってベルリンに転送してほしいと頼んだ。

手紙で手短に現状を説明し、今後メッセージを安全に届けるのに役立つ隣国トルコの連絡先を書いた。追加の資金や物資が必要だと記し、さらに、ドイツ機がパラシュートで兵士や装備を投下する際、テヘラン郊外で安全に降下できそうな地点を示した地図を描いて同封した。

手紙の最後にマイヤーは、故国の上官がこの手紙を受け取ったら、彼だけに通じる合言葉をラジオ放送で繰り返すよう、ベルリンに提案した[1]。

これが成功する確率は低いと見ていたため、彼は自分が決めた合言葉がそのままラジオから流れてきたとき、奇跡が起こったと思った。さらに、ベルリンの上層部が彼のことをまだ覚えていたことも、棚上げにされていた彼の任務を復活させる気があるらしいこともわかった[2]。

それでも彼にはいろいろ疑問があった。ベルリンの上官たちが突然テヘランに関心をもつような何か新しい展開があったのだろうか？　すぐに彼が関わることになる計画が進行中なのだろうか？　あるいは、戦争がロシア南部に集中しているため、ついにイラン地域の戦略的重要性に気づいた上層部がこれからもっと多くの資源や支援を提供してくれるのだろうか？

いずれにしろ、合図が来たのは、今後もっとひんぱんに彼と連絡を取り合うためだ。うまくいけば、通信手段が提供されるかもしれない。

この二年で初めて、マイヤーは見捨てられたのではなく、孤独でもないと感じた。彼の壮大な計画――テヘランに親ドイツの地下組織を構築し、蜂起して連合国支配を終わらせ、イランをナチスに返還する――が現実味を帯びてきた。

マイヤーにとって、この計画は少しも無謀ではなかった。ヒトラー自身がイランの油田への関心を明言し、側近に「一九四三年末には、我々はテヘランに駐留しているだろう……そうすれば少なくともイギリスにとって、油井は干上がっているだろう」と語っている[3]。

そして一九四三年、ついにフランツ・マイヤーが総統の目標達成のために役立つときがきた。彼に足りないものといえば適切な支援と資源だけだった。それさえあれば彼は英雄になれる――イランの首都を奪還する英雄に。最近耳にした驚くべきラジオ放送から察するに、その援護がまもなくやってくるはずだ。

マイヤーはラジオ放送に込められた秘密の伝言という嘘のような朗報をごく少数の身近な仲間だけに打ち明けた。そこにはもちろん、恋人のリリ・サンジャリも含まれる。

実際、リリはマイヤーの恋人以上の存在になっていた。マイヤーはイランで地下活動のネットワークを築くのに、その大部分を彼女や彼女の家族の人脈に頼っていた。しかもリリは、地元住民でネイティブ・スピーカーでもあるため、イラン人の仲間にメッセージを届ける必要があるときは、自分の代わりに彼女を行かせることが多かった。そうすれば彼は己の正体と居所を隠しておけるからだ[4]。

マイヤーの状況を考えると、ふたりの関係が二年以上続いていたのは驚きに値する。リリは、潜伏中のスパイというこの男の秘密の生活に伴う危険と困難にもめげず、彼と別れなかった。

もちろん、よいことばかりではない。連合国の侵攻でマイヤーがドイツとの連絡を遮断される直前、彼はベルリンの上官にリリと結婚する許可を正式に申請した。ナチ党員である彼は非ドイツ人と結婚するには許可が必要だ。

申請は却下された。彼女はイラン生まれのイラン人であり、したがって信用できないということだった。

ベルリンからの返事に、この若いカップルは落胆した。そして一九四二年後半のいつか、いつまでも結婚できないマイヤーに苛立ったのか、あるいは彼女なりにほかに理由があって、リリはマイヤーに気づかれないように、ほかの男と付き合い始めた。

彼女はピアノが得意で音楽愛好家だった。西洋式の楽団演奏をバックにダンスができるナイトクラブに通い始めたのはそういう理由があった。そこで彼女は楽団員の男性と知り合い、ひそかに関係を持った。相手は二三歳のアメリカ兵で、名をロバート・メリックといった。ふたりはクラブで一緒に浮かれ騒いでいないときは、リリが金を出した貸間で密会していた。

言うまでもなく、彼女のナチスの恋人はまったく気づいていなかった。

フランツ・マイヤーがリリ・サンジャリについて知らなかったことがあったように、リリ・サンジャリもロバート・メリックについて知らないことがあった。

メリックは楽団で演奏し、軍の輸送係として働きながら、テヘランで活動するアメリカ陸軍の情報部門である防諜部隊（ＣＩＣ）の情報屋をしていた。

そのため、リリがナチスのスパイ、フランツ・マイヤーと長く付き合っていることをメリックに話すと、メリックはすべてを防諜部隊の連絡相手に伝え、そこにはアメリカ陸軍憲兵司令官室のＥ・Ｐ・バリー少佐も含まれていた。バリー少佐は得た情報をイギリス情報部のテヘラン支局長ジョー・スペンサーに送った。この地域のナチスの活動を細かく監視していたイギリス当局は、マイヤーに関する情報を今後もできるだけ多く引き出すため、メリックに交際を続けさせるべきとアメリカ当局に伝えた。そして、メリックはまさにその通りにした。[5]

何も知らないマイヤーは、相変わらず自分の仕事の詳細のほとんどをリリに話していた。彼女はマイヤーの潜伏先や偽名を知っていた。おそらく最も重要なのは、マイヤーが多大な苦労の末に築いた、親ドイツ地下組織の主要人物の身元を知っていたことだ。

要するに、リリはマイヤーの諜報活動について、ほぼすべてを知っている。

当然、二三歳の米兵で情報屋であるロバート・メリックも、そのほとんどを知っていることになる。

それに、メリックが得た情報は逐一、イギリス情報部のテヘラン支局長にも伝わる。

しかし、それから数か月後にテヘランが世界の注目を集める場になるとは誰も想像できなかった。

こうした事情により、フランツ・マイヤーにとって、一九四三年はなかなか興味深い年になりそうだった。

13

一九四三年一月三〇日、ワシントンDC

「今世紀最大の、前例のない極めて重要な会談[1]」

カサブランカ会談後、アメリカの新聞各社は一面の見出しにこう記した。

会談で決まった戦争の具体的な戦略はほとんどが秘されたままだったが、公開部分の巧みな演出と、ローズヴェルトが連合国軍の前線近くを訪れた写真の効果も相まって、巨頭会談はメディアで大きく取り上げられた。

アメリカ議会では、ローズヴェルトの政敵たちが「無条件降伏」発言に対し、公然と疑問を呈した。しかし反対意見はごくわずかだった。アメリカ国内でも連合国全体でも、会談への反応は非常に良好だった。

したがって、一九四三年一月三〇日に帰国したとき、ローズヴェルトは難題を乗り越えて会談にこぎ着けた甲斐があったと満足していたに違いない。だが、マスコミや仲間からいくら賞賛されても、ローズヴェルトにはカサブランカ巨頭会談の失点、あるいは少なくとも大きな失望として、ひとつ心残りがあった。

スターリンの不参加である。

ローズヴェルトが思うに、ナチス・ドイツとの実際の戦闘の大半を担っているソ連が欠席では、連合国が団結して戦っているとは到底言えない。

さらに重要なのは、ローズヴェルトがこのままではだめだと考えていたことだ。

一九四一年六月、ヒトラーがソ連侵攻を開始したとき、ローズヴェルトはソ連に武器や物資を貸与するために、武器貸与の対象国を広げた。その輸送ルートの確立には米ソの緊密な協力が不可欠だった。一九四一年一二月にアメリカが正式に参戦してから、両国間のコミュニケーションはますます増えた。

ローズヴェルトの考えでは、ソ連と他の連合国が協力し合うにはアメリカの調整が欠かせない。開戦前までイギリスとソ連の関係は険悪で、チャーチルは長年、共産主義とスターリン政権を公然と批判してきた。ドイツがソ連に侵攻したとき、チャーチルはスターリンを支援すると確かに宣言はしたものの、積年の不信感はそう簡単に払拭できるものではない。

ローズヴェルトはスターリンも交えて連合国を率いていかなければならないと考えた。一九四二年三月、彼はチャーチルに宛てた書簡に次のように記している。「失礼ながら率直に言って、スターリンの相手は、そちらの外務省やうちの国務省を通すよりも、私が直接あたったほうがうまくいくと思います。スターリンは貴国の上層部全員を心底嫌っています。私のほうがましだと思われているでしょうし、それは今後も変わらないと思います」[2]

一九四二年五月、ローズヴェルトはソ連と戦略を練るために、外務大臣ヴャチェスラフ・モロトフをホワイトハウスに招待した。ホワイトハウスの記録によれば、モロトフがモスクワに帰るまで訪問を秘密にしておくため、スタッフは彼を「ブラウン氏」[3]という仮の名で呼んでいたという。

スターリンはこの訪問を高く評価し、アメリカの軍事物資を大いに歓迎した。

しかし彼には、航空機や物資以上に強く求めていることがあった。連合国のパートナーである二国〔英米〕が合同で西側からドイツ軍を攻めるために、英仏海峡を渡って占領下のフランスに上陸することだ。

東部戦線からドイツ軍の一部を引きはがし、ソ連軍が優勢を獲得して彼らをドイツに押し戻すには、この戦略しかないとスターリンは考えていた。

そのため、一九四二年初頭、米英がその「英仏海峡横断攻撃」を年内に行うことはないと表明したとき、スターリンはいたく失望した。アメリカ軍幹部の一部はこの計画を強く推したが、危険が大きすぎるとしてチャーチルが難色を示した。要するに、米英はそのような作戦を実行する力をまだ備えていないと彼は考えたのだ。西ヨーロッパのドイツ防衛線は非常に強固だった。

米英のこの決断に対するスターリンの苛立ちはその年を通して続き、協力関係に亀裂が生じる。夏から秋にかけて、ソ連のおおぜいの兵士と国民がナチス・ドイツと戦いながら死んでいくあいだにも、米英は遠く離れた地中海の南部戦線で枢軸軍と交戦しているだけで──そのほとんどがイタリア軍拠点への攻勢──スターリンの言葉を借りれば、それは「気晴らし」にすぎなかった。

スターリンが思うに、ナチスはソ連で勝つか負けるかのどちらかだ──そして現在、ヒトラーの軍と戦い、死んでいるのはソ連の兵と民だった。

こうした事情があり、冬が近づくにつれ、スターリンはしびれを切らしていた。

ローズヴェルトはこれに気づいていた。そのため一九四二年末、チャーチルと共にカサブランカ会談を最初に思いついたとき、ローズヴェルトが考えたのは、三国の首脳全員が出席し、主な戦略について合意を得やすくすることだった。

一二月二日、彼はスターリンに宛てて書いた。

我々に共通する戦況に鑑み、早急に戦略を定める必要性を考えれば考えるほど、貴殿、チャーチル氏、私の三人で会談を行うべきだと強く思います……そこで提案ですが、我々三人にとって都合のよいアフリカのどこか安全な場所で秘密裏に会うというのはいかがでしょう……この提案を前向きにご検討くださるよう希望します。三人全員が出席して必要な戦略の決定に至るには、これ以外に方法がありません。

ローズヴェルトは個人的な用件のように付け加えた。「私がこの提案をするいちばんの理由は、あなたと会って話がしたいからです」[4]。ローズヴェルトはまだスターリンに会ったことがなかったので、直に会って良好な関係を築きたいと願っていた。

スターリンは一二月五日にローズヴェルトのメッセージを受け取り、翌日返信した。

共通の戦略を決定するために三国の首脳が会うという構想を歓迎します。しかしながら、私もたいへん残念ではあるのですが、ソ連を離れるわけにはいきません。今が正念場であり、一日たりとも不在にできないのです。現在、冬季攻勢の一環として大規模な軍事作戦を進めており、一月中にそれが一段落することはないでしょう[5]。

ローズヴェルトには返す言葉がなかった。当時、ソ連は数百万の兵士を動員し、ロシアの地でナチスの軍と戦っていた。

スターリンが一二月か一月にも会えないと言うなら、後日また話を持ちかければいいとローズヴェルトは思った。彼とチャーチルはそれまで待つしかない。スターリンのメッセージを受け取った翌日の一二月八日、ローズヴェルトは返信した。

一月の会談は難しいとの旨、非常に残念に思います。我々のあいだで協議すべき重要な問題が多々あります……現在、そして当分のあいだ、困難な状況に直面しておられることは重々承知し、前線の近くに居る必要があることも理解しております。したがって、北アフリカでの会談を暫定的に三月一日頃に設定したいと思いますが、いかがでしょう[6]。

一週間近く、返事はなかった。ようやく一二月一四日付けの回答が届き、スターリンは次のように記していた。

しばらくソ連を離れることができないのは私も遺憾に思います。もしかしたら三月初旬になっても無理かもしれません。前線の戦況が私にそれを許さないのです。実際、私は片時もここを離れることができません。

大統領閣下とチャーチル氏のおふたりが合同会議で具体的に何について話し合いたいのか、よくわかりません。直接会う機会が訪れるまで、通信で協議できないでしょうか？　私には同じことのように思えますが[7]。

スターリンは近い将来の会談の可能性も否定した。

腹を立てたローズヴェルトは、この件を素っ気ない返信で終わらせた。「会議の設定ができないのは誠に残念ですが、あなたの立場はよく理解できます[8]」

ローズヴェルトはスターリン抜きでチャーチルと話を進めるしかなかった。いわゆる連合国の巨頭会談は、ヒトラーと最も激しく戦っている国の参加が得られないまま開催されることになった。

確かに、カサブランカ会談はマスコミの注目を集めた。しかし、ローズヴェルトは帰国してすぐに、一九四三年末までに三つの大国――米英ソ――の首脳がそろった会談を必ず実現しようと決意した。戦争努力のためにそれが不可欠になる――このように広範囲におよぶ複雑な世界大戦では、国の最高指導者が直接会って、壮大な戦略に合意し、それを綿密に計画する必要がある。

アメリカが参戦して間もなく、世界中の報道機関はローズヴェルト、チャーチル、スターリンを「三巨頭《ビッグ・スリー》」と呼び始めた。

もはやローズヴェルトにとって使命は明らかだった。三巨頭が一堂に会することができれば、立場の違いを乗り越え、軍事的・政治的戦略に合意し、ナチス・ドイツと枢軸国に対して一致団結している姿勢を世界に見せられる。

三人の首脳が直接会って初めて、この言語に絶する恐ろしい世界戦争を終わらせることができる——そう彼は確信していた。

これは大胆なアイデアだ。準備を秘密裏に進め、警備を一段階引き上げる必要がある。当然、全員をひとつ屋根の下に集めることには危険が伴う。ひとつ間違えば、大惨事につながる恐れがあった。

14

二〇年前……ドイツ

一九二〇年代半ば、ナチズム台頭の初期、ヒトラーは警備を厳しくする必要性を感じた。

国民社会主義ドイツ労働者党（ナチ党）がまだ少数派とはいえ、勢いのある政党として成長し始めた頃だ。ナチ党は物議を醸したため、党員を警護する専門の組織が求められた。初期には様々な組織があったが、一九二五年、のちにナチ党の治安組織の要となる親衛隊《シュッツシュタッフェル》（略称ＳＳ）が結成された。

当初、ヒトラーの警護を担っていたＳＳはすぐに大きく成長した。ナチ党のイベントには必ず、特徴的な黒服に黒長靴、鉤十字の腕章を着けた姿があった。

やがてＳＳ全国指導者となるハインリヒ・ヒムラーのもと、ＳＳは完全に準軍事組織の複雑な指揮系統を構築し、たびたび更新される地位や肩書き、制服、徽章がつくられた。ナチ党がドイツで徐々に権力を握るにつれてＳＳも成長し、一九二九年に隊員数二八〇人だったのが、一九三三年には五万二〇〇〇人にふくれあがっていた。[1]

その頃には、ＳＳは独自の警察組織、秘密警察《ゲシュタポ》と、増強し続ける準軍事組織の武装ＳＳを抱えていた。

隊員募集に際し、ＳＳはふたつの必須の資質をなによりも重要視した。ヒトラーとナチ党に対する絶対的な忠誠――隊のモットーは「忠誠こそ我が名誉」――と、純粋な白人種であることだ。

白人種であることを確認するため、入隊を志望する者や隊での就労を希望する者には綿密な身元調査が行われ、人種的に規定を満たした者だけを受け入れていた。ヒムラーが述べたように「純粋ではなくなり、質が低下したかつての優良品種を復活させようとする育苗者のように、我々は少しのためらいもなく、まず苗の選別から始め、ＳＳの増強に役に立たないと判断した者を除去した」[2]

一九三一年、ナチ党がドイツの政権獲得をめぐって共産党や他の対立する政党と権力闘争を繰り広げていたとき、ヒムラーは重大な決断を下した――ＳＳには専用の諜報機関が必要だ。それがあればナチ党は特に共産主義者などの敵をスパイし、ライバル政党の動きを探り、党内の不満分子を監視できる。さらに全国各地のユダヤ人を洗い出せる。

この専門の諜報機関を一から作ることは野心的な事業だった。ヒムラーは、それを実行する適切な人材を見つけなければならない。

それはすぐに見つかった。その名をラインハルト・ハイドリヒといった。

ハイドリヒはライプツィヒからおよそ三五キロのハレ・アン・デア・ザーレの文化的に豊かで裕福な家に生まれた。父はオペラ歌手で、音楽学校を運営していた。若きラインハルトは才能あるヴァイオリニストで、両親は彼に音楽の道に進むことを期待した。しかし、彼はファシズムに傾倒していった。

まだ一〇代のとき、反ユダヤ主義の友愛クラブと親ナチス民兵組織に入り、地元の共産党の首謀者

ラインハルト・ハイドリヒは、ヒトラーの帝国で特に絶大な権力を持った幹部だった。彼はナチスの諜報機関である親衛隊保安部（SD）を創設して長官となり、その後、国家保安本部の長官に就任した。戦争が始まるとハイドリヒは親衛隊の殺戮移動部隊であるアインザッツグルッペンを創設し、この集団は戦争中、継続して東欧で民間人を大量虐殺した。（World History Archive / Alamy Stock Photo）

と戦った。一八歳の誕生日を迎えた一九二二年、ドイツ海軍に入隊し、数回の昇進を経て、海軍情報部の将校となった。

しかし、ハイドリヒが真の天職を得たのは一九三一年だった。海軍を除隊して、彼はナチ党に入った。ちょうどヒムラーが、SS傘下の諜報機関を一から作り上げる人材を探していたときだ。ハイドリヒを面接したヒムラーは非常に感心し、その場で彼を雇った。

ハイドリヒはすぐに仕事に着手し、二年で親衛隊保安部（SD）を創設した。一九三三年一月、ヒトラーがドイツ首相になると、SDはナチ党の付属機関から国家機関に格上げされた。ハイドリヒはSD長官として、とりわけ冷酷で野心的なナチス高官としての地位を確立した。傲慢で人を操るのが上手く、政治的に人を蹴落とす過当競争を勝ち抜いた。

ナチスの諜報機関の力を利用して、彼はさっそく同僚や家族の身上調査書をまとめ、上官を含め誰にでも圧力をかけることができた。ヒトラーとヒムラーはハイドリヒの無慈悲なやり方が気に入り、一九三四年、ヒムラーは彼に泣く子も黙るSSの秘密警察、ゲシュタポの指揮も任せた。その後ハイドリヒは、SSの国家保安本部の長官に昇進した。これはSD、ゲシュタポ、刑事警察（クリポ）などSSの警察機構を統轄する機関だ。

若きSD隊員、ヴァルター・シェレンベルクは、ハイドリヒと面談したあと次のように述べている。「私は彼の性格の強さに圧倒されて執務室を辞した。あんな経験はあとにも先にもない」

シェレンベルクはハイドリヒを恐れ敬い、まもなく彼を師と仰ぐようになる。「この人は陰の軸だ。ナチ体制はこの人を中心にまわっている」とのちに記している。「彼は同僚のなかで誰よりも上に立ち、SD全体を管理するように、彼らを管理していた……ハイドリヒは第三帝国の人形遣いだった」[3]

帝国内でそのような大きな権力を握った人間としては驚くことでもないが、ハイドリヒはナチスの憎悪に満ちた人種差別イデオロギーを熱烈に信奉した。堂々と白人至上主義を唱え、非白人は生物学的、文化的に欠陥があると信じていた。
昔から反ユダヤ主義だった彼は、ユダヤ人を「劣等人種」と呼んだ。ヒトラー同様、ハイドリヒもドイツの経済的苦境を国内およびヨーロッパのユダヤ人のせいにした。彼のSDとゲシュタポを含め、SSは、「ユダヤ人に対する最終的な戦いを始める攻撃部隊」になるべきだと考えた。[4]
まもなくハイドリヒはその戦いを開始する。ヒムラーとヒトラーに承認され、ハイドリヒはその強大な権力を行使して、ドイツに住むユダヤ人に恐怖政治を行った。それについてシェレンベルクは「良心の呵責に邪魔されることなく、氷のように冷たい知性の助けを借りて、彼は極限まで残虐な不正義を実行できた」[5]と表現している。ハイドリヒのSS機関であるSDとゲシュタポはユダヤ人を逮捕、追放、投獄、尋問、殺害する権限を持った。
一九三〇年代のドイツのユダヤ人にとってSSは恐怖の存在だったが、ハイドリヒの「極限の残虐性」——彼が奉ずる体制の残虐性——が恐怖の新たな次元に達するのは戦争がさらに進んでからだった。

15

事実上の行動計画があった。

それは一九三九年のドイツによるポーランド侵攻に始まった。SD長官ラインハルト・ハイドリヒは、制圧した土地でＳＳの治安部隊として活動する「特別行動部隊《アインザッツグルッペン》」〔1〕の創設を思いついた。

ドイツ国防軍が町や市を武力で制圧すると、すぐに特別行動部隊がそこに入って、新しく占領した地域の安全を確保する。「安全確保」とはたいてい、「帝国の敵」と見なした民間人をまとめて逮捕するか虐殺することだった。

ポーランド侵攻に際し、ＳＤは帝国にとって「危険」と見なされたポーランド人、六万人のリストをつくっていた。そこには著名な共産主義者と疑われた人々、学者、パルチザン、ポーランドの国家主義者が含まれていた。特別行動部隊はそのリストを携え、これらの敵を探し出して逮捕するか、見つけ次第射殺した。

そして当然のことながら、特別行動部隊はユダヤ人を標的にした。ナチスはポーランド人を劣った民族と見なし、帝国の敵としてためらわずにその民間人を殺害したが、ユダヤ人を特殊な、さらに危険なカテゴリーに入れた。東欧を破壊するあいだ、ＳＳの指揮官たちは敵と見なす対象の制限を緩め始めた。特にユダヤ人は特定の犯罪者として告発する必要はなくなり、ただユダヤ人というだけで罪になった。

一九四一年のソ連侵攻に伴い、特別行動部隊の活動範囲は広がり、さらに組織的になった。彼らは移動する死の部隊だった。ＳＳはたびたび地元の協力者を募り、ルーマニア、リトアニア、ラトヴィア、ベラルーシといった土地では、特別行動部隊は地元の反ユダヤ主義や反共産主義の組織の手を借りて、ユダヤ人やロマ、共産主義者と疑われた人々などの大量虐殺を実行した。

とはいえ、ほとんどは特別行動部隊が単独で行った。占領された多くの村では、集団のリーダーが村の広場に人々を集め、ひとりずつ撃ち殺した。もっと大きな町や市では、そのプロセスはさらに複雑になった。その場合、特別行動部隊は共産主義者やユダヤ人、他民族を含め、敵と見なされた人々を大きな集団にまとめて町の検問所に囲い込んだ。

これらの犠牲者――たいてい貧しく、ドイツ語を解せず、この先何が起こるか見当もつかない人々――は所持品をすべて差し出すよう命じられた。それからSS隊員は彼らを町から数キロ離れた、あらかじめ決めた場所に連れて行く。たいてい野原や森のなかの開けたところで、すでに大きな穴が掘られていた。

そこでSS隊員は、皆の目の前でひとりずつ射殺しては死体を穴に落とす。恐怖で互いにしがみついた家族が慈悲を求めて泣き叫ぶなか、ひとりずつ殺されていく。殺害する人数が数百人、数千人となると、町や都市の虐殺を終えるのに数時間以上かかる場合もある。

特別行動部隊が実行したとりわけ大規模な大量虐殺は、一九四一年九月二九日から三〇日にかけてウクライナで行われた。機動SS部隊が首都キエフから三万三七七一人を行進させてバビ・ヤールという谷へ連れて行き、そこで史上まれに見る大規模な集団墓地をつくった。これだけ多くの人をひとりずつ撃ち殺すという所業には時間がかかり、昼夜を問わず交代で続けても丸二日を要した。

これらの虐殺をどのように行うかは、現地のSS指揮官の裁量に委ねられることもあり、一様ではなかった。

たとえばウクライナの村ビラ・ツェルクヴァ[2]では、SS機動部隊は数百人のユダヤ人民間人を集めて殺害したが、六歳以下のユダヤ人の子供九〇人を殺さなかった。その代わり、彼らは村はずれの無人の建物に食べものも水もなしで、監視もつけず、子供たちを置き去りにした。数日後、付近にいた国防軍の小隊が子供の泣き声に気づき、小隊のカトリックの司祭が栄養不良で汚物にまみれた子供たちを見つけた。部隊の将校と司祭は、子供たちに食べものを与えて保護するよう上層部に求めた。

要求は拒否された。代わりに、現地のSS指揮官は子供を親たちと同じように撃ち殺せと命じた。子供を救おうとした将校は殺戮に加わるよう命じられた。

子供たちの「泣き声は筆舌に尽くしがたいものだった。私は死ぬまであの光景を忘れない。とても耐えられない。特に私の手を握った幼い金髪の少女を思い出す。彼女もそのあと撃たれた……子供の多くは四、五発撃たれて死んだ」[3]

このような光景は長い戦争のあいだ、東欧やソ連で繰り返された。戦争が激化するにつれ、特別行動部隊が直面した最大の問題は、捕らえたユダヤ人の殺戮に時間がかかり過ぎることだった。大量虐殺には武器を扱う大量の人間と銃弾が必要で、どちらも貴重な資源だった。

さらに、ナチスの指揮官たちは、罪もない民間人の男女、子供の大量処刑を繰り返し命じられた兵士たちに負の影響が出始めていることに気づいた。多くのSS隊員はそのような殺戮に参加することに、なんの屈託もないどころか楽しんでさえいたが、なかには幼い子供を殺す任務で悪夢にうなされ、精神的苦痛に苛まれている者もいるという報告がきていた。

その結果、ハイドリヒや他の指導者たちは同じ目的のための新しい方法を試し始めた。一九四一年の夏、特別行動部隊は資源を節約する代替手段として「ガス車」の利用を開始した。征服した町や村で捕らえたユダヤ人や他の犯罪容疑者を、ディーゼル・トラック後部の貨物室に押し込める。トラックは排ガスを後部の貨物室に送り込むよう特殊改造されていた。

トラックが事前に掘られた集団墓地に着く頃には、貨物室にすし詰めにされた数百人は窒息死していた。母親たちは乳飲み子や幼児を救おうと自身の身体で包み込んだ。死体を下ろす担当のSS隊員は、まだ息をしている赤ん坊を見つけると、そばの木の幹に赤ん坊の頭を打ちつけるか、ライフルの銃床で殴るかして手っ取り早く殺した。

銃殺より効率のよいガス車でも、SSが処刑に送り込んでくる大量の人間を処理し切れなかった。征服地はあまりにも広く、村の数はあまりにも多く、東欧全域に散らばる膨大な数のユダヤ人を殺すにはSS隊員もトラックもライフルもまったく足りていなかった。

開戦から最初の二年間でSSの移動殺戮部隊が東欧とソ連で殺害したユダヤ人は数十万人にのぼったが、それでもこの地域のユダヤ人の総人口のほんの一部だった。SSの大量殺戮システムはまったく不充分だった。捕らえられた何百万人ものユダヤ人がSSの様々な強制収容所や労働収容所に集められ、あるいはドイツ占領下のポーランドに設けられた「ゲットー」のひとつに閉じ込められ、ナチスに運命を握られていた。

一九四一年末、SS幹部はヨーロッパ大陸の「ユダヤ人問題」を解決するために、より集中的な戦略が必要だと考えた。

計画を正式決定するためにあと必要なのは、会議の場所だけだった。

16

一九四三年四月一五日、ジョージア州フォート・ベニング

これは普通の列車ではない[1]。

ジョージア州フォート・ベニングにある鉄道の駅舎の外には、ホームに入ってくる機関車を見ようと人だかりができていた。ジョージア州コロンバスの郊外にあるこの陸軍基地には、参謀や将校に加えて訓練中の下士官八万人が駐屯し、戦争真っ只中の活気に満ちていた。

普段のフォート・ベニングは正確に日課通りに運営されている。今日は特別だ。入ってきた列車は

見かけは普通の列車と変わりない。しかし、最後尾の車両は他の車両と違って見えた。それどころか、他のどの車両とも違っていた。

これはフェルディナンド・マゼラン号と呼ばれ、ここ数年間、ひとつの目的のためにだけ使われてきた——アメリカ合衆国大統領、フランクリン・デラノ・ローズヴェルトの移動に使われる専用列車である。

マゼラン号は政府関係者のあいだでは「US一号車《カー・ナンバーワン》」と呼ばれ、重量が一三〇トン近くあり、当時アメリカで製造された鉄道車両で最も重いものだった。重量の大部分は、屋根と四面に施された厚さ一・三センチのニッケル鋼の装甲にある。また、窓には防弾ガラスがはめ込まれ、緊急時には大統領を車椅子ごと避難させられる非常口がふたつ設けられていた。

二日前の四月一三日、マゼラン号は二週間におよぶ全国行脚一万二二三〇キロの旅に出発し、今、多くの立ち寄り先のうちの二か所目に到着したところだ。主な訪問先は、ここフォート・ベニングと同じく軍の訓練施設である。そこで大統領は将校たちと会い、部隊を観閲し、訓練の様子を視察する。このほか、軍用機や兵器、他の軍事物資を製造している工場にも何か所か立ち寄る予定だ。

正式には「視察」と呼ばれるこの入念に計画された旅の目的は士気を高め、注目を集めることであり、戦時の宣伝効果も狙っていた。いくつかの州で大統領はスピーチをして、歓迎式典に出席し、敬礼する兵士や声援を送る群衆に迎えられるだろう。

今、列車の外で大きな歓声があがっていても、車中の大統領は届いたばかりの知らせに、ひどく深刻な顔をしている。

ローズヴェルトは長い鉄道の旅に備えて、ワシントンの軍事顧問と常に連絡を取り合える手段が必要であると言い張り、さらに、海軍による敵の通信傍受の日報も遅滞なく知りたいと要望していた。このような大統領の要望に応えて特別な車両が用意された。

旅のあいだ、日に二回、ウィリアム・リグドンという名の海軍武官補佐が列車の端から端まで歩いて解読した電文を大統領に届けていた。リグドンはのちに説明している。「通信車にはディーゼル発動の無線装置があり、それを通して大統領はホワイトハウスのマップ・ルームとのあいだで電文を送受信できた……通信車は機関車のすぐ後ろにあった。大統領の客車は最後尾だ。私はこのふたつの車両のあいだを何マイルも往復した。大統領宛てのメッセージを届け、彼が送信するメッセージを取りに行くために」[2]

リグドンが大統領に届けた海軍の解読文の多くはたわいもないものだった。しかし四月一四日――フォート・ベニング到着の前日――マゼラン号は日本発の極秘の電文を受け取り、それは緊急の対応を必要とした。

解読され翻訳された電文の冒頭は次のようになっていた。

ソロモン守備隊より第二〇四航空隊、第二六航空戦隊へ。四月一八日、連合艦隊司令長官、以下の日程一にてＲＸＺ、ＲＸＰ、Ｒ、ＲＸＰ訪問予定。護衛の戦闘機六機を伴い中型攻撃機にて〇六：〇〇発。ＲＸＺ〇八：〇〇着。[3]

軍事用語を翻訳すると次のような意味になる。日本海軍の連合艦隊司令長官山本五十六――日本で最も尊敬されている軍の指導者で真珠湾攻撃を策定した人物――は、この地域の日本軍の拠点を自ら訪ねる視察の旅の一環として、四月一八日、ラバウルを飛び立ち、ソロモン諸島ブーゲンヴィル島近くの島にある飛行場に向かう予定である。

この情報がなぜそれほど重要なのか？　ひとつには山本司令長官が、日本海軍の防御も万全な巨大戦艦「武蔵」の指揮所を離れることがめったにないからだ。

ふたつめに、山本は航空機による移動――「護衛の戦闘機六機を伴う中型攻撃機」――により、攻撃に対して脆弱になる。入念に計画すれば彼の搭乗機を撃墜できる。日本側は山本の視察を計画するにあたって、アメリカに知られる可能性は絶対にないと自信を持っていたのだろう。

しかし、アメリカ海軍情報部はそれを知った。日本海軍の無線を傍受したのち、解読不可能と言われた日本軍の暗号を解読し、山本司令長官の日程を把握した。

「大当たり」ハワイにある暗号解読班の当直士官は解読され翻訳された通信を最初に目にしたとき、そう思った。「これで山本をやれる」[4]

この情報はすぐに軍の指揮系統にあげられ、海軍本部からペンタゴンへ、ホワイトハウスのマップ・ルームへと伝えられた。そして最終的にフェルディナンド・マゼラン号に届いた。ローズヴェルトは日本の最も聡明な、尊敬されている司令官を排除、暗殺する機会を得た。こんなチャンスは二度とないかもしれない。

その時点で、太平洋戦域には一〇〇万を超える米兵が展開し、熾烈きわまる戦闘を続けていた。過去一年、アメリカは多大な犠牲を払いながら徐々に日本より優勢になっていたが、日本軍の参謀は屈する気配すら見せない。彼らの軍隊組織はいまだ大きな勢力を保ち、兵の士気は高く、彼らの目標はあくまで戦うことだった。

それゆえ、アメリカが手段を選ばずなんでも手を打って少しでも有利になるなら、それが勝利に一歩近づくことになり、太平洋で戦うおおぜいの連合国軍兵士の命を救うことにつながる。

アメリカ海軍の司令官たちは、この山本提督に関する情報は信頼に足ると考えた。また、攻撃可能と付け加えていた。もしローズヴェルトが山本の抹殺を望むなら、彼にはその力がある。

唯一の問題は、それをすべきかどうかだった。

一年前、一九四二年の初春、ローズヴェルトは同様の問いに向き合っていた。パールハーバー以後、一連の日本の勝利により、アメリカの士気は低かった。軍上層部は大統領に大胆な作戦を提案した。南太平洋一帯で激しい戦闘が続くなか、日本海軍の勢力範囲の際《きわ》で、アメリカ海軍の空母からB25中距離爆撃機を何機か発進させるという作戦だ。これらの爆撃機は特殊改造で燃料タンクを大きくし、日本本土まで飛行できるように設計されていた。B25が敵のレーダーに捕捉されずに日本の領空に侵入し、東京にいくつか爆弾を投下したあと、残った燃料でなんとか味方の圏内にある中国の飛行場に着陸できるはずだ。

これほど長距離の攻撃は過去に例がなく、完全に不意を衝くことができると軍部は考えた。軍事的成果としては非常に小さいとしても、アメリカの爆弾が日本の首都に落ちるという象徴的な出来事がアメリカ人の士気を大いに高揚させるに違いない。

ローズヴェルトは作戦を承認し、その結果が、四五歳のジミー・ドゥーリトルが指揮した有名な「ドゥーリトル空襲」である。乗員五名のB25、合計一六機が無事に一〇〇〇キロを飛行して日本の領空に入り、東京上空に達した。

飛行隊は工場や軍事施設など主な目標に爆弾を投下したあと、中国を目指した。全機とも無事に日本圏内を脱したが、中国の飛行場に着く前に燃料が尽きた。一機は行き先を変更してロシアに不時着し、残りの一五機の乗員は墜落前にパラシュートで脱出して中国領内に着地した。数名が死亡し、その地域を移動していた日本軍に捕まった者もいたが、大半は中国の村にたどりつき、そこで匿われ、食事を与えられ、やがて国に帰還できた。

ローズヴェルトが願ったとおり、この空襲はアメリカに歓喜の話題をもたらした。ドゥーリトル爆撃隊は戦争の英雄となり、帰還した隊員はパレードや式典で讃えられた。ドゥーリトル自身は議会名誉勲章を授与された。事実上、一夜にしてハリウッド映画の制作が決まった。帰還できなかった隊員——三名は日本の裁きで処刑、八名は終戦まで捕虜収容所に収監——は勇敢な殉職者となった。この空襲が東京に与えた被害は取るに足りないものだったが、戦争の最悪のときにアメリカの士気を高揚させ、無敵の日本軍の評判に傷をつけるのに貢献した。

しかし、それには大きな代償が伴った。

当然、日本は屈辱を受けた。計画通り、ドゥーリトル空襲はある種の声明になったが、今度は日本が声明を出す番だ。日本はすでに太平洋の島々でアメリカと戦っていたので、アメリカに報復する余地はあまりなかった。しかし、見せしめにほかの誰かに報復することはできた。アメリカ軍が作戦に使用した飛行場は中国にあり、爆撃機が墜落する前に脱出した米兵を助けたのは中国人だった。

日本軍は米兵を助けた中国の無防備な沿岸部の村を襲撃した。そこで恐ろしい大量殺戮が始まった。「彼らは男も女も子供も牛も豚も、動くものはなんでも撃った」宜湾《ぎわん》の町に住んでいたカトリックの宣教師が日記に書いている。「彼らは一〇歳から六五歳までの女性を手当たり次第強姦し、徹底的に略奪してから町に火をつけた……撃たれた人は埋葬もされず、豚や牛と一緒にその場に放置された[5]」

日本軍は地域一帯の数十の市町村を襲った。人口五万の南城市は日本兵により簡単に消滅させられた。男性は全員殺され、女性や少女は「繰り返し日本兵に強姦され、性病を移された[6]」

上層部からの命令で、日本軍の襲撃部隊は地域の病院をすべて破壊し、意図的に水源を毒で汚染した。その結果、コレラやマラリア、赤痢が蔓延したが、患者を治療する医療施設はどこにもなかった。日本の報復により、およそ二〇万から二五万の中国の民間人が殺された。

確かにドゥーリトル空襲はアメリカ人を鼓舞したが、士気の高揚は二五万の罪もない命を犠牲にする価値があったのだろうか？

これは中国の指導者、蒋介石将軍からの手紙を読んだローズヴェルトが直面した疑問だった。蒋介石は二五万人の死を取り上げ、「日本兵はこの地域にいる男性、女性、子供をひとり残らず虐殺しました。繰り返します——日本兵はこの地域にいる男性、女性、子供をひとり残らず虐殺しました[7]」とローズヴェルトに告げた。

アメリカ人は何十年も、ドゥーリトル空襲の結果、中国の民間人が恐ろしい犠牲を払ったことをほとんど、あるいはまったく語ってこなかった。この件は当然ハリウッド映画にはならなかった。

今日、歴史家のあいだでは、ドゥーリトル空襲が戦争全体にとって大きな価値があったか否かについて議論が続いている。この空襲を機に日本は海軍の戦略を見直し、それが日本の敗北を決定づけたと主張する人がいる。[8]ほかには、アメリカの新聞の見出しを飾っただけでほとんど影響はなかったとする意見もある。

議論の余地なく言えるのは、同盟国の中国が残虐な報復を受けたこと——そして、このような世界戦争では、たったひとつの決断が予測外の大きな結果につながるということだ。

山本提督を撃墜する秘密の作戦が、同じような予想外の結果を生むかもしれない。

ローズヴェルトが悩む問題はほかにもあった。ひとつは、山本を撃てばアメリカが日本の極秘の通信を傍受し、暗号を解読していることが相手にわかってしまう。日本はやむなく暗号を変更し、新しいシステムを導入するだろう。アメリカは現在有利に働いている諜報活動を犠牲にしても、ひとりの上級将校を討ち取るべきだろうか。

最後に、モラルの問題があった。伝統的にアメリカは、戦い方として、特定の人を狙った暗殺に否定的だった。民主主義の指針であるアメリカが、敵の指導者を意図的に殺害するという汚い手を使うのか？

実際には、すでにこの時点で、どちら側にとっても暗殺は戦争に織り込まれていた。ローズヴェルトが列車の旅に出発する数日前、ドイツ国内の反ナチス・パルチザンがヒトラーの暗殺を試み、彼が乗る予定の列車にスーツケース爆弾を仕掛けた。その数週間前、ドイツの別のグループが弾薬工場を視察する予定のヒトラーを狙って、やはり爆弾による暗殺を試みていた。

ヒトラーを狙った最近の試みは個人によるものだが、戦争の他の場所では、軍や政府の機関が正式な戦略として暗殺という手段に訴えていた。

一九四一年一一月一七日、イギリスの特殊部隊が地中海前線で指揮を執るドイツ軍の最高幹部、エルヴィン・ロンメル元帥を抹殺しようと、スパイから得た情報をもとに彼の居場所を急襲した。

戦争の後半の一九四四年、イギリスの特殊作戦部は、バイエルン・アルプスにあるヒトラーの秘密の別荘で彼を暗殺しようと、パラシュートで狙撃手を送り込む作戦を立てた。しかし準備に数か月を費やしたものの、輸送の問題を解決できず、計画を断念した。

さらに深刻な出来事は、一九四三年六月一日に起こった。イギリスの民間航空機——中立国ポルトガルのリスボンからイギリスのブリストルに向かっていた——に乗っていたパイロット二名、乗客一三名が窓の外を見ると、ドイツの戦闘機が数機いた。ドイツ空軍は警告も挑発もせず、イギリス機を撃墜し、乗っていた全員を殺した。

ドイツ空軍はなぜ中立国から飛んできた民間機を撃墜したのか。ドイツ側が誤情報をもとに、ウィンストン・チャーチル首相が搭乗していると思い込んだという説がすぐに浮上した。

チャーチルは同日、ポルトガルからイギリスに移動する予定だった。ドイツのスパイはリスボン空港で首相とそっくりな男を見かけた——葉巻にトレードマークの帽子、チャーチルのスタッフによく似た男たちを連れていた。ドイツのスパイが搭乗機の情報を伝え、同機が離陸するとドイツ軍機がこれを追尾して撃墜したのだ。

チャーチルによく似た男性は、実はイギリスの映画プロデューサーで、政府とはなんの関係もなかった。彼の旅の連れはイギリス映画界の有名な俳優、レスリー・ハワードだった。彼も他の乗員乗客とともに帰らぬ人となった。

当然、この事件は国際社会から糾弾された。撃墜の理由を裏付ける証拠はないが、多くの人はナチスがイギリス首相殺害を試みたのだと思った。そう思っているひとりがウィンストン・チャーチル本人だった。「ドイツの許しがたい行いは、彼らのスパイが愚かであったからとしか言いようがない」と彼はのちに事件について記している。「イギリスの資源をなんでも利用できる私が、どうして非武装の護衛もつけない民間機の席を予約してリスボンから白昼堂々帰国の途につくと思うのか、理解に苦しむ[9]」

実際、世界が大きな危険にさらされている戦争では、暗殺は非常に魅力ある手段だった。一個の爆弾、一発の銃弾で戦争全体の趨勢が変わる可能性があるならば、使わないでいるのは難しい。

今日でも、ローズヴェルトが山本に関する情報をどのように処理したか、決定的な記録はない。彼が誰と相談したか、最終的にどのような指令を出したかについても確かな記録はない。彼が発した指令はひとつ。ある証言によれば、ローズヴェルトはマゼラン号で情報を受け取ったあと、「山本をやれ」とだけ言ったという。

そこから攻撃が始まった。

17

一年前……一九四二年一月、ドイツ、ヴァンゼー

ベルリン郊外にあるヴァンゼーが選ばれた。

格式張った商談でも開くように、わざわざ招待状が送られた。

一九四一年一一月二九日、ナチス・ドイツがソ連に侵攻してからおよそ五か月後、ラインハルト・ハイドリヒはこのハイレベルの閣僚会議にSSの主だった幹部を招待した。招待状にはヒトラーの相談役でナチス高官のヘルマン・ゲーリングの手紙が同封され、それには「ユダヤ人問題の最終的解決」の方法を編み出す権限を総統に代わってハイドリヒに正式に委ねると書かれていた。会議の目的はハイドリヒの指導のもと、この「解決」を正式に承認することだった。

会議は一九四二年一月二〇日、ヴァンゼーの、現在記念館となっている建物の装飾豊かな大広間で開かれた。建物は市の南西部の緑豊かな地区にあり、ハーフェル川に沿ってふたつの小さな湖があった。

会議に出席した帝国幹部一五人のなかに、ハイドリヒからゲシュタポを引き継いだハインリヒ・ミュラーや国家保安本部「ユダヤ人課」課長アドルフ・アイヒマンがいた[1]。

ハイドリヒが会議の議長を務めた。冒頭で彼は、用意した資料を読み上げた。それは、ヨーロッパの全ユダヤ人をまず奴隷労働で酷使し、それから殺害するという計画を事務的に、無味乾燥な言葉で説明したものだった。


最終的解決の過程で、ユダヤ人は東方の適切な労働力に配置される。健常者は男女別に分けて大きな労働部隊に入れ、道路建設のためにそれらの地域へ移送する。その過程で大半が自然に死に至るはずだ。最後まで残る集団は、間違いなく最も抵抗力の強い集団で形成されているだろうから、適切に処理する必要がある。なぜなら自然選択の産物はもし解放したら、ユダヤ人がまた復活する種となるからだ[2]。

要するに、ユダヤ人はまず死ぬまで働かせて、それでも生き残った者はすべて殺すということだ。特別行動部隊だけではこれを達成できなかったため、新たな代替手段が求められた。

会議に先立ってハイドリヒはアイヒマンに、ヨーロッパの諸国のユダヤ人人口を算出するよう求めた。そこには現在そして以前のソ連領およびドイツ占領下の内と外の地域がすべて含まれていた。アイヒマンはその人数を一覧表にまとめ、会議の資料として出席者に配付した。

ナチスはユダヤ人を集め、監禁し、死ぬまで働かせる収容所へ移送する方法について、この数字をもとに具体的な計画を立てられる。これは大がかりで複雑な事業になるが、計画はここヴァンゼー会議から始まった。

アイヒマンの調査によると、現在ヨーロッパ大陸にはおよそ一一〇〇万人のユダヤ人がいた。

これが最終的解決である——性別年齢を問わず一一〇〇万人のユダヤ人を殺害する。

この会議では多くの恐ろしいことが露わになったが、出席者のうち誰ひとりとしてこの計画に反対しなかったという事実も見過ごしてはならない。そのなかには、ナチス台頭以前から政府の大臣を務め、SSに所属していなかった者も含まれる。

議論が交わされることもなかった。参加者は皆、ナチスがユダヤ人を大量虐殺していることをすでに知っていたのかもしれない。たとえそうだとしても、政府の公式の方針としてジェノサイドを示唆することは、かつてなかった。そして、それでも誰も反対しなかった。唯一の意見の相違は、このプロセスの様々な部分をどの主要な政府機関が管轄するかだった。

現行の特別行動部隊の虐殺には数万人の兵士や労働者、現地の役人が加わっていた。これからは政府全体と民間部門の多くが、大量殺戮という明確な目的のために動くことになる。この作戦の大量輸送には、数万人の個人や労働者、社会のあらゆる層の役人の参加が不可欠だ。

彼らは皆、協力した。

最も重要な点はドイツ国民の暗黙の同意がなければ、この取り組みは成功しなかったかもしれないということだ。ヒトラーや他のナチス高官は国民の支持がなければ、戦時協力は崩壊するとわかっていた。そして、ドイツの一般市民はヴァンゼー会議の詳細を知らなかったとは言え、ユダヤ人に対するナチ体制のおぞましい仕打ちを知らなかったという人々は、頑なに現状を無視していた者だけだ。国民はおおむね体制の残虐行為を支持し続けた。

ヴァンゼー会議が閉会すると、出席者はリラックスして雑談した。ハイドリヒは部屋の前方の見事な暖炉のそばに腰をおろし、コニャックを味わった。

くつろいでいられる時間はすぐに終わった。それから何日も何週間も何か月も、彼はナチスの壮大な計画の立案と実施に打ち込んだ。ポーランドと東欧に置かれていた数十か所のＳＳ「囚人収容所」と「労働収容所」はすでに言語に絶する苦痛に満ちていたが、ハイドリヒ、アイヒマン、その他の指揮のもと、それらはまもなく「大量虐殺の収容所」に変わっていった。

最終的解決は、ハイドリヒの野望の集大成だった。しかし彼の指揮は早すぎる終わりを迎えた。彼はかつてチェコスロヴァキアだったドイツ占領地域の統治も任されていた。それが破滅のもとだった。一九四二年五月、彼がコンバーティブルの幌を下げてプラハの通りを走行中、チェコのレジスタンス二名が短機関銃を携えて車の前に飛び出した。銃が作動せず襲撃者は発砲できなかったが、ひとりが手榴弾の投擲《とうてき》に成功した。衝撃で爆弾が爆発し、ハイドリヒが重傷を負った。彼は数日後、病院で息を引き取る。

ハイドリヒを狙ったこの暗殺は周到に計画されて行われた。襲撃者二名はロンドンから航空機で運ばれ、プラハにパラシュート降下して潜入した。暗殺者は、イギリス情報部が支援するチェコの抵抗運動に加わっていた。イギリス空軍が航空機を飛ばし、イギリス情報部がハイドリヒの移動ルートを突き止め、どこでいつ襲撃すれば成功しやすいかを割り出すのに協力した。

ハイドリヒは英雄として扱われ、ベルリンで国葬が行われた。ナチ党のひときわ輝かしい星がひとつ消えた。ハインリヒ・ヒムラーが追悼の辞を述べ、ヒトラー自らがハイドリヒの多くの勲章を葬儀用のクッションに置いた。

しかしヒトラーは内心では、ハイドリヒがオープンカーで移動し、危機に無警戒だったことに激怒していた。国葬のあと、ヒトラーは次のように怒っていた。


強盗ばかりか暗殺者にも絶好の機会を与えるのだから、オープンな非装甲車両で走るとか、護衛もつけずに町を歩くといった大胆不敵な振る舞いは、ただ愚かなだけで祖国にとってなんの役にも立たない。ハイドリヒのような余人を以て代えがたい男が不用意に己を危険にさらすとは、愚か者で馬鹿者だと非難するほかない。[3]

ヒトラーは不注意なハイドリヒに腹を立てるあまり、あのような貴重な人材を亡きものにした帝国の敵に向けて怒りを爆発させた。SSは暗殺者たちがプラハの教会に隠れていることを突き止めたが、ふたりは拘束される前に自ら命を絶った。

ヒトラーはそれで満足せず、さらに大きな報復を求めた。ドイツの情報部により暗殺者たちがチェコの村、レジャーキとリディツェに関わりがあるとわかると、ナチスはそこに狙いを定めた。

ヒトラーとヒムラーの命令で、SSの部隊が小村レジャーキを完全に破壊し、全住民を虐殺した。それより少し大きめの村リディツェでは、SSは一六歳以上の男性全員、合計一九九人を捕らえて殺した。女性と子供は列車に乗せられてポーランドの死の収容所へ送られた。収容所ではリディツェのおよそ二〇〇人の女性が強制労働の末に死亡し、一歳から一五歳までの八一人の子供たちはガス室に送られた。

ドイツの情報は間違っていたことがわかった――暗殺者とふたつの村はなんの関係もなかった――が、ナチスの指導部にはそんなことはどうでもよかった。彼らの目的は、体制に打撃を与えようとする者は誰でも報復を受けると知らしめることだった。

ハイドリヒ暗殺がナチスの大量虐殺計画を妨げることはなかったが、SSの官僚機構には確かに影響があった。その波及効果にはハイドリヒの若き部下、ヴァルター・シェレンベルクの昇級も含まれていた。

当時、シェレンベルクは歴史のドミノ倒しが起こるとは考えていなかったし、およそ一年後の一九四三年初頭、彼の最も新しい任務がヨシフ・スターリン、ウィンストン・チャーチル、フランクリン・デラノ・ローズヴェルトの三巨頭と交わることになるとは思いも寄らなかった。シェレンベルクが確実に知っていたことといえば、師ハイドリヒの教えだ。すなわち、SS指導者たる者、総統のためなら進んで何でも――絶対にどんなことでも――しなければならない。

18

一年後……一九四三年三月一九日、ドイツ、ヴァンゼー

ヴァンゼーでは、シャンパンがふんだんに振る舞われている。

十数人の制服姿の男たちが日没後、豪華な内装の広々とした部屋に集まっている。ベルリン近郊の

このあたりには政府機関の建物が複数あり、ここもそのひとつだ。

主賓の六名はほとんどが二〇代である。この数週間、彼らは猛特訓を受け、数日後には極秘任務に出発する予定になっている。行く手には大きな危険が待っている。彼らの勇気を讃え、出発前に上官がささやかな祝いの席を設けたわけだ。

男たちは複数の土地の複数の施設で時には分かれて、時には集団で訓練を受けた。破壊工作や爆発物、無線通信、特殊な武器などについて学んだ。なかでも重要なのが、パラシュート降下だ。この技能はすぐに必要になる。なぜなら数日のうちに航空機から降下して、土地勘のない敵対的地域であるイランに潜入するからだ。

この壮行会にはヴァルター・シェレンベルクもいて、他の出席者を注意深く観察している。彼は襟にオークの葉の徽章がついたSS大佐の制服を着ている。ハイドリヒの弟子は今やナチ党の国外諜報活動を指揮する地位に就いていた。

一時期、シェレンベルクはハイドリヒの後任として国家保安本部長官の候補にあがっていた。しかしハイドリヒ暗殺後、彼はSDの国外諜報活動を担う部署、第六局の局長に任命された。その地位はナチ党の最高幹部とまでは言えないが、上層部には入る。ひんぱんにヒムラーと会い、ヒトラーの面前に出ることもあった。

その若き野心家に今、新たな活躍の機会が訪れた。今日、彼の師が悪名高きヴァンゼー会議を主催した建物――そしておそらく同じ部屋――に彼は戻ってきていた。

この日、シェレンベルクも出席してささやかな会が開かれたのは、比較的小規模の国外での秘密作戦のためだった。確かに、一年前の歴史的会議のような大きな意味合いはない。

シェレンベルクはベルリンからこの作戦を監督するが、計画は彼が局長になる以前から始まっていた。彼もつい最近知ったのだが、開戦直後の一九四〇年、SDはイランに人脈を築き、将来この地域を支配するにあたって、その地均しをするために工作員を二名、派遣していた。

一九四一年にイギリスとソ連がイランを占領すると、テヘランとベルリンのあいだの連絡は絶たれ、工作員ふたりは捕まったか、殺されたものとSD幹部は見なした。世界中で多くの差し迫った問題があったため、SDはふたりのことをあきらめ、彼らのために何も手を打たなかった。シェレンベルクが国外諜報活動の指揮を任されたとき、イラン作戦はほとんど忘れられていた。

ところが、つい数か月前、シェレンベルクが第六局局長に就任した頃、かなり前にイランに派遣されたスパイ、フランツ・マイヤーから「突然」[1]連絡があった。

奇跡的にもマイヤーは死んでいなかったし、捕らえられてもいなかった。彼は占領下でどうにか生き延びていた。そして、生き延びただけでなく、この二年間テヘランで活動を続け、ここにドイツ支持者と協力者の強固な地下ネットワークを築いていた。

マイヤーの手紙は、イラン地域がきわめて重要になった頃に届いた。東部戦線でドイツ軍はスターリングラードの戦いを含め、イラン国境に近いロシア南部で大規模攻勢を仕掛けていた。ソ連軍は米英から物資の提供を受け、それらはペルシア湾からイラン国内を通る鉄道で運ばれていた。この「青天の霹靂」のフランツ・マイヤーからの連絡により、シェレンベルクと彼の同僚は戦いのなかで誰もが望む「チャンス」が到来したと思った。

マイヤーは活動資金と物資、無線通信機を送って欲しいと手紙に書いていた。また、ベルリンに宛てて、テヘラン郊外で連合国の監視が行き届いていない部族地域の安全な投下地点の案内と座標を伝えていた。[2]

テヘランでのマイヤーの計画は政治的なもので、連合国の進駐軍に対してイラン人が反乱を起こし、そのあとにナチスが侵攻してイランを奪還することを目指していた。ところが、シェレンベルクは別の用途を思いついた。破壊工作である。

マイヤーのネットワークはすでに現地にあり、ベルリンのSDは彼が知らせた座標にしたがって武器や爆発物を空中投下し、訓練された兵士を降下潜入させれば、ソ連への武器輸送に使われている鉄道を破壊、あるいは一時遮断できるかもしれない。

　こうして現在の作戦が生まれた。これは勇敢なスパイにちなんで、フランツ作戦と名付けられた。死んだと思われていたが二年後によみがえり、敵対国で祖国のために命がけで活動している人パイだ[3]。

　フランツ作戦が成功すれば、ロシアにいるドイツ軍は赤軍に対して優勢になり、勝利に持ち込めるかもしれないとSD幹部は考えた。連合国が占領する国で主要な鉄道の破壊工作を成功させることは簡単ではないが、ドイツの戦況を考えると、試してもみないのは愚かだ。

ヴァルター・シェレンベルクは国家保安本部第6局の局長を務め、ナチス・ドイツの国外諜報活動を指揮した。彼はドイツが支配していない国や地域における諜報・防諜活動全般を監督した。（Courtesy of Sueddeutsche Zeitung Photo / Alamy Stock Photo）

　シェレンベルクは勝利を欲していた。彼の組織とその競争相手であるアプヴェーアはつい最近、恥ずかしい失敗を犯したところだった。

　およそ二か月前、ローズヴェルトとチャーチルが記者会見を開き、カサブランカでの米英首脳会談を世界中が報道した。ナチス幹部は、会談がモロッコで開催されるという情報をまったくつかんでいなかった。ドイツの諜報機関が、会議の正確な日程と場所を事前に把握するのに失敗したからだ。

　彼らは失敗しただけでなく、恥をかいた。実は、連合国が会談を計画していたとき、ドイツの諜報機関は米英間の極秘の通信を傍受し、解読していた。それには首脳会談の案に「カサブランカ」という言葉が含まれていた。しかし解析者は意味を完全に誤解した。「カサブランカ」はスペイン語で「白い家」を意味するため、会談の場所をワシントンDCのホワイトハウスと思い込んだのだ。[4]ナチス幹部は、首脳会談後の報道を見て初めて自分たちのミスに気づいた。

ヒトラーはこの間違いに激怒した。シェレンベルクの部署に責任が集中したわけではないが、彼の組織は正しい日程も場所も予想できなかった。

そういうわけで、今夜のシャンパン付き壮行会と相成った。

出席者のなかには、シェレンベルクの直属の上官である国家保安本部長官エルンスト・カルテンブルンナーもいる。見た目も態度も、ふたりはこれ以上ないほど違っていた。シェレンベルクは少年のような顔立ちをした痩せ型で、上品に話した。カルテンブルンナーは身長一九〇センチ、肩幅が広く、いかめしい顔つきで太い声で話す。ある同僚はカルテンブルンナーを「タフで冷酷な雄牛」[5]と評した。シェレンベルクは大学で法学を学んでいたときに党幹部にリクルートされた生え抜きだったが、労働者階級のカルテンブルンナーは、ナチ党が街頭で演説していた初期に入党した。

このふたりの高官の違いは外見だけではない。実のところ、ふたりは互いを軽蔑していた。シェレンベルクはのちに「初対面で彼に吐き気をもよおした」と上官の「ひどい口臭」に言及し、「その手はゴリラのよう」で、「人を射る小さな目……獲物を凍りつかせる毒蛇の目」と述べている。[6]シェレンベルクはまた、カルテンブルンナーの過度の飲酒に呆れ、性格が弱いからだと見下していた。彼自身は自制心を失わないために「ワインをグラスに一杯か二杯まで」[7]と決めていた。

このようなとき、シェレンベルクは亡き上官のことを思い出すのだった。その人は上官というだけでなく、彼の個人的なロールモデルだった。カルテンブルンナーとは違い、ラインハルト・ハイドリヒ、SDを設立した人物はシェレンベルク同様、教養があり上品な趣味を持っていた。

もちろん、ハイドリヒはたいへんな野心家でもあり、第三帝国の伝説になった。

もしかしたら近いうちに、師のあとを継ぐ機会がシェレンベルクに訪れるかもしれない。もしかしたら、彼も偉大なる存在になれるかもしれない。

19

一九四三年四月一五日、イラン、クム

武器は音を立てて地面に落下する。

梱包用の頑丈な木枠の箱に詰められたそれは、着地の衝撃で砂を舞い上げる。月のない夜の砂漠でほかに音はしない。数秒後、数メートル離れたところでまた音がする。今度は箱ではなく人間が着地し、続いて開いたパラシュートが落ちてくる。

武器の箱と人はロープでつながれて航空機から落とされた。箱にも専用の小さなパラシュートが装着され、人間が自分のパラシュートを開く直前に遠隔操作で開けるようになっていた。そのため人間は箱とロープでつながれたままでも、箱の重さに引きずられて異常な速さで落下する心配はない。これはベルリンの航空技術者が最近考案した素晴らしい仕組みだ。

それから数分のうちに、一番手の着地点からほぼ等間隔に、さらにひとりずつ五人が五つの箱とともに降りてきた。この近くに居合わせたら、まもなく暗闇のなかで声を聞くだろう。降下した男たちがドイツ語で呼び合う声を。やがて六人は全員の位置を確認した。

六人とも無事で、荷物にもほぼ異常はなく、当初、降下は成功したように思えた。しかし、その晩のうちに、あるいはテントで数時間仮眠して夜が明けたとき、彼らはどこかおかしいことに気づく。彼らのコンパスや近くの山脈の位置から判断すると、彼らは本来いるべきところにいなかった。それどころか、目標落下地点から南へ一〇〇キロ以上ずれており、第一の目的地であるテヘランから予想外に遠く離れたところにいた。

どうしてこんなことになったのか。彼らにはわからなかった。落下地点の座標は、作戦名の由来になっているテヘランのスパイ、フランツ・マイヤーからベルリンに送られた情報にもとづく。彼らはテヘランでマイヤーと接触することになっている。マイヤーの地図に誤りがあったか、パイロットがミスを犯したのかもしれない。原因がなんであれ、彼らは問題に対処しなければならない。

パラシュート降下した六人のうち五人はまだ若く、カール・コレルという名の男だけが中年だった。彼は三八歳の古参で、ほかのメンバーとは違ってイラン滞在経験があり、ペルシア語が話せた。

彼はもともと通訳としてこのチームに加わり、正式には指揮官ではないが、すぐにリーダー役を担うようになった。イランの首都から遠く離れた辺鄙な砂漠で立ち往生しているこの危機的状況から脱出できるかどうかはコレルにかかっていた。

いろいろ考えた末、コレルは六人全員で砂漠を抜けようとするのは賢明ではないと判断した。荷物が多すぎる。すぐに飲み水が尽きるだろう。彼は身軽にひとりで砂漠を行くことにした。残りの者は近くの丘で荷物と共に野営する。彼がテヘランにたどり着けたら、マイヤーを探し出し、トラックかラクダを調達して残りの者を迎えに戻る。理想的なプランではないが、選択肢は多くなかった。

降下から四八時間足らず、カール・コレルは過酷な地形を進む長く困難な徒歩の旅に出発する。その途中、連合国占領下のこの土地で地元当局に見つかり、イギリスかソ連に引き渡されれば恐ろしい運命が待っている。残りの者たちは、水を節約しながら希望を捨てず、砂漠で待つしかない。

わずか数週間前、このSD工作員たちはベルリンにいて、ヴァンゼーの華やかな部屋でシャンパンを飲んでいた。今夜、彼らは故郷から三二〇〇キロ以上離れたイランの砂漠にいる。そして、彼らの波乱の物語はまだ幕を開けたところだった[1]。

20

一九四三年四月二九日、ワシントンDC

フェルディナンド・マゼラン号が二週間の旅を終えてワシントンDCのユニオン駅に到着したとき、誰よりも安堵している人間がいた。

大統領の身の安全を担う人物。

彼の名はマイク・ライリー。

ホワイトハウスのシークレットサービスのトップとして、どこへ行くにも大統領の側から離れないチームを率いた。ライリーにとって、大統領の長期の全国行脚は常にストレスと不安にさいなまれる日々だった。ライリーから見れば、大統領が新たな訪問先に着くたび、演説をするたび、大衆の前に出るたび、危機に備えなければならないからだ。

確かに、ローズヴェルトとライリーは奇妙な取り合わせだったが、ふたりは非常に強い絆で結ばれていた。ローズヴェルトは北東部の上流階級の家に生まれ、一流の学校で学び、あらゆる特権に恵まれて成長した。ライリーはモンタナの労働者階級の出身で、ハイスクール時代はフットボール選手で鳴らし、のちに自身について「頭より筋肉がよく働くアイルランド系」と評している[1]。

面白いことに、ふたりが特に近しくなり強い信頼で結ばれたのは、ローズヴェルトの身体のせいだった。公共や民間の施設が身体の不自由な人の利用をほとんど想定していなかった時代、行く先々で車椅子のためのスロープはあるのか、大統領が滞在する部屋やトイレにも同様に配慮がなされているか、確認するのはライリーだった。

階段の上り下りや車椅子の通れない場所では、体格のよいライリーがそっと大統領を抱き上げて運ぶこともあった。ライリーは知性や上品さに欠けるとしても、それを忠誠心と気転で補った。彼は二〇代半ばでシークレットサービスに入り、努力と勤勉で早く出世した。

パールハーバー攻撃の翌日、一九四一年一二月八日、彼は老いた上司に代わって、三二歳にしてシークレットサービスのホワイトハウス担当トップに昇進した[2]。

戦時でなくとも、シークレットサービスの第一の任務は大統領に危害を加えようとする者を阻止することだ。ライリーが言うには「大統領警護でいちばん怖いのは暗殺だ。昔からアメリカの大統領はよく銃撃に遭ってきたが、爆撃されたり、毒を盛られたり、刺されたり、列車事故で殺されたりするかもしれない。我々の仕事はそれを防ぐことだ[3]」。戦争が始まると、警戒すべき相手はそこらへんにいる錯乱した個人や国内の過激派だけでなく、敵国のスパイ、破壊工作員、暗殺者へと広がった。

ホワイトハウスに送られてくる郵便物や小包に爆発物が仕掛けられていないか調べるために、専用の場所を設置したのはトップに就任したばかりのライリーだった。こうすることで専門家チームがひとつひとつ小包をチェックできた。

ローズヴェルトへの贈りものとして世界中から食べものが送られてくるとき、食料医薬品局の特別室へサンプルを送って毒性を検査するシステムを構築したのもライリーだった。

マイク・ライリー（左）は日本のパールハーバー攻撃の翌日、ホワイトハウスのシークレットサービスの責任者に任命された。以来、彼は常にローズヴェルトの傍らにいた。戦時中、あまり身体が丈夫ではない大統領の警護を担当する彼は「日中は緊張で身体が震え、夜は悪夢にうなされた」（Bettmann / Getty Images）

そして、その年、大統領がカサブランカに向けて歴史的な空の旅をする前に、大統領機に追加の安全対策を講じるため、そしてローズヴェルトの障害に配慮した特殊な改造を行うため、その設計を自ら監督したのもライリーだった。結局、大統領の訪問先すべてに事前に足を運び、飛行場、滑走路、車のルート、ホテルを逐一調べる仕事もライリーが担った[4]。

とはいえ、マイク・ライリーにとって最大のストレスのもとは暗殺者ではなかった。もっと些細なこと、すなわち移動に伴う危険だった。「枢軸国の暗殺者集団を出し抜く自信はあるし、大統領の特別列車がポイントの操作ミスで脱線することと比べれば、そんなのはなんともない」と彼はのちに述べている。

自動車、列車、船舶、航空機など、

ローズヴェルトの移動には常に決まった手順がいくつもあり、多くの安全対策がとられた。長い旅のあいだ、特に身体が弱いこの大統領を守る責任とプレッシャーに、ライリーは「日中は不安に震え、夜はベッドで悪夢にうなされた」[5]

そういうわけで、四月二九日、メキシコでの一時滞在を含め二週間の旅程を終えてフェルディナンド・マゼラン号がワシントンDCに帰り着き、大統領が無事にホワイトハウスに戻ったとき、マイク・ライリーは不安と悪夢の日々が終わってほっとした。これでようやくリラックスできる。

ところで、ライリーは知らないのだが――そして、大統領周辺のスタッフも皆、知らないのだが――ローズヴェルトは列車の旅の半分を、海軍参謀からの極秘の連絡を今か今かと待って過ごしていた。何の件かというと「ヴェンジェンス（報復）作戦」、すなわち山本五十六の殺害計画である。

ローズヴェルトが待っていた極秘の知らせは、彼がオクラホマの大草原を横断していたときに届いたようだ。四月一八日、アメリカのP－38戦闘機一六機からなる編隊が、ソロモン諸島のガダルカナル島のククム飛行場を離陸した日本の爆撃機二機と護衛の戦闘機九機の位置をとらえ、追跡。予定通り山本五十六は、ブーゲンヴィル島視察のために爆撃機の一機に搭乗していた。米軍機は日本軍機の編隊を奇襲し、戦闘機をさっさと片付け、目標に迫った。

P－38の一機が山本搭乗機の後ろに回り込んで銃撃。山本搭乗機は黒煙を吹き始め、まもなく下のジャングルに墜落した。

翌四月一九日、日本の捜索隊が、撃墜された機と、近くに投げ出されていた山本の遺体を発見した。ドゥーリトル空襲とは違い、アメリカ側はこの件を公表しなかった。これは秘密の作戦であり、そのまま秘密にしておくのがよいと考えたからだ。日本側も、誉れ高い名将の死は日本の戦意を損なうとわかっていたため、真相を必死で隠した。

日本海軍は一か月後に山本の死をようやく公表したが、突き止めた事実を決して明かさなかった。

山本五十六司令長官（白の軍服）がソロモン諸島で、日本軍のパイロットに彼の生涯で最後となる敬礼をしている。要人を標的にした殺害、いわゆる暗殺は、第二次世界大戦中、普通に行われていた。（Wikimedia Commons）

つまり、これはアメリカ軍の計画的な攻撃によるもので、解読不可能とされてきた日本海軍の暗号の解読に、アメリカの情報機関が成功していたという事実を。

五月二一日、世界中の新聞に転載された日本の公式発表は、山本が「敵機と交戦の末、勇壮な死を遂げた」とだけ伝えていた[6]。山本の死と日本の公式発表のあいだの数週間、真相を知っていた人間は世界でもごくわずかだった。

ローズヴェルトも完全に沈黙していた。その件に関して彼が最初に正式にコメントしたのは、日本の公式発表直後に開かれたホワイトハウスでの記者会見の席だった。状況説明が終わると、ある記者がローズヴェルトに質問した。

質問者——大統領閣下、日本の提督の死についてコメントをいただけますか?

大統領——（しばしの間《ま》）死んだって?

質問者——日本のラジオ放送でそう言って

ました。
質問者――ヤマモトが、です。
質問者――航空機に搭乗して作戦を指揮していた最中に戦死したと。
大統領――なんとまあ！（笑い）[7]

ローズヴェルトは、そのとき初めて攻撃を知ったように装って驚いて見せたが、記者たちは大統領が何か知っていたに違いないと気づいた。

ローズヴェルトの口調がどこか自慢げだったとしたら、それは彼が軍の成果を誇りに思っていたからだろう。日本側が解読不可能と自負していた一連の暗号をアメリカ海軍情報部が解読した。解読そのものが大きな成果だったし、その結果、日本軍の指揮官のなかでもとりわけ聡明で尊敬を集める軍人――真珠湾攻撃を策定した人物――を完全に排除することができた。

それでもローズヴェルトは安心してはいられなかった。同じく、シークレットサービスのトップ、マイク・ライリーも。

敵国にいつ通信を傍受され、暗号を解読されるかわからない――ローズヴェルトとライリーがまもなく知るように、暗殺はどちらの側でも起こりうるのだ。

21

一九四三年四月下旬、イラン、テヘラン

彼には運が必要だ。

真夜中のパラシュート降下後、ナチスの工作員カール・コレルは、砂漠を歩き通してついにテヘランに着いた。

作戦自体はこれまですべて順調とは言えなかった。降下地点が目標を外れ、砂漠の道のりは過酷で、連合国に占領された都市にひとりたどりついたが、砂漠に残してきた仲間ともベルリンの上層部とも連絡を取る手段はなく、支援も庇護も得られない。

目下、彼の目標は不可能に近かった。人口七五万人のこの都市で、たったひとりの人間、すなわちナチスのスパイ、フランツ・マイヤーを探し出すのだ。追加情報がなければ非常に難しいこの任務にはさらなる問題があった。

マイヤーは潜伏している。おそらく変装し、当然本名は使っていないだろうし、広大なこの首都のどこかの地下室か、秘密の部屋に隠れて暮らしているはずだ。

マイヤーを見つけるためにコレルにできることは限られていた。チームの他の工作員とは違い、彼はペルシア語をある程度操れる。連合国に支配される前の一九四一年に、テヘランに滞在した経験がある。それに前回の滞在時、コレルはフランツ・マイヤーと彼の周辺の人間に実際に会っていた。

この、マイヤーの知人数人に会ったことがあるという点が重要だ。

コレルが当てもなく繁華街を歩きながら、カフェや市場で手がかりが得られないかと探していると、見覚えのある年配の女性がいた。

信じられない幸運だ。

コレルはその女性に近寄り、彼女がマイヤーの恋人、リリ・サンジャリの母だと確信する。コレルが一九四一年にマイヤーと会ったとき、マイヤーはすでにリリと付き合っていた。リリは名家の娘で、コレルは彼女の家族にも会っていた。

さらに、連合国がイランに進駐してイランとドイツの連絡が完全に遮断される直前、マイヤーがリリと結婚する許可を求めたこともコレルは知っていた。要望は拒否されたが、ふたりの交際が真剣なものだったことを示している。少なくとも、コレルはふたりの関係が続いていることに望みをつないだ。

問題は、いきなりリリの母に話しかけるのが得策かどうかわからないことだった。コレルが知る限り、サンジャリ家は米英ソがこの地域を支配して以来、連合国側に寝返ったはずだ。

もしそうなら、この女性はコレルをまっすぐ連合国の捕虜収容所に導くだろう。だとしても、この街でマイヤーを探し出すという難題を前に、ほかに手がないように思えた。

驚いたことに、コレルの幸運はまだ続いていた。彼が話しかけると、リリの母は力になると言ってくれた。フランツ・マイヤーとリリは今も付き合っていて、母親は娘がどこにいるか知っている。コレルはただついていくだけでいい[1]。

それが一九四三年四月下旬に、ベルリンのフランツ作戦の工作員と、テヘランに二年も潜伏していた忠実なナチスのスパイ、フランツ・マイヤーが結びついた経緯だった。

リリの母親がどうやってコレルとマイヤーを会わせたか、あるいは彼らが会って何を話したかについての記録は残っていない。当然、ふたりのナチス工作員は互いに聞きたいことが山ほどあっただろう。

しかし、長く話している時間はなかった。コレルはマイヤーの助けを借りて、砂漠に残してきた仲間と荷物を取りに戻るためにラクダと食糧を調達しなければならない。彼らはもう一週間、シアクの丘で野営している。

コレルがテヘランにたどりつくまでにかかった時間から判断すると、仲間のもとへ戻るには一週間かかり、全員が荷物と共にテヘランに戻るにはさらに一週間かかる。

コレルにとっては、イランの砂漠を往復して三週間も費やすことになる。しかも、ようやくそれが任務の始まりだ。

とはいえ、コレルはフランツ作戦の最初の目標が達成できただけでも満足だった。降下地点は誤ったが、人員も荷物もほぼ無事だ。そのうえ、コレルの才覚と幸運により、フランツ・マイヤーの居所を突き止めて接触するという第一目標が達成された。

これはマイヤーにとってはさらに喜ばしいことだったに違いない。もう二年近く、故国からの連絡も支援もなく、身を潜め、命の危険に怯えながら、ほとんどひとりで活動してきた。その間、彼は自分の任務を放棄しなかった。ほぼ単独でテヘランにナチス・ドイツの賛同者と支援者のネットワークを築き、育ててきた。

今、彼は初めて待望の支援を得た。まもなく彼のもとに物資や資金、無線通信機が届き、新しい仲間がやってくるだろう。

ナチスのスパイ、フランツ・マイヤーにとって、テヘランでの新たな日々の始まりだ。

ここで行き詰まっていたあいだ、彼は決してあきらめず、イランがやがてナチスの戦争にとって欠かせない存在になると確信していた。しかし、現時点でマイヤーとその仲間たちは、世界の舞台でテヘランが極めて重要な意味を持つことをまだ知らない。実際、テヘランでのナチスの作戦は、彼らの想像を超えた別のものに変貌しようとしていた。

22

一九四三年五月、イラン、テヘラン

彼は自転車に乗ったごく普通の若者に見える。

一九歳、細身の体型、東欧人の顔立ちで、きめ細かい肌がペルシアの太陽を浴びて少し焼けている。彼は一日の大半を自転車に乗って過ごしていた。街の通りや路地を走り、たまに連れがいたが、たいていはひとりで、ときどき止まっては建物の出入り口をのぞき込んだり、野外市場の店主や常連客と言葉を交わしたりした。

自転車はテヘランでは通常の移動手段だったので、彼は二輪で別の場所へと移動するおおぜいの普通の市民と何も変わらなかった。

しかし、この若者はまったく普通ではなかった。彼は特別な目的をもって日々、自転車を漕いでいた。

彼は名をゲヴォルク・ヴァルタニアン[1]といい、ソ連の覆面工作員だった。若い新人工作員からなる「軽騎兵隊」に属していた。隊の名は彼らの移動手段に由来する。

では、このまだ一〇代の若者がソ連のスパイになったのはなぜか？　ヴァルタニアンの場合、それは家業だった。

ヴァルタニアンは一九二四年、ロシア南部のロストフ近郊でアルメニア人の両親のもとに生まれた。ソ連に移民したばかりだった彼の父は新しい祖国に奉仕したいと願った。そこで、当時の主な諜報機関であり、KGBの前身でもある内務人民委員部（NKVD）に入り、すぐに頭角を現した。戦争前の一九三〇年、ヴァルタニアンの父は家族共々テヘランに派遣され、表向きはアルメニア人の実業家としてスパイ活動を始めた。

そのため、ヴァルタニアンは子供時代と青年期のほとんどをテヘランで過ごした。彼はペルシア語を流暢に操り、イランの首都の複雑な事情に詳しくなった。職業を選ぶ年齢になったとき、何をやりたいか彼にはわかっていた。「子供の頃から、父が何をする人か知っていた」とヴァルタニアンはのちに述べている。「父は祖国への愛と愛国主義の精神で私を育てた[2]」

やがて父の後を継ぐときがきた。ヴァルタニアンは一六歳の頃から、テヘランでNKVDのために活動していた。

最初、彼は新人勧誘などの地味な仕事を担っていた。しかし、一九四一年にソ連とイギリスがイランを占領すると、この地域でのソ連の情報活動がいきなり重要視されるようになり、ヴァルタニアンの上官でイワン・イワノビッチ・アガヤンツという熟練のスパイが、彼にもっと責任の重い仕事を任せた。

「最初の仕事は同志のグループをつくることだった」とヴァルタニアンはのちに説明している。「私はすぐに七人をリクルートした」

この七人は典型的な新人ではなかった。皆、若く――ほとんどがまだ一〇代だった――皆、自転車に乗っていた。彼らのことを冗談まじりに「軽騎兵隊[3]」と呼んだのは、ヴァルタニアンの記憶によれば、上官アガヤンツだ。「それが組織名として定着した」

軽騎兵隊はＮＫＶＤの目となり耳となって活動した。それは賢明な考えだった。彼らなら素早く、容易く街中を巡回できる。高価な自動車もガソリンも必要ないし、自転車に乗った若者は周囲に溶け込んで、人目を引くこともない。

これが彼らをパーフェクト・スパイにした。

彼らの仕事はテヘランでの敵の活動を嗅ぎつけることだった。具体的に言うと「監視して、ファシストの工作員を特定すること」だ。市内にはまだドイツ系住民が数千人暮らしていたし、そのほとんどが市民生活を送っていたが、それでも彼らを監視する必要があった。

多くのイラン人が連合国の占領を憎んでいることは誰でも知っていた。なかには、ヒトラーと友好を結んだレザー・シャーの前政権にいまだ忠実な者もいた。イランに駐留する米英ソの当局は、国内の親ドイツの抵抗運動が盛り上がり、連合国の支配が脅かされるような事態だけは絶対に避けたいと考えていた。

特にソ連にとって、テヘランの安定は最重要課題だった。イラン北方で国境を接するソ連は、国の存亡をかけて侵略者のドイツ軍と戦い、毎月何十万人もの犠牲者を出していた。ときには国が滅びる寸前まで追い込まれていた。この尋常でない戦争努力は、アメリカの武器と物資の支援があるからこそ継続でき、それらの輸送ルートはイランを通って届けられていた。

一九四三年春のある日、ヴァルタニアンと軽騎兵隊仲間は街を巡回し、情報屋に会ったり、上官の伝言を情報源に渡したり、親ドイツの反体制派と思しき人物を監視したり、何か異常はないか気をつけたりしていた。

しかし最近は、さらに注意すべきことがあった。地元の報道によると、ドイツの航空機が砂漠の上空で目撃されていた。敵国のパラシュート兵[4]が市の郊外に降下したといううわさもあり、すでに市内に潜入しているかもしれない。

もちろんソ連の情報部は、ナチスのスパイと思しき人物がテヘランで活動していることは知っていた。フランツ・マイヤーという名前まで把握していた。同業のイギリス情報部からの情報提供により、このスパイが強力な親ドイツの地下組織を構築したことも知っていた。

それでも、ヴァルタニアン青年は、一九四三年五月五日の朝、九六〇〇キロ離れた地球の反対側で、アメリカ合衆国大統領が、最高幹部の側近に極秘の手紙を渡したことを知る由もなかった。

側近はモスクワ行きの便に乗り、ソ連首相ヨシフ・スターリンにその手紙を直接渡すよう指示された。手紙を読むことを許されたのは、その側近とスターリンだけだった。

大統領が書いたこの密書により、ゲヴォルク・ヴァルタニアンとテヘランに大きな影響を与える一連の出来事が動き出す。

やがてこれらの出来事は、自転車に乗ったこの一〇代の青年とアメリカ合衆国大統領フランクリン・ローズヴェルト、ローズヴェルトのシークレットサービス主任マイク・ライリー、イギリス首相ウィンストン・チャーチル、そしてヴァルタニアンの第二の祖国の指導者ヨシフ・スターリンを思いも寄らぬかたちで結びつけることになる。

それは数か月のうちに、ここテヘランで起こる。

軽騎兵隊もぼんやりしてはいられない。

第3部

「アンクル・ジョー」

23

一九四三年四月下旬、ドイツ、ベルリン

ヴァルター・シェレンベルクは今、部屋に入ってきて彼のデスクの前に座った制服姿の男をしげしげと眺めた。シェレンベルク専用の広々とした執務室は、ベルリンのシュマルゲンドルフ地区にある近代的な建物のなかにあった。

もとは一九三〇年当時、ベルリンで繁栄していたユダヤ人用の養老ホームとして、多作のユダヤ人建築家アレグザンダー・ベーアが設計した建物のひとつだ。一九四一年、ナチスはこの施設を接収し、高齢のユダヤ人居住者を刑務所や労働収容所に追い払ってそのほとんどを殺害し、帝国が利用するために建物を改装した。ベーア自身も一九四三年初めに逮捕され、テレジン強制収容所に送られて一年後にそこで死亡した。[1]

現在、この建物にはヴァルター・シェレンベルクが指揮するSD国外諜報局が入っていた。シェレンベルクの執務室にいる制服姿の男は、目の前のデスクに秘密の仕掛けがあることを知らない。

国家保安本部〔SDはその下部組織のひとつ〕の上級将校であるシェレンベルクには多くの敵がいた。ベルリンで機会をうかがう外国の工作員もいれば、帝国内の権力争いで彼を出し抜こうとするライバルもいた。「部門のトップというより、狙われた獲物のように感じるときもあった」とシェレンベルクはのちに語っている。敵が帝国の外からやってこようが、内部の人間であろうが、彼は師ハイドリヒに起こっ

たことを肝に銘じている。彼は自分を標的にした陰謀に対して警戒を怠らなかった。

実際、身を守るために特別な対策をとっていた。

「隠しマイクをそこらじゅうに仕掛けた。壁、デスクの下、電灯のなかにも。だからどんな会話も、どんな音も自動的に録音できた」と彼はのちに述べている。

隠しマイクを仕掛けたのは、執務室で彼が脅された場合、一部始終を記録するためだ。

しかし、訪問者に襲われても、記録するだけではなんの役にも立たない。そのため彼は、さらに精巧な仕掛けを施していた。「私のデスクは小さな要塞だった。二丁の機関銃を備え付け、部屋中に銃弾を浴びせられるようになっていた。これらの銃は訪問者に向けられ、私のデスクに近づくときも照準を合わせていた。万が一の場合、私はボタンを押すだけでいい。すると二丁の銃が同時に発砲する仕掛けだった」

それが失敗し、攻撃者が逃亡した場合に備え、シェレンベルクは次の一手を用意していた。「別のボタンを押すとサイレンが鳴って護衛が召集され、建物が包囲されて出口がすべて封鎖される」[2]

今、シェレンベルクのデスクの前に座っている男は二丁の機関銃に狙われているとは想像もしていない。たとえ知っていたとしても彼がそれで怖じ気づくことはないだろう。常日頃からひるむことなく危険と向き合っているからだ。

その名をオットー・スコルツェニーといった。三四歳で、武装親衛隊《SS》の中尉に相当する将校だった。武装SSは親衛隊に属し、従来のドイツ国防軍と並ぶ軍事組織だ。彼は忠実なナチ党員であり、東部戦線で負傷したばかりで、もう前線に復帰できそうになかった。しかし彼は無用とはほど遠い人物だった。工学、爆発物、飛行訓練、最新兵器、戦闘指揮などの能力に長けた貴重な存在だった。

シェレンベルクがスコルツェニーを呼び出したのは、ひとつにはフランツ作戦のためでもあった。このイランでの作戦は今のところ順調だ。工作員たちは無事に降下し、テヘランでナチスのスパイ、フランツ・マイヤーと会えたと、ベルリンのSDは報告を受けている。シェレンベルクはこの作戦を先へ進めたいと考えていた。

特殊部隊――秘密の任務のために特別に訓練された兵士で構成される少人数の機動性のある部隊――を派遣するという考えは、最近ナチス上層部で広まっていた。強大なドイツ軍は東部戦線でソ連軍の猛烈な抵抗に遭い、進撃が止まっていた。ドイツの優れた技術力と訓練の成果を遺憾なく発揮するには、機動力のある少数精鋭集団に特殊な任務を任せることが有効だ。そうすれば枢軸軍が優勢に転じるはずだと上層部は期待した。

シェレンベルクはイランで別の作戦も計画していた。まもなく「アントン作戦」と呼ばれるそれは、武装工作員のチームを武器や爆発物とともに、パラシュートで北部の部族地域に送り込むというもの

1943年春、ナチスの国外諜報活動の責任者、ヴァルター・シェレンベルクは熟練の武装SS将校オットー・スコルツェニー（上）をSDの「特殊作戦」強化訓練プログラムの指導者に抜擢。スコルツェニーは国外での秘密作戦を遂行する精鋭の兵士を集め、訓練し、監督した。（Courtesy of Shawshots / Alamy Stock Photo）

だ。そこでチームは、現地でスパイ活動をしているベルトルト・シュルツェ＝ホルトスという名の国防軍の工作員と連携し、鉄道の破壊を試み、武器や資金を現地の協力者に供与し、フランツ作戦を支援する。これはほんの始まりに過ぎない。イランでもその他の地域でも、シェレンベルクは諸々計画していた。

これらの目標達成には助けがいるとシェレンベルクにはわかっていた。特殊部隊の作戦が成功するように計画し、相応の準備ができる人材が欠かせない。さらに、精鋭の実働部隊となる隊員を募り、訓練する能力を持ったリーダーも必要だ。

そこでオットー・スコルツェニーの登場である。スコルツェニーは身長一九三センチ、肩幅が広く、肉体的にも威圧感があった。頬の傷跡は、一〇代の頃フェンシングで負ったもので、それはある種のドイツ人男性にとって誇りでもあった。話し方はよどみなく、声には自信がにじみ出ていた。最も重要なのは、彼がこの任務に必要な能力と知識を備えていることだ。

面談が終わる頃には、ふたりの男は計画に合意していた。スコルツェニーはSD内に新設される特殊部隊のために工作員や兵士の訓練を引き受け、組織を拡充する。彼はオラニエンブルク特別訓練課程の指揮官となる。「オラニエンブルク」という名称は訓練場の地名に由来する。オラニエンブルクはベルリンの北およそ三二キロにあり、ナチスの最初期の強制収容所が開かれた場所でもある。

この少しも魅力的ではない土地で、スコルツェニーは兵士と工作員をリクルートし、彼らに爆破や破壊工作、準軍事活動を仕込むのだ。

この新しい役職でもスコルツェニーは武装SSの将校であることに変わりはないが、大尉に昇進し、シェレンベルク直属の部下になった。

第三帝国ではよくあることだが、ナチスの諜報に関わる両名は意気投合した振りをしながら、ひそかに互いを値踏みしていた。自身をまずなによりも兵士であると考えるスコルツェニーは、肉体的に頼りないシェレンベルクを官僚と見下し、「優柔不断な性格で、自分で思っているほど聡明でも鋭くもない男」と評している[3]。

いっぽうシェレンベルクは、自身を上品な趣味をもつ知的な人ととらえていた。彼はナチスのヒエラルキーの社会的エリートとのほうが付き合いやすかった。スコルツェニーのような粗野な軍人には苛立つことが多かった。

それでもこの人事は相互の利益になるため、ふたりは手を組むことにした。

ふたりの男はまだ知らないが、今日のこの短い会合を経て、近々大尉に昇進するスコルツェニー――部外者にはほぼ無名の武装SS中級将校――は「ヨーロッパで最も危険な男」として世界中にその名をとどろかせることになる。

24

一九四三年五月五日、ワシントンDC

一通の手紙。

タイプライターで打った数段落の手紙。しかし、大統領はこの短い手紙が連合国側をよい方向へ導き、ひいては戦争に勝つことに貢献すると確信していた。

実際、ローズヴェルトはこの手紙をきわめて重要と考え、これを海の向こうに運ぶのはひとりに任せ、直接相手に手渡さなければならないと考えていた。

その役に選ばれた使者が今、オーヴァルオフィスで大統領のデスクの向かいに座り、自分の使命を理解しようと努めていた。

ローズヴェルトがこの手紙を送ろうと考えたのは、全国行脚を終えて帰ってきた四月二九日だった。フェルディナンド・マゼラン号は、午前一〇時にユニオン駅に到着し、ローズヴェルトは午後一二時〇五分に記者会見を行った。それから帰着後すぐに呼び出した元官僚と、午後一時から執務室で昼食をとった。

その人はジョーゼフ・E・デイヴィスといい、ローズヴェルト政権下で一九三六年から三八年まで駐ソ連大使を務め、モスクワとの交渉で大統領が信頼する数人のうちのひとりだった。デイヴィスは大使時代にソ連政府と良好な関係を築いていたため、モロトフ外相やスターリン首相自身にもよい印象を持たれていることをローズヴェルトは知っていた。

このランチ・ミーティングで、大統領は一件の秘密の任務のために、デイヴィスをソ連「特使」として派遣する計画を最終的に決定した。ローズヴェルトはデイヴィスに、この旅のために数週間、時間を確保して待機するよう頼んだ。

そして六日後の一九四三年五月五日、デイヴィスはまた一対一のミーティングのためにホワイトハウスを再訪する。オーヴァルオフィスで、ローズヴェルトはデイヴィスにタイプライターで書かれた一枚の手紙を手渡す。

宛名はソ連首相ヨシフ・スターリン。デイヴィスはモスクワでスターリンに直接手渡すよう言われる。ローズヴェルトによると、手紙は極秘で、ほかの方法で届けるのは安全確実ではないし、デイヴィス以外の人間は信用できないということだ。

その場でデイヴィスは、ローズヴェルトがみずからしたためた手紙を読む。それは次のように始まっていた。

我が親愛なるスターリン閣下

この親書を私の古くからの友人であるジョーゼフ・E・デイヴィスに託してあなたにお送りします。お伝えしたいことはただひとつ、共通の友人を通したほうが話しやすいと私が考えている事案についてです。

私は大がかりな参謀会議の難しさや外交上の対話の手続きから逃れたいのです。

したがって、私が考える最も簡単で最も実際的な方法は、私とあなたのあいだで数日間、非公式にごく簡単な会談を行うことです。

ローズヴェルトは以前にも試みたように、スターリンと直に会って話をしたいと伝えていた。「私たちはどちらもスタッフを連れて行かないというのが私の考えです」ローズヴェルトの手紙は続く。「あなたと私がいっさい形式張らずに語り合う、そしていわゆる『意見の一致』に至るのです」

ローズヴェルトは時期も提案していた。「この夏、会いませんか」[1]

大統領はデイヴィスに手紙を見せたあと、スターリンとモロトフ以外に手紙を見せてはならないと念を押す。

手紙の内容を知ってしまった今、デイヴィスには明らかな疑問がふたつあった。なぜチャーチルを入れないのか――そして、チャーチルはローズヴェルトが彼抜きでこの会談を計画していることを知っているのか？　そのとき、ローズヴェルトとチャーチルが三巨頭会談の実現を求めていたことは誰もが知っている。

「三人ですと混み合いますし、ビッグ・スリー会談は後日、また日を改めてやりましょう」とローズヴェルトはあいまいに書いていた。「チャーチル氏は納得すると思います。それについてはこちらにおまかせください」[2]

つまり、チャーチルは、ローズヴェルトが計画しているこの会談では自分が除け者にされていることを明らかに知らずにいたのだ。スターリンに宛てたローズヴェルトの文言がそれを裏付けている。「夏にアフリカでというのは論外ですし、ハルツームはイギリス領です」と大統領は手紙に書いている。「アイスランドはだめです。私もあなたも飛行機で行きづらいですし、それに率直に言って、そこで開催するのにチャーチル首相を呼ばないでおくのは難しいでしょう」。彼は次のように結んでいる。「したがって、ベーリング海峡のそちら側かこちら側で会うことを提案します」[3]

ありていに言えば、ローズヴェルトはチャーチルを意図的に外し、チャーチルに隠れてそうすることで、三人での会談を望むという公式の発言を、裏でひっくり返していたのだ。

さらに事態を複雑にしていたのは、このときチャーチルが参謀と共にアメリカ行きの船に乗っていたことだ。一八か月前、パールハーバー攻撃後の歴史的訪問以来、ホワイトハウスでの初めての会談に出席するためだった。到着は五月一一日の予定で、デイヴィスとの今日のミーティングの約一週間後だった。

これまでの訪問と同様に、チャーチルはワシントンで盛大に歓迎されるだろう。再び米英の軍事作戦立案者が集まり、何日もかけて最新の戦況を踏まえた作戦を練るだろう。そして再び、チャーチルとローズヴェルトはかなり長い時間を共に過ごすだろう。そこにはワシントンDCを離れ、大統領の別荘で友人として過ごすプライベートな時間も含まれる。

その間ずっと、大統領は、チャーチルを裏切る秘密の企みに関するスターリンの返事を首を長くして待つことになる。

では、なぜローズヴェルトは最も近しい、最も忠実なパートナーをだますのか？

答えは、連合国が戦争中に下すべき唯一最大の決断に関係していた――ナチス・ドイツに勝つためのカギとなり得る決断に。

25

一九四三年五月一九日、ワシントンDC

英仏海峡横断攻撃。

カサブランカ会談から数週間、これは連合国側にとって軍事的に最も重要な課題となっていた。米英はナチス・ドイツを攻撃するために、いつ、どうやって英仏海峡を越えてドイツ占領下のフランスへ軍を送り込むのか。この英仏海峡横断攻撃は、他の検討事項を抑えて最も重要視されるようになり、連合国のあいだに議論と混乱、亀裂をもたらす主因となっていた。

この作戦を一貫して支持していた首脳はスターリンだ。彼は開戦当初から、西側諸国が英仏海峡を越えて北フランスに上陸し、西方から直接ドイツを攻めて「第二戦線」を開くことを強く求めていた。そうすればヒトラーは東部戦線の兵力の一部を西部に向けざるを得なくなり、ソ連軍は優勢になり、ドイツ軍を撤退させることができる。

当初、アメリカの軍幹部のなかには、そのような攻撃はアメリカ参戦後すぐに発動できると楽観視する者もいた。パールハーバー攻撃後まもなく、アメリカ統合計画参謀は、一九四二年の七月か八月に実施する米英合同の英仏海峡横断攻撃の戦略案を提出した。[1] この構想は内部でまだ協議中だったにもかかわらず、ローズヴェルトはソ連外相モロトフが春にホワイトハウスを訪問した際に「第二戦線」はおそらく一九四二年中に開かれるだろうと話した。[2] モロトフは帰国してスターリンにそれを報告した。

しかし、ローズヴェルトはこの予告を後悔する。問題はイギリスがまだ乗り気ではないことだった。ローズヴェルトの参謀が計画する作戦は、アメリカの海岸から四八〇〇キロも離れたところの話だが、イギリスにとっては自国を出発して海峡のすぐ向こう側の敵を攻撃する作戦である。東部戦線からドイツの大軍を引きはがしてフランス北部の海岸へ移動させるという案は、イギリスにとってはまったく意味が異なるものだった。そこはイングランド南部の海岸からほんの数十キロの距離だ。

そのうえ、世界最強の軍隊を前に水陸両用上陸作戦を実施するには戦術と兵站の問題が数多くあり、アメリカの兵員と武器製造がまだ足りていないため、時期尚早であるとイギリス側は指摘した。

この問題は国の内部でも、両側の軍事指揮官のあいだでも激論になるが、最終的に米英連合参謀本部は「ロシア戦線を除き、ドイツに対し大規模な地上部隊による攻撃を一九四二年に実施するのは不可能と思われる」との共通の結論に落ち着いた。[3] もちろんロシア戦線は米英の兵士が戦う戦場ではない。

その代わり、一九四二年に米英はトーチ作戦を実施した。北アフリカからイタリア軍とドイツ軍を掃討し、地中海の港やシーレーンを奪還する作戦だ。これは、開戦から最初の二年間、米英の地上部隊のヨーロッパでの主戦域となる「南方戦線」の始まりだった。

米英はソ連軍に武器や物資を送って支援し続けたが、彼らはヨーロッパやソ連の前線でドイツ軍と直接戦ってはいなかった。

当然、スターリンはこの結論に落胆した。ソ連の軍と国は滅亡の危機に瀕し、数百万人が犠牲になり、飢饉や大量虐殺に見舞われているというのに、アメリカとイギリスはたいした効果もないのに、遠方の地でシーレーンをいじくり回しているだけだ。彼から見て、米英はナチス・ドイツと戦っていない。地中海戦線はこの新しい同盟国が切望する「第二戦線」ではない。

しかし、スターリンは連合国の戦略を受け入れざるを得なかった。アメリカから送られてくる武器や物資が絶対に必要だったため、ソ連はほぼ単独でドイツ軍の猛攻撃に耐えていた。

米英が一九四二年に英仏海峡横断攻撃を実施しない、あるいはできないとしても、四三年には必ずや実施されるだろうとスターリンは望みをつないだ。ソ連は一九四二年を通じてナチスの嵐にさらされて疲弊し、兵士も民間人も、毎月数百万人単位で死んでいるが、遅くとも今度の春か夏には米英が一緒に戦ってくれる。

ローズヴェルトもそう考えていた。一九四二年を通して、米英の参謀は四三年にイングランドから西ヨーロッパを攻撃する戦略を考えていた。英仏海峡横断攻撃の構想は複数あり、スレッジハンマー作戦、ボレロ作戦、ラウンドアップ作戦、ラウンドハンマー作戦などいろいろな名称とバリエーションがあった。しかし参謀たちは内容と実施時期について意見が一致しなかった。どの案も複雑すぎる、危険すぎる、失敗の代償が高すぎるといって誰かが反対した。

意見の応酬はいろいろあったが、だいたい毎回同じパターンが繰り返された。アメリカが英仏海峡横断攻撃を進める用意があると言うと、イギリス側が毎回理屈をつけて拒否するか時期を遅らせようとするのだ。

特にチャーチルは、連合国がささやかながら確実に勝利を収めている地中海戦域に執着していた。チャーチルが思うに、地中海はヨーロッパの「柔らかい下腹」であり、連合国軍はこの地域を安全に進撃できる。これは「南方戦略」とか「柔らかい下腹戦略」となり、連合国軍は脆弱なイタリア軍も、ヒトラーが同盟国を守るために送った援軍も圧倒できた。

この戦略は一九四二年を通して北アフリカでの連合国の勝利につながったが、東欧やソ連での熾烈な戦いを緩和する効果はなかった。またフランスやベルギー、ノルウェー、オランダその他、西ヨーロッパでのヒトラー支配を直接揺るがすこともなかった。

一九四三年一月のカサブランカ会談で、ローズヴェルトとチャーチルは第二戦線を開くということの重要な問題に結論を出せなかった。ふたりは共同で、太平洋と地中海での戦争の進捗について多くの宣言を盛大に行ったが、海峡を越えてフランス北部に上陸し、ナチス・ドイツの心臓部を攻撃する作戦については明言を避けた。

会談からしばらくのあいだ、チャーチルが常に英仏海峡横断作戦に消極的で優柔不断なため、連合国の関係にひびが入る恐れが生じた。計画を進める話が出るたび、チャーチルと彼のチームがそれを阻み、先送りにし、地中海作戦にさらに資源を投入するよう働きかける。

一九四三年の前半になると、ローズヴェルトは到底あり得ないと思っていたことが現実になるかもしれないと危惧し始めた。つまり、米英が冬の到来前に英仏海峡横断作戦を実行しなければ、再び翌春まで作戦を延期せざるを得なくなる。

こうした状況から、ローズヴェルトはチャーチル抜きでスターリンとの二者会談を考え始めた。ローズヴェルトの狙いは、ソ連首相と個人的に親しくなり、この戦争では、アメリカはソ連を全面的に支援すると相手に納得してもらうことだった。英仏海峡横断攻撃は遅れるかもしれないが、最後にはアメリカが第二戦線の件を押し切り、チャーチルを説得して承認させると。

ローズヴェルトはスターリンがイギリス人を信用していないことも知っていたし、もし三者会談の場で、ドイツ占領下のフランスを攻撃する計画にチャーチルがためらいを見せたら、スターリンは同盟への信頼をなくし、関係修復ができなくなるかもしれないと恐れた。ローズヴェルトは彼の側近が述べたように、「チャーチルがいないほうが、スターリンとうまく付き合える」と考えただけだ。[4]

チャーチルは気分を害するだろうか？　当然、彼は不愉快に思うだろう。しかし、ローズヴェルトはチャーチルに対して正直であることが重要だとわかっていても、ヒトラーを倒すほうがもっと重要だと思った。そして、ヒトラーを倒すにはソ連との同盟関係が盤石でなければならない。

デイヴィスがモスクワに向けて出発してから数日後、チャーチルがワシントンDCに到着する。一九四三年五月一九日、二週間の会議の半ば——そして、ローズヴェルトとチャーチルがときには家族を交えてプライベートで長い時間を過ごしたあと——チャーチルは上下両院の議員が集まる議事堂に入った。

今回もまたチャーチルは長い演説を行い、アメリカの聴衆から熱狂的な反応を得た。彼は両国の強い絆と、ローズヴェルトとの結束の話にかなりの時間を割いた。

演説のなかで、彼は三巨頭会談の可能性に言及した。ローズヴェルトと自身を指して「我々はふたりとも、かなり前から待ち望んでいることを近いうちに実現できるよう切に願っております。すなわち、スターリン元帥を交えた会談であります」[5]

そう語りながらチャーチルはそのような会談を自分抜きで行う話が進んでいることは想像もしていなかった。

実際、チャーチルの演説からおよそ二四時間後、ローズヴェルト大統領の特使、ジョーゼフ・デイヴィスがアメリカの議会議事堂から七七〇〇キロ離れたモスクワにある広々とした豪華な部屋に通されていた。

地球をぐるりとまわる一〇日間の旅のあと、デイヴィスはローズヴェルトの密書を携え、大統領のために自分の使命を果たそうとしていた。

26

イラン、テヘラン

フランツ・マイヤーには野心がないとは言えない。

二年前からずっと隠れ潜む生活を強いられている彼の目的は、もっぱらイランの連合国政府転覆であり、そのとき大きな役割を果たすのは自分だと考えていた。

ほぼ独力でテヘランに親ドイツの地下抵抗運動を組織し、国内の他の地域にも働きかけていた。「メリユン」と呼ばれるこの組織はイランの軍や警察、多くの企業関係者を含め、地元の支持者が加わっていた。

フランツ・マイヤーの指揮のもと、彼らはいずれナチスがイランを解放する日がくると信じ、その際、メリユンの国内抵抗運動が非常に重要になると考えて詳細な計画を立てていた。

この壮大な事業が実現するとき、「ドイツ軍は東アゼルバイジャンから侵攻してくる」とマイヤーたちは予想し、「侵攻軍のために道を開く」ことを自らの使命としていた[1]。

来るべきナチスによる軍事支配のための構想に加え、マイヤーたちは敵にどう報復するかも考えていた。メリユンの内部文書には次のように記されている。

常務委員会はイランの反逆者リストを用意しなければならない。ドイツ軍がイランに到着して統治を開始するとき、新政府がそれらの人物を捕らえて裁判所に引き渡すのにリストが必要になるからだ。

ユダヤ人
バハーイ教徒
難民（全員）
親イギリス派、親ロシア派
売国奴の元大臣[2]

メリユンの構想は標準的なナチスの手法とまったく同じで、地域を征服し、ユダヤ人をはじめとする第三帝国の敵と思しき人間すべてに制裁を加えることを目指していた。

フランツ作戦のためにベルリンから人員や武器、無線通信機、その他の物資が突然送られてきて、マイヤーは自分の壮大な計画が実現に近づいたと思ったに違いない。

しかし、事はそう簡単ではなかった。

砂漠での野営を無事に生き延びた仲間全員と共にカール・コレルがテヘランに戻った瞬間から、マイヤーは新しい仲間とそりが合わないと感じた。

まず、彼らの任務が「フランツ作戦」と呼ばれているのが気に入らなかった。確かに、これは彼に敬意を表してそう名付けられた作戦ではあるが、敵国で正体を隠して潜伏しているのは彼自身だ。もしチームの誰かが連合国に捕まって尋問されたり、書類が敵の手に渡ったりしたら、作戦名が――そして彼の名前も――発覚する。子供じみたミスでこれまでの苦労が水泡に帰してはたまらない。

それだけでなく、フランツ作戦の目的は彼自身の目的とは違うことがわかった。この二年間、マイヤーは地下抵抗組織の開拓に励み、ドイツ軍の動きに合わせて連合国政府を転覆させる準備を整えてきた。ところが、フランツ作戦のチームはそれとは無関係の任務のために派遣されていた。すなわち、イラン縦貫鉄道を破壊し、アメリカの武器弾薬がロシア南部の赤軍に渡るのを阻止または遅延させることだ。

マイヤーから見て、鉄道を破壊するというこの任務はばかげていた。鉄道はイギリスとソ連の軍によって厳重に警備されている。少数の未熟なドイツ人工作員が破壊を試みたところで、簡単に見つかって捕まるのが落ちだ――それに伴い、マイヤーのテヘランでの長年の活動も危うくなる。

それにマイヤーは、フランツ作戦のチームが大量の爆発物や重火器を持ち込んだことも納得できなかった。これらを隠れ家か地下室など、どこかに保管しなければならない。もし悪い相手に見つかったら、作戦全体が崩壊してマイヤーも道連れになる。

そもそも、マイヤーはチームのメンバーに失望していた。カール・コレルを除き、皆、若くて未熟だ。この地域について何も知らないし、諜報活動についてはさらに無知だった。彼らのうち数人は爆破や破壊工作の訓練を受けてきたとはいえ、それはマイヤーが主要任務と考えることには役に立たない。しかも、彼らは持参した装備の操作方法をよく知らない。それらを敵対する外国の都市で安全に保管する役目をマイヤーが担うことになった。

目下、マイヤーはこの同胞ドイツ人としかたなく行動を共にしているが、それにしてもベルリンのSD幹部が選んだ工作員の資質に幻滅した。

唯一の例外がカール・コレルだ。マイヤーはもちろん、数年前にテヘランでコレルと会っていた。コレルは成熟した大人で経験を積んでいる。ペルシア語ができ、土地勘がある。彼がマイヤーを探し出したことひとつとっても、驚嘆に値する。マイヤーはコレルを真の相棒と思っていた。

ところが、ふたりにとって残念なことに、カール・コレルはやがて、チームにとって最も厄介な問題を引き起こすことになる。

「フランツ作戦」の6人のメンバーのうち5人と一緒に写真に写るフランツ・マイヤー（後列右端）。チームの6人はテヘランで活動するスパイ、フランツ・マイヤーに合流するためにベルリンから派遣された。チーム最年長のカール・コレルは写真に写っていない。（イギリス国立公文書館）

27

一九四三年五月二〇日、ソ連、モスクワ

彼はまもなく「鋼鉄の男」と対面する。

五月二〇日の午後四時頃、ローズヴェルト大統領の特使ジョーゼフ・デイヴィスは、モスクワ中心部にあるクレムリン宮殿の最深部にある部屋に入る。この要塞化された建物群にはソ連政府の諸機関が入っている。

デイヴィスが制服を着た側近に案内されて装飾も華麗な広々とした部屋に入ると、三人の人間が彼に目を向けた――外相ヴャチェスラフ・モロトフ、通訳、そしてソ連首相ヨシフ・スターリン。

デイヴィスはロシア人が単刀直入を好むことを知っていた。通訳を通じて、彼はあらかじめ考えておいた簡単な挨拶を述べた。大統領とアメリカ国民は「ヒトラーと日本との戦争に勝ち、ヒトラーや枢軸の脅威から世界の平和を守るために全力を注いでいます」と伝えた。

スターリンは口数が少なく、表情が読めないことで有名だ。めったに雑談に応じず、何を考えているか表に出さない。通訳を通して挨拶しているとき、デイヴィスはスターリンが一枚の白紙にいたずら書きを始めたことに気づく。話に耳を傾けているようだが、デイヴィスにもほかの者にも目を向けない。

デイヴィスは続ける。「各同盟国の物理的安全保障のためには、互いの誇りを傷つけることなく協議と相互の努力により、相違を乗り越えられると大統領は確信しています。私はこれを伝えるよう言われてきました」

ローズヴェルトが彼を派遣した最大の理由は、二国の首脳会談を早急に実現することであると、デイヴィスは説明する。

そう言ってデイヴィスは、密書を通訳に手渡す。通訳がそれを読み上げてモロトフとスターリンに聞かせられるように。

通訳は密書を広げ、読み始める。通訳の朗読を聞きながらスターリンはデイヴィスのいう「険しい表情」のまま、いたずら書きを続けている。

その間、一度だけスターリンが通訳を遮ったときがあった。ローズヴェルトがチャーチルを呼ぶつもりはないと述べた箇所だ。

「なぜだ？」[1]スターリンは明らかに驚いた様子で訊ねる。

ローズヴェルトに指示されたとおり、デイヴィスは説明する――米ソ首脳は一対一で話すほうが早く合意に達し、互いをよりよく理解できる。ローズヴェルトは、チャーチルにはあとで会談の内容を包み隠さず伝えると約束している。

スターリンは何も言わない。通訳は続きを読み、まもなく終わりに近づく。ローズヴェルトはくだけた調子で「あなたはすごいことをやっている。グッド・ラック！」と結んでいた[2]。

通訳が読み終わると、スターリンは落書きを続けながら外交問題について、いくつかデイヴィスに訊ね、デイヴィスはできる限り答える。

それからスターリンは黙り込む。考え込んでいるようだ。ソ連の指導者はようやくペンを置き、デイヴィスを見る。「大統領の言うとおりだと思います」と彼は言う。「彼はアメリカの代表であると私は理解しています……大統領の考えに賛成ですし、大統領が言われたように、我々は会う必要があるとお伝えください」[3]

デイヴィスはようやく息を吐く。

スターリンは側近に地図と物差しを持ってこさせる。地図を前に置き、彼は距離を測り始めた。何回か測ったあと彼は、ローズヴェルトの言うとおり、アラスカは二国の首都の中間点にあると述べる。候補地として、フェアバンクスかノームをあげる。

そして最後に、デイヴィスがワシントンDCへ持ち帰ってローズヴェルトに手渡すための返書を一両日中に用意すると言う。その間、ここで話し合われたことは一切他言無用ということで合意する。ローズヴェルトの密書は極秘扱いのままだ。

デイヴィスはローズヴェルトの望み通りの成果を得たと確信して会談を終える。翌日、彼は大統領宛てに電報を送り、スターリンとモロトフに会い、大統領の手紙が「好意的に前向きに受けとめられたようです[4]」と伝える。そのほかのことはすべて、直接報告するつもりだ。

約束通り数日後、スターリンとモロトフはローズヴェルト宛ての手紙をデイヴィスに預ける。ついでに、ソ連首相からアメリカ大統領への個人的な贈りものも託す。世界の指導者はよく芸術品や国の名産を贈る。スターリンはソ連製の軽機関銃と、鹵獲《ろかく》したドイツ軍の軽機関銃を一丁ずつ出してきた。自動火器だ。

デイヴィスは往路と同じ経路をたどって帰る。友好国の上空しか飛べないので地球を大回りすることになる。丸一〇日はかかる。

出発からほぼ一か月後の六月三日、デイヴィスはスターリンの手紙を持ってようやくワシントンDCに帰り着く。数時間のうちに、デイヴィスはホワイトハウスにいる。大統領はチャーチルとその一行との数週間にわたる会議を数日前に終えたばかりだったが、一刻も早く特使と会いたがった。

デイヴィスはスターリンからの手紙を渡す。モロトフは大統領がすぐに読めるように、ロシア語版と英語版を提供していた。いつものように、スターリンは単刀直入だった。「そのような会談が必要であり、先延ばしにすべきではないという点であなたと同意見です」と手紙は始まる。「したがって、七月か八月に会談を設定するよう提案します」。ローズヴェルトはこれを読んで、喜んだ。それなら彼にも都合がいいからだ。

手紙には「賛成していただけるなら、会談が開けそうな日の二週間前にはお知らせします」とも書かれていた。要するに、スターリンが東部戦線の戦況次第で、ローズヴェルトに二週間の準備期間を与えるから、その間に旅の手配をしろということだ。

開催地については、スターリンは極秘扱いにすべきと考えていたようで、手紙には記されていなかった。「会談の候補地はデイヴィス氏に直接伝えてもらいます」[5]

ここを読んでローズヴェルトは顔をあげる。デイヴィスはスターリンが地図上で距離を測ってからアラスカに同意したと説明する。

モスクワに特使を派遣するというローズヴェルトの普通ではない戦略は成功したようだ。スターリンは、ローズヴェルトが提案した地域で近いうちに、一対一で会うことに合意した。

「ジョー、よくやってくれた」[6]とローズヴェルトはデイヴィスをねぎらう。大統領はこれを報告書にまとめてくれと頼み、ふたりは面談を終える。

表面上は、この任務は成功したように思える。しかし、問題はまだ残っていた。第一に、ローズヴェルトはチャーチルを外してスターリンと会うつもりだと本人に伝えなければならない――しかも、チャーチルと数週間親しく過ごしていたあいだもずっとそれを隠していた。

実際、チャーチルが議会や世界に向けて、彼とローズヴェルトはスターリンを交えたビッグ・スリー会談を求めていると訴えていたその最中、ローズヴェルトがチャーチルに隠れてスターリンとの別の計画を立てていたことは、いつか必ずチャーチルに知られる。

さらに、チャーチルがローズヴェルトにあまり信用されていないと感じる根拠になる。それにとどまらず、アメリカはイギリスの為にならない政治的事情か何かがあって、スターリンに接近を試みているると疑われる恐れもある。

今、亀裂が生じるのはまずい。チャーチルの訪問中、大統領と首相は個人的にうまくやっていたが、米英の戦略立案者のあいだで過熱した激論になることもあった。舞台裏では両国の関係は良好ではなかった。

いつものように、問題はヨーロッパ戦域で米英軍をどこに集中させるかだった。チャーチルは「ヨーロッパの下腹」である地中海戦域への兵力倍増を望み、海峡を渡ってフランス北部に上陸しナチス・ドイツを直接攻撃する計画には消極的だった。

イギリスの戦略立案者は、そのような攻撃には兵站の問題がいろいろあるうえ、米英の軍はまだ必要な兵力も上陸用舟艇も準備できないと主張した。

地中海の兵力を倍増すべきというイギリスの主張は筋が通っていた。連合国軍は昨年、北アフリカから枢軸軍を一掃した。それを終えた今、この機会に地中海を渡ってイタリアのシチリア島に侵攻しないのは馬鹿げている。シチリアを征服したら、次はイタリア本土侵攻だ。

基本的に、連合国はいつでもイタリアを戦争から退かせる力を持っている。しかし米英の軍は、それと同時に海峡を越えてフランス北部に上陸する力は持っていない。

この点では、アメリカはイギリスの主張に賛成だった。「南方作戦」を優先させるため、現時点では西ヨーロッパに第二戦線を開くことは難しい。英仏海峡横断作戦は翌年まで延期するしかない。

これはローズヴェルトに第二の大きな問題をもたらす。この残念な知らせをどうやってスターリンに伝えればいいのか？　六月二日、デイヴィスがワシントンDCに帰着する前日、ローズヴェルトとチャーチルは、彼らの計画の概要を記したソ連首相宛ての通信の草稿をまとめた。数回、訂正をやりとりしたあと、メッセージは送信された。

それには一九四三年のあいだに彼らが何をするかが説明されていた。「地中海ではイタリアを一刻も早く戦争から敗退させることが決定された」と述べ、七月初めにシチリアに侵攻し、夏の終わりにはイタリア本土に攻め入る計画が書かれていた。この計画は地域の米英軍の大半を必要とするため、結果として「大陸への本格的侵攻の準備として、ブリテン島に兵力と上陸用の装備を集めるのは……一九四四年春になる」[7]

スターリンの目を引いたのは一九四四という数字だった。英仏海峡横断作戦は一九四四年まで実施されない。

この時点で、スターリンはすでに一年半も辛抱強く待っていた。米英が西ヨーロッパのヒトラーの軍に攻撃を開始し、ソ連をナチスの猛攻撃から救ってくれる日は近いと願いながら。ところが米英の両首脳は、ソ連にさらにもう一年、ひとりで嵐に耐えろと言ってきている。

したがって、デイヴィスが朗報を持って帰ってきた同じ日、スターリンがまったく不愉快なメッセージを読むことをローズヴェルトは知っていた。

スターリンはどうするだろう。一対一の会談に悪い影響を与えるだろうか。そして、最も重要なことに、連合国にとってはこれは何を意味するだろうか。

大統領には待つ以外にできることはなかった。

28

一九四三年五月、イラン、テヘラン

フランツ・マイヤーにとって、物事はよい方向へ進んでいるように思えた。

届く見込みは薄いと思っていた手紙がベルリンに届いた。ヴァルター・シェレンベルク率いるSD国外諜報局の上官たちは要望に応えてくれただけでなく、六人の工作班を援護に送り込んでくれた。工作班のメンバーには失望したが、通訳でリーダー格のカール・コレルには感心した。砂漠をひとりで歩き通し、テヘランでマイヤーの所在を突き止め、そしてまた残りのメンバーを連れ戻すために砂漠を横断した。コレルこそ、仲間として頼れる人物だった。

ところが、まもなく新たな問題が浮上する。しかも、悲惨な問題だ。

カール・コレルはフランツ作戦の残りのメンバーを連れて砂漠から戻ってまもなく、体調をくずす。その様子は誰の目にも明らかだ。熱があり、疲れていて、ひどい腹痛に悩まされている。地下室や民家の屋根裏に隠れ住むという環境も悪い影響を与えた。

しかし、敵国に占領された都市で病気の工作員に施す手は限られている。コレルを病院に連れて行くことはできない。そんなことをすれば地元当局に気づかれ、工作員チームの存在が発覚する。

それでも、コレルが治療を必要としていることは明らかだった。

仲間たちはできるだけの世話をし、マイヤーが地元の人脈を使って秘密裏に往診してくれる医者を探してきた。患者を診たあと、医師は悪い知らせをもたらす。コレルは腸チフスに罹っている。細菌に汚染された食物や水から感染する恐ろしい病気だ。[1] 治療法は抗生物質の投与だが、その医者もチームの誰もそれを手に入れることはできない。コレルにとって最悪のシナリオだ。彼の容態は悪化の一途をたどる。五月中旬のある日、彼は息を引き取る。

マイヤーとフランツ作戦のチームにとって大きな損失だ。それだけでなく、早急に解決しなければならない移送の問題もある。コレルの亡骸をどうすればいい？

病気になったコレルを病院に連れて行けなかったのと同じ理由で、彼の遺体を死体安置所に運び込むことはできない。市当局に目をつけられるかもしれない。かといって、謎の死体を運んでゴミの山か川に捨てるところを見られてもまずい。なんとかして、一刻も早く、誰にも気づかれずに死体を処分しなければならない。

チームは他に選択肢がないことを理解した。ナイフとノコギリを用意するときだ。

マイヤーはこの汚れ仕事を手伝ってくれる地元の協力者を集めた。「彼の死体をバラバラにして、それを容器やリュックサックに入れて郊外に運び出した」[2]と、ある協力者は説明している。それから月明かりのもと、テヘラン郊外のひとけのない場所で、マイヤーとフランツ作戦の残りのメンバーはチームメイトの切断死体をドイツの風習に則って埋葬した。

コレルのぞっとする最期はフランツ作戦に暗雲を投げかけた。最も経験豊富で、ただひとり現地語を操れるメンバーが亡くなった。

特にマイヤーにとってコレルの死は大きな痛手だった。彼から見て、残った若いメンバーのほとんどは頼りにならない。そもそも外国人のスパイとして活動する方法を知らないし、彼らはなんでもマイヤーに頼る。彼らに住処を与え、食糧を調達し、匿うことは際限のない負担になった。

それでも、災難ばかりではなかった。

マイヤーが当初ベルリンに要望したとおり、チームは無線通信機を持ってきた。何度か失敗したあと、チームは装置の設定に成功し、使用可能な信号を入手した。傍受されるのを防ぐために、マイヤーは複雑なシステムを構築した。一〇一から一〇六までのコードネームをつけた六か所で場所を移しながら通信機を使用し、一か所での送信はわずかな時間にとどめ、すぐに次の場所へ移動する[3]。

チームには無線通信に詳しい者はひとりもいなかったが、試行錯誤の末、彼らはトルコのドイツ大使館と、そしてときには直接ベルリンとほぼ安定して送受信できるようになった。

一九四三年の初夏には、イランでのナチスの作戦は目的があいまいになっていた。確かに、フランツ作戦は資金も物資もベルリンのSD上官との連絡手段も持っている。反面、彼らは最も経験豊富なメンバーのバラバラ死体を埋葬したところだ。

苦闘を続けるこの工作員チームは、この先もまだ不測の事態に見舞われる。

29

一九四三年六月一一日、ワシントンDC

ローズヴェルトとチャーチルは間違っていた。

海峡を横断してフランス北部に上陸する作戦が丸一年先送りされたと知ったスターリンは失望するだろうと予想していた。しかし、スターリンは失望しなかった。

彼は激怒した。

ローズヴェルトとチャーチルからの通信でそれを知ったスターリンはふたりに宛てて、六月一一日、長く詳しい返事を書いた。予想通り、彼は一点に絞った――英仏海峡横断作戦の時期を遅らせるという彼らの決断だ。冒頭で、スターリンはこれまで何度も彼らがこの作戦を約束し、実行してこなかったことを指摘した。そして、今回のこの遅延については次のように述べていた。

あなたがたの決断は、過去二年間、あらゆる資源を投入してドイツとその衛星国の主力部隊と戦ってきたソ連に特別に大きな困難をもたらし、その結果、祖国のためだけでなく連合国のためにも戦っているソ連軍は、依然として非常に強力で手強い敵と独力で、単独で戦い続けることになるのです。

アメリカがソ連に航空機や戦車、武器、物資を着実に提供しながら、地球の反対側では日本と戦っていることを考えると、「単独で」というのは厳しい表現だ。言うまでもなく、米英は北アフリカで枢軸軍と一年間戦い、次はシチリア島攻略を目指している。

それでもスターリンには地中海戦域は二次的な問題に思えた。彼にとって戦争の中心は西ヨーロッパと東ヨーロッパの強大なドイツ軍だった。対ドイツ戦争のほとんどを戦っているのはソ連であり、ソ連の兵と民は米英の何倍もの犠牲を払っている。

スターリンは返信で、「第二戦線のこの新たな延期」が赤軍とソ連国民におよぼす「士気喪失の悪影響」に言及した。

スターリンはこの通信を次のように締めくくった。「ソ連政府としてはこの決定に賛成するわけにはいきません。しかもこの決定は非常に重要な問題であり、戦争の行方に重大な影響をおよぼすものであるにもかかわらず、ソ連が参加していない場で、合同協議もなされないままに採択されたのです[1]」

チャーチルはこの文面に憤慨した。

彼は反論して自分の意見を主張することにした。チャーチルは、ローズヴェルトが連名で送ることに同意したスターリン宛ての長い返信で、英仏海峡横断作戦に伴うリスクと兵站上の課題を列挙し、年内に試みるのは愚かであると述べた。

あなたが失望するのも無理のない話ですが、私たちは正しい決断をしただけでなく、現況で物理的に可能な唯一の決断をしたと私は確信しております。私の考えでは、現在のような状況下で、我々が一〇万の兵力を英仏海峡横断作戦に投入しても破滅的な結果に終わり、ロシアには何の役にも立ちません……イギリスの大敗と大量死がソヴィエト軍の助けになるとは到底思えません[2]。

一〇万の兵士を失いたくないというチャーチルの思いは、ソ連の指導者には虚しく響いた。ソ連はその時点で一〇〇〇万人を戦争で失っていた。先頃のスターリングラード攻防戦だけでも一〇〇万人以上が犠牲になっている。

言うまでもなく、チャーチルの返信はモスクワでは不評だった。スターリンはまた長い返事を書き、いっそう辛辣な言葉を用いた。今回も、これまで米英が何度も約束を破ったことを述べ立てた。それからさらに一歩踏み込んだ。

あなたがたは私の失望を「十分理解できる」とおっしゃる。言わせてもらいますが、問題はソ連政府の失望だけでなく、連合国における信頼の存続にかかわっています。その信頼が厳しい試練にさらされているのです。占領下の西ヨーロッパとロシアの数百万人の命を救えるか、ソ連軍の膨大な戦死者数を減らすことができるのかという問題であることを忘れないでいただきたい。ソ連の戦死者数に比べれば米英のそれなど、取るに足りない。[3]

これは含みをもたせた言い方であり、スターリンは意図的にそうしていた。同盟を結んだ当初から、ローズヴェルトとチャーチルの最大の不安は、もしスターリンがソ連でのドイツ軍との戦いで圧倒的に優勢になれば、その勢いにものを言わせてドイツと交渉に臨み、有利な条件での単独和平を結ぶかもしれないということだ。ソ連は奪われていた領土の返還とその他の租界の獲得と引き換えに、ドイツが西ヨーロッパを支配し続けることを容認し、それに干渉しないと約束する可能性もある。そうなれば、西ヨーロッパを支配する強大なナチス・ドイツに対する脆弱で孤立したイギリスという図式になる。

またこれは、ローズヴェルトがカサブランカ会談で明言したことと矛盾する。すなわち、枢軸を完全に叩きつぶし――無条件降伏を受諾させ――そのファシスト政権を倒し、永遠に葬ることだ。首脳たちにとってこれは危ういときだった。スターリンは、ローズヴェルトとチャーチルがソ連が単独でドイツと和平を結ぶことを望まないと知っていながら、ソ連の「連合国に対する信頼」が「著しく揺らいでいる」と述べることで、アメリカとイギリスが約束を守らないなら連合国から離脱する、と表明したも同然だった。それに、スターリンが先の通信で述べたように、まさに連合国は約束を破ったと彼は考えていた。

チャーチルはこの非難めいた文言が不愉快で、特に自分たちが臆病であると幾度かほのめかされたことに腹を立てた。

スターリンの怒りの手紙への返信にチャーチルは、開戦当初「我がイギリスはただ一国でナチス・ドイツの最悪の所業に立ち向かっていた」うえ、ヒトラーが奇襲侵略したあともソ連を援助したと改めて述べた。「貴国を支援するために全力を尽くしたと自信を持っている」とチャーチルは続けた。「したがって、あなたが今、西側の連合国に浴びせている非難に私は一切、動じない」[4]

普段から怒りっぽいチャーチルは腹の虫が治まらない。何人かの側近に、この返信を送ったら、スターリンとの通信はもう途絶えるかもしれないと話した。[5]

間が悪いことに、ちょうどその頃スウェーデンの新聞社が、ソ連とドイツの氏名不詳の高官がストックホルムで謎の会談を行ったと報じた。これは、スターリンが連合国から離脱して独自にドイツと交渉を始めると脅していた例のあれか？　もしそうなら、ヒトラーは今後も西ヨーロッパを支配し続け、強大な軍隊を保持し続けることになる。

数か月前、ビッグ・スリーの同盟は安定して強固に思えた。正念場にある今、彼らの結束に綻びが生じていた。

30

一九四三年六月二三日、ワシントンDC

大統領は仲裁に入らなければならない。

チャーチルとスターリンの関係は最初から芳しくなかったが、それがますます悪化している。ローズヴェルトが積極的に前に出て連合国側の結束を図るタイミングがあるとしたら、今だ。

問題はそれが簡単にはいかないことだった。このとき、ローズヴェルトは英仏海峡横断作戦の遅延に激怒しているスターリンから信頼されていない。チャーチルとは強い信頼関係ができていたが、チャーチルに内緒でスターリンと会う計画を先月から計画していることが知られたら、それも一気に失われるかもしれない。ローズヴェルトはそれだけは避けたいと思っている。

実際、チャーチルにスターリンとの二者会談を計画していたと打ち明けるのは非常にデリケートな問題であるため、ローズヴェルトは直に会って話すことも、手紙で伝えることもためらった。そこで彼は、まもなくソ連に大使として赴任するW・アヴェレル・ハリマンをロンドンへ派遣した。ハリマンがチャーチルと会って大統領の考えを伝えるのだ。

ハリマンはのちに、「ローズヴェルトに依頼された難しい使命」を果たすために、六月二三日にロンドンへ飛んだと述べている。翌日の夜ハリマンは、物議を醸して三時間におよんだディナーの最中に、チャーチルに伝える。予想通り、チャーチルは不快感を露わにする。

「彼が失望したことを強調しなければなりません[1]」ハリマンは翌日、ローズヴェルトに報告する。チャーチルは裏切られたと感じただけでなく、イギリス国民から見て、ローズヴェルトとスターリンの一対一の会談はチャーチルの面目をつぶすことになり、ひいてはイギリスの戦争努力に対する侮辱と見なされると思っている。

間違いなく、三者の関係は早急に悪化していった。スターリンは、英仏海峡横断攻撃の約束を破ったローズヴェルトとチャーチルに激怒していた。モスクワとロンドンのあいだでは辛辣なメッセージが飛び交っていた。ローズヴェルトはチャーチルに黙ってスターリンとふたりだけの会談を計画し、チャーチルを怒らせた。そして、アメリカとイギリスはソ連が同盟から離脱するのではないかと本気で危惧していた。

ハリマンが述べたように、今は「同盟の歴史におけるどん底[2]」だった。

六月二五日、夕食を兼ねた会議の翌日、チャーチルは釈然としないまま、ローズヴェルトに宛てて慎重に言葉を選びながら手紙を書く。

「昨夜アヴェレルから、あなたがアラスカでUJとふたりだけ《ア・デュー》の会談を希望していると聞きました」という書き出しだ。

UJとは？　これは「アンクル・ジョー」の略で、ローズヴェルトとチャーチルは互いのやり取りのなかで、スターリンのことをこう呼んでいた。このあだ名がいつ付いたかは定かではないが、一九四三年前半には、首相と大統領との交信で時々ふざけて使われていた。

冒頭でふたりの打ち解けた関係を思い出させながら、チャーチルはローズヴェルトとスターリンの一対一の会談に反対する理由をあげていく。


三つの大国の会談を全世界が期待し、連合国側すべてが望んでいます……それ以外の重要ではないことのために、UJをモスクワから一万一〇〇〇キロ離れたところまで呼び出すのはいかがなものかと思います。

我々三人だけでなく、初めて参謀も一堂に会する三者会談は歴史に刻まれるでしょう。もしそれが実現しないなら大きな損失です。

彼は説明を続ける。「私は敵のプロパガンダをあなどってはおりません。この時期に英連邦と英国を除いて、ソヴィエト・ロシアとアメリカ合衆国の首脳だけで会談を開くことがどのように利用されるか。深刻かつ忌々しいことになるでしょうし、多くの人が困惑し、動揺するでしょう」[3]
ローズヴェルトにも、戦争のパートナーが怒っていることは伝わってきた。三日後の六月二八日、大統領は返信する。彼の通信は驚くべき文章で始まっている。「私はふたりだけで会おうとUJに提案していません。彼のほうがふたりだけで会うのはどうかとデイヴィスに言ったのです」

実に驚くべき文章である。なぜなら、真っ赤な嘘だから。スターリンに一対一で会おうと提案したのはローズヴェルトで、デイヴィスがその目で見たように、スターリンはチャーチルを呼ばないつもりだと聞いて驚き、呆気にとられた。

「もちろん、我々はこの種の事柄について互いに率直に話してきました」と大統領は続け、これまでの信頼関係に言及して自分の嘘をさらに複雑にする[4]。

明らかに、ローズヴェルトはチャーチルが真相を知ることはないと見越して、チャーチルの面目を保つために嘘をついた。

それでも疑問は残る。なぜ大統領は、ふたりの信頼関係を危険にさらしてまで、平然と嘘をついたのだろうか？

ローズヴェルト自身が問い詰められることはなかったが、考えられる答えとしては現実主義だろう。大統領にとって、戦争に勝つことが最優先である。ローズヴェルトはスターリンとの一対一の会談が最も戦争のためになると確信しており、したがってその準備のためにできるだけのことをしただけだ。また、チャーチルと友好関係を保つことも連合国にとって非常に重要であり、したがって首相をなだめるためにできるだけのことをしただけだ。戦争が激化し、数百万人もの罪もない人々が虐殺されているとき、ふたりの人間が互いに正直かどうかはそれほど重要なことには思えない。

幸いにも、大統領の些細な嘘は効いた。チャーチルは少なくとも当面、溜飲を下げた。しかし、二国の首脳はもっと大きな問題に直面していた。

目下、スターリンの怒りは収まらず、一対一であろうが三者であろうが、ソ連首相との直接会談の見通しは完全に失せていた。

31

一九四三年七月下旬、ドイツ、ベルリン

課報機関のボスはスパイの技術を高めることに情熱を傾ける。

親衛隊保安部（ＳＤ）の幹部ヴァルター・シェレンベルクは、諜報の特に知的な面が好きだった。外交政策や外交問題にまつわる複雑な策謀だけでなく、盗聴や監視、暗号解読、通信傍受といったスパイ活動の技術面だ。

数週間に一度、シェレンベルクは自宅で夕食会を開き、ドイツの様々な諜報機関の技術主任を招いて技術やアイデアを交換していた。「私の担当部署が科学的、技術的に高い水準に達した最大の要因は、このような集まりがあったからだと思っている」とシェレンベルクはのちに述べている。[1]

常に進化を遂げるドイツの様々な諜報機関の迷宮のなかで、特に秘密主義の組織――そしてシェレンベルクや他の幹部が最も頼りにする組織――といえば調査局[2]（Forschungsamt）、別名Ｆ局である。主に政治的、軍事的、イデオロギー的な目標を掲げる他のドイツ諜報機関とは違い、Ｆ局はもっぱら通信回線の盗聴、敵の信号や無線通信の傍受、暗号とコードの解読に特化した専門集団だ。ナチスの最高幹部ヘルマン・ゲーリングの発案で創設されたＦ局は、通常、傍受した情報を解釈・評価しない。ただ敵の情報を傍受し、暗号を解読し、翻訳し、まとめたものを配付するだけだ。

Ｆ局の極秘日報は薄茶色の用紙に印刷されていたため、帝国では「ブラウン・シート」[3]と呼ばれた。Ｆ局局長ゲーリングの考えで、極秘日報はナチス上層部の選ばれた数人にだけ配付される。

それだけでなく、極秘扱いのため、ブラウン・シートは必ず鍵付きの鞄に入れて運ばれる。それぞれの文書をF局が厳密に管理し、完全廃棄を前提に、受領者は毎回一か月以内にすべて返却する決まりになっていた。まれに文書の内容が上層部以外に漏れることがあったが、それはたいてい受領者がそれについて書いたからだった。

たとえば、ヒトラーの側近中の側近、宣伝大臣ヨーゼフ・ゲッベルスは、F局のブラウン・シートを毎回、受け取っていた。ゲッベルスは膨大な日記を残し、そこにF局の活動を記すこともあり、それが今日に伝わっている。

これらの記録から、F局がほかならぬ連合国の最高レベルの通信を、ときには傍受していたことがわかる。そこにはローズヴェルト、チャーチル、スターリンの通信も含まれていた。

具体的に言うと、一九四三年初頭のカサブランカ会談のあと、今度は年内に米ソの両首脳が出席する連合国の会議が計画されているとして、F局がそれらしい情報を傍受していたことがわかる。

それについてゲッベルスは、一九四三年四月一七日の日記に書いている。「ローズヴェルトとスターリンがどこかで会う計画を裏付ける情報がF局からもたらされた[4]」。ローズヴェルトがスターリンとの二者会談を検討し始めたのが四月初旬で、それを元駐ソ大使のデイヴィスに話したのが最初だったことを考えると、この発見は注目に値する。どのような手を使ったかわからないが、F局はローズヴェルトが秘密の会談を思いついてから一、二週間で察知していたのだ。

一か月後の五月一六日、ゲッベルスは「ローズヴェルトは近いうちにスターリンと会うつもりだという報告が入ってきた[5]」と記し、今度も情報源はF局だと述べている。F局のこの報告も正確に予見している。このときローズヴェルトは、すでにデイヴィスをモスクワに派遣しており、元駐ソ連大使は数日後にスターリンと会って、会談を望むローズヴェルトの密書を渡すからだ。

ゲッベルス、ヒムラー、ヒトラーのほか、F局のブラウン・シートを読める限られたナチス上層部のなかに、ＳＤ国外諜報局長のヴァルター・シェレンベルクも含まれていた。ローズヴェルトがスターリンと会いたがっているという最高機密の暗号文を、Ｆ局の解読班がどうやって入手したのかは謎だ。しかし、シェレンベルクはのちに、ナチスの諜報機関が精巧なシステムを用いて米英の通信をモニターしていたことを自慢している。

> 専門家の協力を得て……我々はイングランドとアメリカのあいだの主要ケーブルの盗聴に成功した。「盗聴」という言葉はここでは比喩的な意味で使っている。ケーブルは絶縁体で被われているが、我々は短波装置を使ってそのなかを流れる高周波インパルスを記録し、非常に複雑な方法でそれを解読することができた。我々が「盗聴」したケーブルはイングランドとアメリカのあいだの通信に使われていた。[6]

シェレンベルクがこれを、自身も関係しているＦ局の業績としているのか、それともＳＤ内の自身が統括する部門の専門家を指して言っているのかはわからない。いずれにせよ、敵国の最高レベルの通信の傍受に成功した諜報活動を誇りに思い、彼自らもそうした活動に尽力していたことは間違いない。

七月下旬のある晩、シェレンベルクは隠れ家的なホテルで同僚の「スパイマスター」と会って酒を飲んだ。[7] その人物とは、ドイツの歴史ある国防軍情報部《アプヴェーア》の長官、海軍大将ヴィルヘルム・カナリスだった。親衛隊によって創設され、アドルフ・ヒトラー直属のシェレンベルクのＳＤとは違い、アプヴエーアはナチ党よりも歴史が古く、多少なりとも自由裁量権を持っていた。カナリスは諜報畑の経歴が長く、シェレンベルクよりかなり年配で、両者の組織はライバルと見られることもあったが、カナリスとシェレンベルクは腹を割って話せる間柄だった。

両組織は最近、イランでの活動のために度々連携していた。テヘラン郊外の部族地域に浸透する最近の任務「アントン作戦」では、ベルリンを発ってパラシュートで降下した工作員が、地上のアプヴェーアの工作員と連携する段取りになっていた。ちょうどフランツ作戦が、テヘランのSD工作員フランツ・マイヤーとの合流を前提としていたように。しかし、アントン作戦がアプヴェーアの任務であったのに対し、フランツ作戦は、近年シェレンベルクがSDに採用した新しい特殊部隊の指揮官、オットー・スコルツェニー大尉が指揮していた。これは基本的にふたつの組織の共同作戦だった。

いずれにしても、スパイマスターふたりには、酒を飲みながら話すことはいくらでもあった。イラン関連だけでなく、ますます困難を極める戦争全般についても。

その夜、カナリスはシェレンベルクに耳寄りな情報を持ってきていた。

総統は、現在計画段階にあるという三巨頭会談に特別な関心を寄せているとカナリスは告げた。連合国首脳ローズヴェルト、チャーチル、スターリンによる会談だ。

ふたりが知っているように、その年の初め、F局は、連合国側でスターリンを交えた会談が検討されている旨の通信を傍受した。しかし、七月のこの時点では、内部情報がなくとも、そのような会談の計画が協議されていたことはわかっていた。三巨頭会談が開かれるといううわさは春頃から連合国の新聞に公然と書かれていたし、それが本当にあるのか、あるとしたらいつ、どこでを予想するのが国際的なゲームのようになっていた。

六か月前、ドイツの諜報機関はカサブランカ会談の予想を誤った。ただ誤っただけでなく、大幅に誤った。カナリスによると、ヒトラーは再びそうなることを望まない。もし三巨頭会談が開かれるなら、いつ、どこで開かれるか、総統は事前に知りたいと思っている[8]。

ドイツの情報部は件の会談について断片的な情報を春に傍受して以来、新しい情報は何もつかんでいなかった。一九四三年に三巨頭会談があるとしたら、いつ、どこであるのかまったく見当もつかなかった。

　しかし、このふたり、シェレンベルクとカナリスは自由に使える莫大な資源を持っている。ふたりはそれぞれの情報部に資源をもっていた。ふたりはＦ局の日報を読むことができた。そして、ヒトラー直属だった。

　このナチスの諜報の指導者の使命は明らかだ。ビッグ・スリーがどこで会うかを突き止めることだ。もう間違いは許されない。

32

一九四三年七月、ワシントンＤＣ

　スターリンを引き戻さなければならない、とローズヴェルトは思った。

　ローズヴェルトは、チャーチルがスターリンと怒気を含んだやり取りをしていたあいだも、立場上チャーチルの手紙に連署したとはいえ、自身は争いに巻き込まれないように慎重に距離を保っていた。ソ連との友好関係――言い換えれば、スターリンとの友好関係――を維持することは戦争にとって不可欠だと以前から思っていたし、それは今も変わらない。

　そのため、チャーチルとスターリンが辛辣にやり合っているときも、ローズヴェルトは別の通信で、アメリカの航空機の輸送に関する報告を六月一六日にスターリンに送っている。

新しい協定に加え、一九四三年中に戦闘機六〇〇機を追加で送るよう指示しました。P40N戦闘機です……これはアメリカが保有する最も機動性の高い戦闘機です。急降下爆撃機に対する最高の防御を提供し、P39戦闘機の機銃掃射の援護に最適です。また、同時期にB25を追加で七八機送るように指示しました。[1]

ローズヴェルトはスターリンに調子を合わせる。

数日後の六月二二日、大統領は再びスターリンにメッセージを送り、ヒトラーのソ連侵攻から二年という節目にソ連の防衛能力を讃えた。

二年前、長年のナチスの二枚舌の伝統に則って、ナチスの指導部はソ連への残虐な攻撃を開始しました……この二年間、自由を愛する世界の人々は、ソ連軍の歴史に残る活躍を讃え、ソ連国民が払った信じがたいほど勇敢な犠牲に対して、敬服の念を強くしています。[2]

ローズヴェルトの言葉――特に、アメリカの戦闘機を送るという約束――はソ連首相の怒りを和らげることを狙っている。このお世辞と武器提供の通常の通知をミックスすることで、彼はスターリンを同盟の縁から引き戻したいと考えていた。

しかし結局、連合国内部に生まれた悪感情と不和を解消したのは、世界中の様々な戦局だった。その影響力はローズヴェルトのどんな手紙よりも強かった。

七月初旬、東部戦線のドイツ軍は、クルスク近くのソ連の大軍団を圧倒し殲滅するために、戦車を中心とした大がかりな攻撃、ツィタデレ（城塞）作戦を発動する。同年初頭のスターリングラード攻防戦で敗北して以来、ヒトラーは東部戦線での大きな戦果を渇望していた。なんとしても勝利を得たかった。

ドイツ側は知らなかったのだが、ソ連とイギリスの諜報活動により、連合国はドイツの攻撃計画を事前に把握していた。

そのため、ソ連軍はあらかじめ周到に防御を固め、ドイツの攻撃第一波のあと、奇襲の反攻に出た。ドイツ軍にとってさらに悪いことに、ヒトラーが最新鋭の戦車の投入を待って、肝心なときに作戦を遅らせた。新型戦車の威力はたいしたことはなかったが、作戦の遅延により、ソ連軍は準備と防衛強化に費やす時間をさらに増やすことができた。

七月五日に始まり、数週間続いたこの戦いは、史上最大の戦車戦として知られる。「すべてが煙と埃、炎に包まれていた」あるソ連軍司令官は述べる。「あれは戦闘ではない。あれは戦車の破壊現場《スローターハウス》だ[3]」。両軍の機械化歩兵の大波があらゆる方向から平原に押し寄せ、近くの町や村をのみ込み、地域全体を覆った。

双方の損害は甚大だった。最終的に戦死傷者はドイツ軍が二〇万人以上、ソ連軍はおよそ八〇万人にのぼった[4]。ソ連軍は大量の戦死者を出しながら二週間戦い続け、ドイツ軍の進撃を阻んだ。ツィタデレ作戦はドイツ軍にとって失敗と言っていい。東部戦線のドイツ軍はさらに消耗し、ほとんど成果をあげられなかった。

朗報を聞いたローズヴェルトは、この機に乗じてスターリンと和解できないかと思った。「詳細は知りませんが、クルスクのドイツ軍の攻勢に対してソヴィエトの軍が見せた、すばらしい活躍を讃えたいと思います」と彼は七月一五日、簡潔に書いている。そして、ついでにとでも言うように「私たちふたりにとって非常に重要であると私が考えている別件について、近いうちにお返事をいただければ幸いです[5]」と付け加えている。ローズヴェルトはもちろん、会談のことを言っている。

この時点で、首脳会談について本格的に検討され始めてから六週間近く経過していた。英仏海峡横断攻撃の延期でスターリンが激怒したため、この件は棚上げになっていた。しかし、ローズヴェルトは今こそ、それを復活させるチャンスだと思った。

また、クルスクの戦いとほぼ同じ時期に、北アフリカのアメリカ、イギリス、カナダの合同軍が、地中海を渡って、計画通りシチリア島へ侵攻したことも幸いした。この暗号名「ハスキー作戦」は、アメリカが参戦して以来、ヨーロッパの枢軸軍に対して米英の軍が行った初の大規模攻勢だった。

七月一〇日、連合国軍は島に強襲上陸し、防衛するイタリア・ドイツ軍の激しい抵抗に遭う。しかし、連合国軍は綿密に作戦を立て、海軍力と航空戦力で勝っていたこともあり、枢軸軍を圧倒して主な都市や港を制圧する。残った枢軸軍は数日のうちに撤退した。

以前から地中海戦線を軽視していたスターリンでさえ、シチリアでの勝利が戦争の潮目を変えると思った。シチリア上陸は世界中で大きく報道され、連合国軍は、イタリア本土からわずか数キロの要塞化されたこの島を占領していた。

犠牲者の数は、東部戦線の大規模な戦闘と比べればまだ少なかったが、チャーチルとローズヴェルトがソ連首相に主張したように、ヒトラーはシチリア攻撃があったために、東部戦線の一部の兵力の転用を強いられた。そうでなければ、これらの部隊はツィタデレ作戦でソ連軍と戦っていただろう。

さらに重要なのは、シチリア占領がイタリアの戦局に与える大きな影響だ。この一年、イタリア軍はめぼしい戦果をあげていなかった。イタリア国民はファシスト政権と枢軸同盟に不信感を募らせ、多くのイタリア人は、なぜドイツの領土拡大政策を支えるために自分たちの国が戦争をしているのかと疑問に思っていた。シチリアを失ったイタリアが連合国軍の攻撃にどれほど弱いかがわかり、国中がパニックに襲われた。

連合国軍がシチリアを占領すると、イタリア政府は混乱に陥り、ドイツとの同盟を継続する派と連合国との和平交渉を求める派に分裂する。休戦派はヒトラーの盟友であるムッソリーニが首相の座にいる限り、米英との交渉は望めないと考えた。

様々な異常事態が続くなか、国王ヴィットリオ・エマヌエーレ三世は、イタリアを滅亡から救うために、大評議会と共謀してムッソリーニを排除する計画を企てる。七月二五日、国王エマヌエーレは王宮にムッソリーニを呼び出し、大評議会の票決により彼は首相を解任され、権限を剝奪されたと告げる。驚いた独裁者が王宮を出ると、たちまち武装した国家憲兵《カラビニエリ》に取り囲まれて身柄を拘束され、ワゴン車の後部座席に放り込まれる。

ほぼ二〇年イタリアを支配し、無敵とされてきたベニート・ムッソリーニが、犯罪者として刑務所へ護送される瞬間であった。

この劇的な事件が世界に伝わるあいだ、東部戦線では戦いが続いていた。ドイツ軍がツィタデレ作戦に失敗したあと、ソ連の反攻は成功する。八月四日、ソ連軍は一九四一年一〇月のドイツ侵攻以来、ずっと占領されていたオリョールを奪還し、心理的な大勝利を収める。

それまでにこの都市はほとんど破壊されていた。以前の人口は一一万四〇〇〇人だったが、それが三万人に減っていた。[6] これらの数字は、地域全体で破滅的な数の人命が奪われたことを示唆し、慄然とさせられる。しかし、とにかく市はソ連の手に戻った。

これは、戦争中の目まぐるしい数週間であり、そのほとんどは連合国側にとって朗報だった。この機を逃すまいと、ローズヴェルトは対スターリン追従《ついしょう》作戦を続けた。八月五日、彼は次のように書いている。

オリョールの大勝利にあたり、赤軍とソ連国民、閣下に心よりお祝いを申し上げます。一か月におよんだ凄まじい戦いのあいだ、貴国の軍はその能力、勇気、犠牲、たゆまぬ努力をもって、以前から計画されていたドイツ軍の攻撃を阻止しただけでなく、非常に重要な意味をもつ反攻を成功させました。
ソ連はその英雄的な偉業を誇って当然です[7]。

ローズヴェルトは首脳会談には触れなかった。スターリンがまだ前の通信に返事を寄越していなかったからだ。

ついに八月八日、スターリンは返信する。「オリョールでの勝利について、赤軍とソ連国民にお祝いの言葉をくださり、ありがとうございました」

通信文の最も重要な部分は末尾にあった。スターリンは前回の通信で会談に同意したことに触れ、それを実現するのが難しかった理由をあげていた。

最優先の責務――前線での指揮――を除き、他の問題や仕事をしばし脇へ置いておく余裕が今、ようやくできました。このような状況下で私が遠方へ行けないことはご理解いただけると思いますし、残念ながら、デイヴィス氏を通して貴殿に約束したように、この夏か秋にそれを実現することも難しいのです……非常に残念ですが、ご存じのように、状況はときには人間よりも強く、人間は状況に従わざるを得ないのです。

これはローズヴェルトが期待していた返事ではなかったが、スターリンは前回合意した時と場所を拒んでいるだけで、会談そのものを拒否してはいない。それどころか、スターリンは「我々、国の責任ある代表が会うことは、まさに得策だと思います」と述べている。続けて「現在の状況では、アストラハンかアルハンゲリスクで会うのがよろしいかと存じます。もし、あなたにとって個人的にこの案が不都合な場合は、上記の場所へあなたが全幅の信頼を置いている責任ある人を派遣するという手もあります」と書いていた。

アストラハンもアルハンゲリスクもソ連の都市であり、大統領にとっては非現実的な場所だった。それにローズヴェルトは、三者が平等な立場で会えるように、会談はそれぞれの本国以外の場所で開催すべきと考えていた。

スターリンの次の言葉はさらに興味深かった。「二国の代表会談が三国の代表会談となり、今度の会合にチャーチル氏が出席しても異存はありません。あなたも異存はないはずと思ってそう提案しています[8]」

要するに、スターリンは個人的にチャーチルに不信感を持っているが、三人の誰かと誰かが会うなら、三人全員で会うべきだと主張しているようだった。もしかしたら、チャーチルとの過去の確執を水に流そうとしていたのかもしれない。あるいは、もっと実際的な理由かもしれない。会談のためにどこかに赴くのなら、一回で済ませたい。だから三人そろっていたほうがいい。

いずれにせよ、ローズヴェルトがデイヴィスを派遣して提案した内容はほぼすべてひっくり返った。会談は延期され、場所は変わり、一対一の会談の可能性はたぶんなくなった。

それでも、ローズヴェルトはこの返事を読んだとき、これはよい知らせだと思った。なにはともあれ、最も重要なのは、連合国首脳会談の話がまた動き出したことだ。

阻むものは、もう何もないはずだ。

33

一九四三年七月二六日、ドイツ、ベルリン

武装親衛隊《SS》のオットー・スコルツェニー大尉はうんざりしている。

その不満の一部は、新しく彼の上官となったヴァルター・シェレンベルクにあった。国外諜報活動のために新設された特殊部隊の指導役、スコルツェニーはシェレンベルクをあまり高く評価しておらず、長いだけで中身のない彼との会議に閉口していた。

スコルツェニーはのちに語っている。「シェレンベルクはよくしゃべる男だった。話し好きで、特に諜報という神秘の世界の新入りに、自分のことを話すのが好きだった。たびたび昼食を共にしたが、一年前にプラハで暗殺された彼の元上官ラインハルト・ハイドリヒの思い出をよく語っていた[1]」

スコルツェニーはこの昼食会議に嫌気がさしていた。スコルツェニーが嫌っていたのは、シェレンベルクや他の国外諜報担当の幹部だけではない。戦場経験のある武装SSの元兵士として、彼は国家保安本部内のSDや他の諜報部署がやっている駆け引きや内部抗争に苛立っていた。

「あの官僚特有の陰謀や視野の狭さや手際の悪さを事前に見抜いていたら、特殊部隊の役目を引き受けなかっただろう」と彼はのちに記している[2]。

スコルツェニーの時間の大部分は、イランを含むペルシア湾岸地域での作戦の立案と実施に費やされていた。彼はすぐに、東部戦線の戦局におよぼすイランの重要性に気づき、なかでもイラン縦貫鉄道に注目した。このとき、彼はアントン作戦を指揮した。この作戦はテヘランのフランツ・マイヤー

同様、イラン北部の部族地域でほぼ単独で活動する国防軍情報部《アプヴェーア》の工作員、ベルトルト・シュルツェ＝ホルトスを支援するチームを、パラシュート降下で送り込むことだった[3]。

スコルツェニーのイラン作戦は本格的に始動し、その訓練場はオラニエンブルクから近くのフリーデンタールまで広げられた。さらに彼は資源と自由裁量権を得て、独自に人員を雇い、思い通りに特殊部隊を指揮することができた。スコルツェニーの目標は、特殊任務を遂行できる少数精鋭部隊をすぐにでも敵地に送り出せるようにするために、優秀な隊員を養成することだった。

> 我が特殊部隊のために広範なプログラムを作成した。隊員はどこでも、どんな目的でも役に立つように、最も包括的な訓練を課せられた。歩兵と工兵の訓練は必須であるが、各隊員は迫撃砲や軽野戦砲、戦車砲の扱いにも慣れていなければならない。特殊車両に加え、バイクや乗用車、大型トラックの運転は基本だ。訓練には鉄道機関車の運転やモーターボートの操縦も含まれていた[4]。

スコルツェニーは自分が成し遂げたことを誇っていた。それでも、新しい任務についてまわる大量の事務手続きや書類仕事は彼の苛立ちのもとになっていた。

七月二六日の午後、彼は特にやる気をなくしていた。昔の級友とホテルのレストランで時間をかけて昼食をとり、コーヒーを飲みながら古い友人たちについて語り合っていたところだった。その日は特に重要な予定もなく、私服で来ていた。訓練場の執務室を出てから数時間経った頃、何か変わったことがないか、確認のために電話を入れた[5]。

何事もないと思っていたが、電話に出た秘書が「非常に興奮していた」ので驚いた。この二時間、彼の居所をみんなで必死に捜していたと言われた。

いったい、どうしたというのだ。「ＦＨＱがあなたを迎えに来ます。迎えの飛行機はテンペルホーファー飛行場に午後五時までに到着する予定です」と彼女は答えた。

スコルツェニーは我が耳を疑った。ＦＨＱは「総統大本営」を意味する。

ヒトラーの指揮所、「狼の巣」だ。

帝国の人間にとって、そこに呼び出されるのは栄誉だった。そして、それはたいてい何か重要なことのしるしだった。

スコルツェニーは興奮を隠しながら、秘書に静かに尋ねる。「用件は何か、聞いているかね？」

「いいえ」と彼女は答える。「何も聞いておりません」[6]

彼は執務室に置いてある自分の制服を飛行場に直接届けさせるよう秘書に言った。

電話を切るとスコルツェニーは友人と別れた。すぐに車に乗り込み、飛行場へ急いだ。彼の乗る飛行機はあと数時間で離陸する。

猛スピードで市街地を抜ける車のなかで、彼は呼ばれた理由を考える。「フランツ作戦に関係しているのだろうか。いや、それはないだろう」[7]。しかし、東プロイセンにある総統大本営へ飛行機で呼び出されるほどの重要な理由をほかに思いつかない。

飛行場に着いて部下と落ち合い、制服を受け取る。周りからムッソリーニの突然の失脚――緊急速報――について話す声が聞こえてきたが、彼は上の空だった。

制服に着替えて駐機場へ急ぐ。そこには巨大なユンカースＪＵ52が待っていた。

機内に入り、彼は自分が唯一の乗客であることに気づく。この大型輸送機は、彼を乗せるためだけにベルリンへ送られてきたのだ。

輸送機が離陸するとまた疑問が湧いてくる。「ＦＨＱでは何が待っているのだろう。誰に会うのだろう。すべてが謎に包まれていた。その時点では決して解けない謎に」

正確にはどこに向かっているかも彼は知らない。「総統大本営がどこにあるかよく知らなかったし、それは一般の人には知られないように厳重に秘密にされていた」と彼はのちに書いている。「そのコードネーム……そして東プロイセンのどこかにあるということ以外に、私は何も知らなかった」[8]

それが今、変わろうとしている。三時間の飛行のあと、ユンカースはプロイセンの森の奥の、人里離れた湖の近くにある滑走路に着陸する。

飛行機を降りたスコルツェニーは、滑走路の脇でメルセデスの大型セダンが彼を待っているのに気づく。「スコルツェニー大尉でありますか?」と軍曹が訊ねる。「今から直接本部へお連れします」

後部座席にスコルツェニーを乗せ、車は森と草原のなかの曲がりくねった道を数キロ走った。あまり時間はかからなかった。やがて衛兵所と検問所が見えた。

そこでスコルツェニーは車を降りて台帳に署名するよう言われた。さらに数キロ進み、車は別の検問所に着き、また同じ手順を繰り返した。衛兵のひとりが受話器を取って車を通す許可を求めた。

まもなくメルセデスは鉄条網のゲートを抜け、兵舎や監視塔の脇を通り過ぎる。

スコルツェニーがいくつもの建物が立ち並ぶ場所に着いたときは、すでに暗くなり始めていた。車はティー・ハウスと呼ばれる建物の前でとまった。なかに入ると大きな控えの間があり、最高幹部の食堂も入っていた。控えの間で、スコルツェニーは呼び出された将校がほかに五人いることを知り、一緒に待った。他の将校は大佐や中佐ばかりで、大尉のスコルツェニーより階級が上だ。

国防軍の将校がふたり、空軍将校がふたり、一人は同じく武装SSの将校。皆、なぜここに呼ばれたかわからないようだった。

すると制服を着た担当官が現れ、「これから総統のところへお連れします」と言った。

これはただの「狼の巣」訪問ではなかった。彼はアドルフ・ヒトラー、その人に呼び出されたのだ。「聞き間違いではないかと疑い、体中が震えた」とスコルツェニーはのちに述べている[9]。震えて当然だ。これから総統にお目にかかるのだから。

34

東プロイセン、「狼の巣」

制服姿の将校が六名、姿勢を正して横一列に並んでいる。部屋の照明は控えめで、窓には濃色のカーテンがかかり、壁には地図が掲げられている。皆、まっすぐ前を向いている。最下級のオットー・スコルツェニー大尉は列の左端だ。

彼らはその姿勢で数分待っている。夢ではないだろうか。本当に総統に会えるのだろうか。

ドアの開く音がした。将校たちはかかとを鳴らして気をつけの姿勢をとる。期待と緊張でどうかなりそうだ。

「ついにその人に会うのだ。ドイツの歴史に偉大な貢献をしたその人に」とスコルツェニーは思った。

アドルフ・ヒトラーが部屋に入ってくる。

スコルツェニーは正面を向いた姿勢をくずすわけにはいかず、列の端にいたため、ナチス式敬礼で総統が片手を上げても、ほとんど見えない。早速ヒトラーは、階級が一番上の、列の右端にいる将校に話しかける。

このときスコルツェニーは総統の姿をはっきり見ることはできないが、声は聞こえた。「私に聞こえたのは簡単な質問をする総統の低い声だけだった」とのちに説明している。「あの声の響きには聞き覚えがあった……間違いない」

ヒトラーはそれぞれの将校に、軍歴についてひとりずつ簡単な質問をしていく。列の端にいるスコルツェニーは最後になる。

ついに総統が彼の前に立つ。大尉は自分の一挙一動が採点されていると感じる。「おじぎが深すぎないように特に気をつけた。正しくできたと思う」と彼はのちに述べている。[1] それから総統は経歴と階級など、基本的なことを訊いた。スコルツェニーは適切に答えようとしたが、ヒトラーの前で緊張のあまり、しどろもどろになった。「彼の言葉、たたずまい、全身から尋常ではないパワーを感じた」[2]

ひとりずつ話しかけたあと、ヒトラーは全員に向かって予想外の質問をした。「イタリアのことをどう思うかね?」

将校たちは枢軸の同盟国としてのイタリアについて一般的なことをもぞもぞと語る。スコルツェニーは違った。

「総統閣下、私はオーストリア人であります!」と皆をさえぎって声を張り上げた。

スコルツェニーの言葉が宙に浮いたまま、部屋はしずまりかえる。

スコルツェニーはなぜそんなことを言うのか。

帝国の誰もが知るように、ヒトラーはオーストリア生まれだ。今は統一ドイツに併合されているとはいえ、オーストリアにはオーストリアの歴史がある。第一次世界大戦の末に結ばれたヴェルサイユ条約により、オーストリア人にとって特に大切な地域はイタリアに与えられ、昔からそこに住んでいたオーストリア人を激怒させた。イタリアは今は同盟国となったが、この問題はオーストリア出身者にとって嘆かわしいことに変わりはない。スコルツェニーはこの共通の背景をヒトラーとの絆を強める機会ととらえた。

問題はこの戦略が吉と出るか否かだ。

とっさにヒトラーは列を逆戻りして再びスコルツェニーの前に立ち、彼を鋭い目で見つめた。

そして、総統は言った。「スコルツェニー大尉を除いて、ほかの諸君はさがってよい」[3]

スコルツェニーはただひとり、ドイツの最高指導者と向き合っていた。

ヒトラーはそれ以上何か質問する気はないようだった。その代わり、彼はこの異様な面談の理由を説明し始めた。「ムッソリーニは昨日、裏切りにあった」とヒトラーは述べる。「国王が彼を逮捕させたのだ。だが、指揮官《ドゥーチェ》は私のすばらしい同盟者というだけでなく、友人でもある……私はこの政治家を見捨てることなどできない」

それがスコルツェニーとなんの関係があるのか？　ヒトラーはすぐに説明を始めた。

ドゥーチェがどこに囚われているかを突き止め、彼を解放しなければならない。それがきみの任務だ、スコルツェニー。きみを選んだのは、きみならこの作戦を成功させるに違いないと確信したからだ。どんな危険があろうとも成功させなければならない。今やこれは戦争のために最も重要だ。当然のことながら、この任務は完全に秘密裏に進める。そうでなければ失敗するだろう。しかし、迅速に、非常に迅速に行動しなければならない！　いいか、ドゥーチェの命はこの作戦にかかっているのだ［4］！

これこそスコルツェニーが呼び出された理由だった。彼は特殊作戦の達人で、特殊作戦の訓練所を統轄している。ヒトラーはムッソリーニが囚われている場所を突き止めて彼を救い出すという、この秘密作戦を率いる人物を求めていたのだ。

この任務についてヒトラーの説明を聞いているうちに、スコルツェニーは総統に引き込まれていった。「ヒトラーの話を聞いているうちに、自分がますます感化されていくのを感じた」と彼はのちに述べている。「彼の言葉は、そのときの私には非常に説得力があり、私は作戦の成功を微塵も疑わなかった。イタリア人の友人への忠誠について語る彼の声は温かく、人間味にあふれ、私は強く心を動かされた[5]」

ヒトラーは任務について説明を終えると黙り込み、しばらくスコルツェニーをじっと見つめていた。

「スコルツェニー、全面的にきみを信頼している。近いうちに吉報を寄越してくれると期待している。成功を祈る[6]」

スコルツェニーは「承知しました、総統閣下。全力を尽くします」と言うのが精一杯だ[7]。

ふたりは握手を交わし、スコルツェニーはヒトラーの側近に従って部屋を出た。部屋を出るときにもまだヒトラーの視線を感じた。

ほどなくしてスコルツェニーは広い控えの間で一息ついている。ポケットから煙草を出して口元に運ぶ。

頭のなかがざわめいている。たった今、どんなスパイ小説よりも無謀な任務を総統から直々に命じられた。ヒトラーのいちばんの盟友ベニート・ムッソリーニが監禁されている場所を突き止め、特殊部隊を率いて彼を救出する。

ナチスに身命を捧げたこの兵士にとって、これは一生に一度の大仕事だった。

35

一九四三年八月一四日、イラン、テヘラン

彼らはもう何か月もナチスを追っていた。

今夜、普段と変わりない晩夏のテヘランで日が暮れると、武器を携帯したイギリス人の一団が動き出した。その年の初めから、彼らは市内とその周辺地域での敵の活動をつぶさに監視し、ひんぱんにソ連側と情報を共有していた。

普段の仕事の大半は書類を整理したり、詳細な報告書を出したりといった退屈なものだった。しかし、今夜は出動がかかった——しかも狙うのは大物だ。

この一団は、イギリスがイラクとイランでの諜報活動のためにテヘランに本部を置いている機関、国防安全保障局ペルシア支部——略称ＤＳＯ——のエージェントである。

イギリス人はイラン人を二名、伴っていた。ひとりはペルシア予備軍の隊員、もうひとりはペルシア警察の警部補。ふたりとも、テヘランの親ドイツ地下組織「メリユン」のメンバーであることを、イギリス側に見破られたばかりだった。今夜、暗くなったテヘランの街で、このイラン人ふたりは、イギリス人の一団をナチスの地下組織の秘密のアジトに案内している。

なぜこの親ドイツ派イラン人がイギリス人の案内役を務めているのか？　彼らにはそうするしかないからだ。二日前の夜、イギリス人諜報員がこのうちのひとりを拘引《こういん》した。テヘランでナチスに協力していると強く疑われる人物だ。彼を尋問したところ、「ドイツの活動に積極的に参加している」と

白状した。彼の自白からもうひとりの男にたどりつき、イギリス側はナチス協力者をふたり手に入れた。

実のところ、DSOにとって、この下っ端のイラン人はどうでもよかった。一味の頭を捕らえたかった。具体的に言うと、組織のリーダーと思しき悪名高きナチスの潜伏工作員フランツ・マイヤーだ。イラン人ふたりはただの手先に過ぎない。そこでイギリス当局は彼らに取引を持ちかけ、協力して有益な情報を提供するなら「DSOはふたりに何もしない」と約束した。

ふたりにとって幸いにも、彼らは情報を持っていた。少なくとも彼らはそう主張した。イギリスの尋問担当者は次のように報告している。「いろいろ交渉した結果、計画が立てられ、情報提供者はドイツのW／T（無線送信機）のオペレーターがいる隠れ家にDSOを案内すると約束した」[1]

そういうわけで今、このふたりのイラン人は、イギリス人諜報員をナチスの隠れ家に案内している。情報提供者は真実を話しているのか？　確実な情報を持っているのか、それとも保身のために口からでまかせを言っているのか？　DSO諜報員がその家に近づいている今、もうすぐ答えがわかる。

現地時間、午後九時三〇分きっかりに、諜報員たちは戸口からなかへなだれ込んだ。踏み込み捜査はすぐに終わった。現場でドイツ製の無線送信機を発見、確保し、おまけにそれを操作するためにそこにいた若い男を捕らえた。

情報提供者とは違い、この若い男は現地人ではなかった。薄茶色の髪に青い目のヨーロッパ人の風貌だった。

イギリス人がまもなく知るように、若い男はSSのヴェルナー・ロックシュトロー伍長――ベルリンから派遣されたフランツ作戦の生き残りの五人のひとりだった。チームは複数の隠れ家を無線通信所として代わる代わる使っていたが、彼はその一軒でシフトに入ったところだった。

これはイギリスの諜報活動の大金星だった。しかも、その夜、ロックシュトローを訪ねてくる者がいることが現場にいるあいだにわかった。

それからの数時間、諜報員たちは外からは何も異変を感づかれないように気を配りながら待った。すると、ロックシュトローに会いに、ひとりではなくふたりの訪問者が相次いでその家にやってきた。

最初に現れた男はイラン陸軍の上級曹長だった。地元で親ドイツ活動の新人を勧誘するために、軍がその主な源となっていることの証だ。イギリス人は素早くその男を拘束した。さらに興味深いのは、次に現れた男だった。最初の男とは違い、彼は激しく抵抗して暴れた。しかしすぐに取り押さえられた。

何者か？　地元の歯科医だ。

するとさらに疑問が湧く。歯医者がなぜナチスと付き合っているのか――そして、ナチスはなぜ彼に関心を持つのか？

イギリスの諜報員たちは、ふたりの男を尋問するためただちにＤＳＯ本部へ連行した。素早く動けば、まだ足跡が新しいうちに次の手がかりを見つけられるかもしれない。

尋問担当者が聞き出したところによると、歯科医の名はキッツィといった。

キッツィは地元のメリユン運動とロックシュトローのグループとの連絡役だとわかった。

しかし、キッツィ医師についてはさらに興味深い事実が判明した。彼はテヘランの名家、サンジャリ家の人間だった。リリ・サンジャリは彼の姪にあたる。

イギリスの諜報員たちはその名前に心当たりがあった。

こうして地元の歯科医が、その夜の最大の収穫となった[2]。

36

一九四三年八月二一日、カナダ、ケベックシティ

戦況はめまぐるしく変わり、重要な決断が迫られる。前回チャーチルがワシントンDCを訪問してからわずか三か月後、大統領と首相、両国の参謀は八月にまた集まった。今度はケベックシティだ。シチリア攻略が成功し、ムッソリーニが失脚したあと、最も差し迫った問題は地中海の戦略をどうするかだった。ドイツは連合国が今後イタリア本土に攻め込むと想定し、防衛のためにすでに軍を急派していた。イタリア国王と大評議会は枢軸からの離脱を図り、米英と交渉を開始する。イタリア軍は分裂し、ドイツと同盟を結んだまま戦争継続を主張する派もあれば、敵側に寝返ろうとする派もあった。

複雑な決断を要する混沌とした状況だった。

チャーチルは前から地中海作戦に熱心だったため、ケベック会談では、シチリアに続いてイタリア本土に侵攻して残ったドイツ軍を一掃する作戦を強く訴え、ローズヴェルトの賛同を得た。会議中、決定事項を逐一、戦場の指揮官に伝えるために、英米の軍幹部が待機していた。イタリア本土への多方面攻撃の準備が始まり、攻撃開始は九月三日と決まった。

しかし、重要なのは地中海方面だけではなかった。ローズヴェルトはイタリア本土侵攻に合意したものの、英米両軍は彼が考える最も重要な問題に引き続き集中する必要があると考えた。すなわち、一九四四年春まで延期が決まったフランス北部への英仏海峡横断攻撃を明確化することだ。

またもや米英間の議論は白熱した。チャーチルは常にこの問題をのらりくらりとかわしてきたため、スターリンが業を煮やし、二か月ほど前にはソ連が同盟から離脱する寸前まで行った。チャーチルはまたローズヴェルトらアメリカ側を苛立たせた。合意に至ると思いきや、首相か彼の顧問が新しい案を提示し、地中海作戦を優先して英仏海峡横断攻撃を遅らせるか重要度を下げようとするのだ。

しかし、今度ばかりはローズヴェルトは譲らなかった。先の五月に合意し、そのあとスターリンにも伝えた「来年春のフランス北部への侵攻」の約束を、チャーチルとイギリスは守るべきだと主張した。

連合参謀本部は協議を重ねた末、英仏海峡横断攻撃の概要をまとめ、決行日を一九四四年五月一日と定めた極秘報告書を作成した。こうして日付を明記しさえすれば、参謀たちはそれを目途に基本的な作戦計画を立てられる。

さらにローズヴェルトと彼の参謀は、英仏海峡横断攻撃の最高司令官をアメリカ人にするという、もうひとつの重要な譲歩をイギリス側に求めた。ローズヴェルトもアメリカの参謀も、イギリス首脳部が本気で作戦に取り組む気があるのか疑っていたため、アメリカ人が指揮するべきと考えたのだ。

それから、首脳たちはその作戦に相応しい名前を求めた。命名ときたら、チャーチルの出番だ。チャーチルは戦争中のちょっとした行事にも名前をつけていた。たとえば、現在開催中のケベック会談は、コードネームを「クアドラント（四分儀）」といった。その年の夏に行ったワシントンでの会談を「トライデント（三叉槍）」と名付けて以来、ローマにちなむ名前に決めたようだ。

彼はたいてい文学や歴史に着想を得ていた。軍事関連の事案には、主に古代の神話から壮大で力強い言葉を選んで採用した。彼は作戦の命名に関する覚書を軍事顧問に送り、威厳のある適切な名前をつける必要性について述べている。「戦死者の遺族が、夫や息子は『バニーハグ（抱き合って踊るダンス）』作戦、『バリーホー（騒々しい空宣伝）』作戦で亡くなりましたと言わなくて済むように」[1]

では、来年に予定されている待望のフランス北部上陸作戦をなんと呼ぼうか？ この作戦をこれまで散々引き延ばしてきたチャーチルではあるが、すばらしい名前を思いついた。オーヴァーロード（大君主）作戦。

誰もがこれを気に入った。以後、他の案は出されなかった。

ローズヴェルトは、フランスに第二戦線を開くことをチャーチルに承諾させ、スターリンとの会談を積極的に進めるという重要課題を持ってこのケベック会談に臨んだ。カサブランカ会談のあと、ローズヴェルトは今年中にソ連首相と会いたいと願っていた。九月を目前に控えた今、残り時間は少なくなっている。

驚いたことに、スターリンがつい先頃、チャーチルも会談に入れようと提案したにもかかわらず、ローズヴェルトは、最初に合意したアラスカの都市でスターリンと一対一で会えないかと、最後まで淡い期待を抱いていた。実現の可能性は低いが、大統領はお呼びがかかればすぐにでもアラスカへ飛べるように、ケベック近郊に航空機をひそかに待機させていたくらいだ。

直近のスターリンの文面から判断して、そんなことはあり得ない。ローズヴェルトは二者会談をあきらめ、それよりもチャーチルと協力してスターリンを三者会談に引き込むほうへ方針を切り替えた。この件でローズヴェルトがスターリンと最後にやり取りしてから一〇日ほど経ち、ソ連首相は再び沈黙していた。ローズヴェルトには、またスターリンが手の届かないところへ遠ざかっていくように思えた。

しかしチャーチルのほうは、ローズヴェルトに除け者にされるという屈辱から立ち直ったらしく、三巨頭会談の実現に積極的になっていた。また、ソ連で会うのは避けたいというローズヴェルトに同感だった。

八月一八日、ケベックでのクアドラント会談の最中、二国の首脳はスターリンに宛てて共同のメッセージを書いた。イタリア作戦の近況を簡単に述べ、そのあと首脳会談の問題に移った。

我々三人で会うことの重要性についてもう一度強調したいと思います。アルハンゲリスクもアストラハンも開催候補地として適切とは思いませんが、フェアバンクスでしたら、あなたと戦況全体について考えるために適切な幹部を伴って行く用意があります。現在は会談を開くまたとない好機ですし、戦争の重大な局面でもあります。この件について、今一度ご検討下さいますようお願い申し上げます。[2]

数日後、スターリンからの返信がきたが、首脳会談には触れていなかった。その代わり、イタリアについて充分な情報を共有してくれなかったと不満を述べていた。それから八月二四日、クアドラント会談が終わる頃、スターリンはまた電信を寄越した。

今回は会談の要請に応える内容だった。そのとき首相も大統領もちょうどケベックを去るところだったため、ふたりはそれぞれに電信を読んだ。

スターリンは「三者会談の重要性については、おふたりとまったく同意見です」と書いていた。続けて、戦争関連の責務にどれほど忙殺されているかを語り、「我が軍は最大限の力を尽くしてヒトラーの主力部隊と戦っているのです」と述べた。この状況を踏まえ、「フェアバンクスのような遠方へ赴くために前線を離れることはできません。そんなことをすれば軍事作戦に支障を来します」[3]

興味深いことに、スターリンは候補地や日程の代案を出さなかった。一〇日ほど前、ローズヴェルトと交信したときとほとんど何も変わらなかった。具体的に何かを提案するでもなく、確約するでもなく。これは昨年一二月、大統領が最初にソ連首相をカサブランカ会談に誘い、スターリンがそれを辞退して以来、彼がローズヴェルトとチャーチルに繰り返してきた口実の新しいバリエーションかもしれない。

それでもローズヴェルトは楽観していた。スターリンの電信を読んでから、彼はチャーチルに簡単に書き送った。「アンクル・ジョーの新しい電信を読んだと思うが、口調がかなり前向きになっている。私の直感では彼は会談に合意し、近々それが開かれる気がする」[4]

ローズヴェルトとチャーチルは事を性急に進めるのではなく、スターリンにまた電文を送り、ケベック会談の内容を伝えることにした。それにはスターリンの最大の関心事についての最新情報が含まれていた。来年春に行うことが正式に決まった、フランス北部への英仏海峡横断作戦である。「イギリスにアメリカ軍の大部隊を集結させる計画が現在進行中です」とチャーチルとローズヴェルトは書いた。「これは、英仏海峡横断攻撃の先陣を切る英米合同の部隊となります」

ふたりはスターリンに作戦の目標期日を知らせなかった――予定にしばられるのを避けたかったのかもしれない――が、「枢軸軍に対して英米の陸上部隊と航空部隊が行う最優先の作戦になる」ことを強調した[5]。

八月三一日、会談から一週間後、チャーチルは現在の戦況についてラジオで長い演説を行った。演説のなかで三巨頭会談が開かれる予定であると語り、公然とスターリンに強い圧力をかけた。


スターリン元帥を交えた三者会談の実現ほど、ローズヴェルト大統領と私自身が強く願っていることはほかにありません。これがまだ実現していないのは、我々が最善を尽くしていないからではありませんし、問題を脇に置いてその目的のために長距離を移動する意欲がないからでもありません。大統領と私はスターリン元帥との会談を開くために、今後もたゆまず努力していきます。

要点を明確にするために、首相は続けた。「ヒトラーの暴虐に立ち向かう三者のあいだで戦略に関して考えが一致し、合意に至れば、すべての人にとって、そして自由世界全体にとって、非常に大きな強みになるでしょう」[6]

チャーチルは真意を包み隠さず述べたが、それでもスターリンからの返信はなかった。

数日後の九月四日、ローズヴェルトはソ連首相宛てに、会談について再度催促の電文を送った。「私はまだ、あなたとチャーチル氏と私ができるだけ早く会えるようにと願っています。私自身は、一一月一五日から一二月一五日のあいだに北アフリカのどこかで会談を開く用意があります」[7]ローズヴェルトとチャーチルはわずか数週間のうちに、ふたり合わせて六回ぐらいスターリンにメッセージを送った。夏のあいだに何度も要請しただけではない。カサブランカ会談のときも、春に予定されていた別の会談のときも出席を懇願したし、ローズヴェルトなどはモスクワへ特使を派遣するという手の込んだことまでした。

まるでスターリンがその話題だけは避けると決めているようだった。

しかし九月八日、スターリンがついにローズヴェルトに返信を寄越した。「チャーチル氏を交えての会談をできるだけ早く決定することに関心があります。会談の時期に関するあなたの提案は、私にとっても都合がよいと思われます」

非常に有望な文面だ。しかし、相変わらず開催地をどこにするかが最大の難点だった。

幸いにも、スターリンが新たな案を出した。「三国とも代表を置いている国で開催するのがよいと思います」と述べ、続けて「たとえば、イラン」と書いていた。[8]

イラン？　それは思いつかなかった。

それまで三者は様々な候補地を挙げては却下してきた——モロッコ、エジプト、スコットランド、ノルウェー、ロシア、アラスカ。イランは一度も検討されなかった。それを言えば、中東やペルシア湾岸地域をこれまで誰も提案しなかった。

ローズヴェルトにとって、これは微妙な提案だった。

ひとつには、これまでローズヴェルトとチャーチルが提案したどの土地よりも、イランはアメリカから遠い。カサブランカまでの移動が大仕事だとすれば――実際そうだった――イランまでの移動はそれより五〇パーセントも長くなる。さらに、アメリカはその地域に政府高官が訪問する際のインフラを持っていなかった。そのためゼロから輸送と警備の計画を立てなければならない。

いっぽう、スターリンが言うとおり、イランは三つの大国が皆、代表を置いている国である。イラン縦貫鉄道の重要性から、イランはイギリスとソ連の部隊によって治安が良好に保たれている。ソ連もイギリスも首都テヘランに大使館を置いているし、アメリカは公使館[*1]を置いている。さらに、ヨーロッパや地中海地域の各地と比べると辺鄙な砂漠にあるため、警備がしやすい。

イラン。

いいかもしれない。

*1　「公使館」とは大使館より格下の外交事務を行う施設で、大使ではなく公使を長とする。第二次世界大戦後、両者の違いはなくなった。

第4部

ユリイカ

37

一九四三年晩夏、イタリア

オットー・スコルツェニー大尉にとって、その夏の終わりは慌ただしかった。「狼の巣」でヒトラーと会い、ベニート・ムッソリーニの救出を直々に総統に命じられた彼はすぐに準備に取りかかった。

ムッソリーニ捜索のため、翌朝八時に「狼の巣」から直接ローマへ飛ぶように指示された。しかし、出発前に彼は、ベルリンにいる部下を同じく早朝に出発させ、待機場所である南フランスへ行かせなければならない。

スコルツェニーは会合のあとすぐに副官カール・ラドルに電話し、ベルリン支部の人間は全員、今夜寝る暇はないぞと告げた。理由は明かせないが、翌日発てる特殊部隊が必要だと伝え、「五〇人選べ――精鋭のなかの精鋭を」と命じた[1]。

隊員だけでなく物資も要る。ムッソリーニがどこに囚われているか皆目見当がつかないため、あらゆる状況を想定した準備が必要だ。翌朝の飛行機に乗る各隊員は皆、機関銃、拳銃と手榴弾、プラスチック爆弾、フューズ、ヘルメット、糧食、寒冷地用と暖地用の両方の制服を持っていくことになった。もしこれらの装備が訓練所になければ、その夜のあいだにベルリンのどこかで調達しなければならない。

スコルツェニー自身は、「狼の巣」に鞄ひとつ持ってきていなかったが、翌朝、予定通り東プロイセン発ローマ行きの飛行機に乗った。機上で、副官カール・ラドル率いる隊員五〇名が、フランス行きの朝の便になんとか間に合ったと連絡が入る。彼らはそこで飛行機を乗り換え、イタリアの秘密の宿舎に向かうことになっている。

ローマに着いてすぐ、スコルツェニーはムッソリーニがどこに囚われているか捜し始める。ローマに駐留しているドイツ軍将校から、イタリア国家警察内の友好的な情報源や手がかりを得るのに役立ちそうな役人を紹介される。

しかし、すぐに捜索は難航する。「ムッソリーニの居所については様々なうわさが飛び交っていた」とスコルツェニーはのちに語っている。「ムッソリーニが自殺したことを知っていると言う者がおおぜいいて、いっぽうでは彼は重病でサナトリウムに送られたと言う者もいた。このような憶測がすべて誤りであることが判明し、我々はなんの手がかりも得られなかった」[2]

さらに、王室側がこの非常に価値の高い囚人を数日毎に別の秘密の場所へ移すため、捜索はいっそう困難になっていた。ムッソリーニの居場所の情報を得ても、すでにそこから移されたことを知るばかりだった。

それでも有望な手がかりが得られるたびに、念入りに準備した。あるとき、スコルツェニーはムッソリーニがローマ警察の宿舎に幽閉されていると聞き、宿舎を急襲する計画を立てるが、土壇場になって彼がそこにもういないことがわかる。ドゥーチェがラ・スペツィア港行きのクルーザーに乗船した可能性があると聞くと、十数隻の船を集め、航行中のクルーザーを乗っ取ってドイツ支配地域へ向かう計画を立てる。その後、ムッソリーニがマッダレーナ島の要塞に幽閉されていると聞くと、島を襲撃して彼を救出するために複雑な水陸両用上陸作戦を計画する。

追跡を継続しながら移動を重ねるあいだに、イタリアは崩壊していった。英米の軍がローマや北部の都市を爆撃し始めた。スコルツェニーの隊が滞在していた兵舎が大きな被害を受け、移動を余儀なくされたこともある。連合国軍の上陸が間近に迫り、それを阻止するためにドイツ軍も空路で送り込まれてきていた。

まもなくスコルツェニーの任務は頓挫しそうになった。イタリア国王が連合国と和平を結ぶためにムッソリーニを差し出すという情報が流れてきたのだ。この情報は真実ではないとわかったが、このような前例のない状況では、何が起こっても不思議ではない。

混沌の最中の九月二日、王室当局がごく最近、ローマの北東に連なるアペニン山脈の、グラン・サッソ山塊の人里離れた山頂のホテルにドゥーチェを移したという有力な情報が入る。国家警察は、戦争で空き家になっていた富裕層向けのスキー・リゾート・ホテルを、価値の高い囚人を収容する牢獄に改造したらしい。

標高二二〇〇メートル[3]のところにあるホテルへ行く方法は、山腹に敷かれたロープウェイだけだ。山頂の要塞では、武装したカラビニエリがムッソリーニを監視していると思われる。

スコルツェニーはこの情報があてになるかどうか確信はなかったが、連合国の侵攻がいつ始まってもおかしくないのはわかっていた。これが救出作戦の最後のチャンスかもしれない。あとは賽を投げて情報が正しいことを祈るばかりだ。

では、イタリア・アルプスでの救出作戦を成功させるにはどうすればいいか？　まず、地理を調べる必要がある。

九月八日[4]、彼はラドルを伴って偵察飛行を行い、上空から山を眺めた。山頂の写真を撮り、ホテルの正確な位置を把握し、少人数の部隊がこの孤立した目標にたどり着く方法を考えた。

気づかれるのを防ぐために偵察機は高度四八〇〇メートルを飛行したが、その高度でもスコルツェニーはホテルを目視でき、写真を撮ることができた。そして彼は別のことにも気づいた。建物に隣接して、三角形の開けた場所がある。がらんとした空き地か草原のように見えた。

この予想外の発見が、突飛な計画に結びつく。山頂への唯一のアクセス手段であるロープウェイを使わずとも、ホテル近くの三角形の空き地を臨時の着陸場に利用できる。そのような狭くて平坦ではない場所に着陸できる通常の航空機はないが、モーターなしの軽量のグライダーなら可能かもしれない。それが可能なら、グライダーの乗員はホテルから目と鼻の先まで行ける。ムッソリーニを解放したら、小型の二人乗り飛行機を呼んで彼を乗せ、安全な場所へ運ぶという段取りだ。

グライダーは山頂にたどり着く唯一の実際的な方法となるだけでなく、奇襲もできる。「空から敵が来るとは誰も思わないはずだ」とスコルツェニーは考えた。救出を試みるには「これが唯一のチャンスだ[5]」

彼が部隊の指揮官たちにこの計画を伝えると、危険すぎると反対された。飛行に詳しいある隊員は、その高度の空気の薄さを考えると、グライダーの着陸だけで死亡率は八〇パーセントに達すると言った。ホテルの襲撃にかかる前の段階でこの高い確率だ。しかし、ほかによい案はなく、チャンスの扉は閉じかかっている。

ベルリンの承諾を得るため、スコルツェニーは空軍と掛け合って、軽量のＤＦＳ２３０グライダー一二機[6]を確保した。各機にはパイロットのほかに九名が乗れる。

大急ぎで準備に数日費やしたあと、離陸は最初九月一二日の午前六時となっていたが、遅れて午後一時になった。また想定外の障害として、連合国軍の最近の爆撃により滑走路にクレーターができていたため、二機は離陸できなかった。残りの一〇機は、スコルツェニーの搭乗機を先頭に無事に飛び立った。

離陸からおよそ一時間後、彼のグライダーはグラン・サッソの山頂に近づいた。小さな窓から雪をかぶった山頂が見える。[7]

「ヘルメットをかぶれ！」とスコルツェニーが全員に命じる。すぐにホテルが見えてきた。

しかしグライダーがそこへ近づいていくと、異変に気づく。

「パイロットは、我々の着陸場となるはずの平らな空き地を探して大きく旋回した」とスコルツェニーは振り返る。「ところが、最悪の驚きが待っていた。確かに三角形には違いないが、平坦どころか、非常に険しい丘の斜面だった」

いわゆる着陸場——草地と思われていた場所——は、実は山頂付近の岩が露出した起伏のある斜面で、どう見ても「この『草地』に着陸するのは不可能だ」とスコルツェニーは思った[8]。

その結果、着陸するところもなく、合わせて一〇〇人を乗せ、最高速度で飛行を続けていた一〇機のグライダーは今にも山腹に激突しそうだった。

スコルツェニーはとっさの判断を迫られた。将軍の命令により、彼は滑走路のないところでの着陸を禁じられている。つまり、無事に着陸させるには山頂から離れて下の谷に降りろとパイロットに命じるしかない。そうすれば残りのグライダーもあとに続くだろう。要するに、任務を取りやめるということだ。

それとも……何かほかに手があるだろうか。

「強行着陸！」スコルツェニーは力の限り叫んだ。「できる限りホテルの近くにだ！」[9]彼はこのグライダーの指揮官であり、これは指揮官の命令である。

パイロットは山頂に向けて右翼を傾けた。まわりで風が唸りをあげるなか、グライダーは険しい岩の斜面に向かって突っ込んでいった。

38

一九四三年九月、ワシントンDC

首脳会談が実現に一歩近づいた。

九月八日にスターリンがローズヴェルトとチャーチルに宛てた電信から、念願の三巨頭会談が一一月下旬にも開かれる可能性が濃厚になった。

むしろ、ローズヴェルトは夏以降、ますます会談の実現を強く願っていた。戦場では連合国は勝ち続けていた。この勢いに乗って、あらゆる好機を活用することが重要だ。世界の舞台でビッグ・スリーの結束を華々しく披露することは、戦争努力にとって不可欠だとローズヴェルトは考えた。

世界に素早く情報が伝わるようになったこの新時代、世界の首脳会談が非常に象徴的な重みをもつことを、ローズヴェルトはカサブランカ会談で学んでいた。モロッコでローズヴェルトとチャーチルが一緒に――フランスのレジスタンスのリーダーと共に――写っている写真は、たちまち世界中に配信された。どの新聞も会談の記事を載せた。この会談は結束と力を強く印象づけた。

世界各国がどちらか一方に味方するか支援することを強いられる戦争で、この力の認識は重要だった。多くの政府は、国の存亡がかかっていればなおさら、勝っている側に味方する。連合国は中立国や、まだどちらにつくか迷っている国を味方に引き入れなければならない。

枢軸国に完全に支配されている国でも、レジスタンス運動には勢いが必要だ。これも戦争努力に影響を与える。彼らは連合国の勝利を信じるだけでなく、それを感じ取ることで勢いづく。

もしローズヴェルトとチャーチルのカサブランカ会談がこの感覚を醸し出したとしたら、スターリンを交えた三者会談はさらにその感覚を強めるだろう。ローズヴェルトとチャーチルが緊密に協力し合っていることを世界はすでに知っているが、スターリンはまた別の話だ。これまで常に連合国にまとわりついてきた大きな疑問は、はたしてソ連が西側のパートナーと協調できるのかどうかだった。

実際、ナチス上層部は、ソ連と他のふたつの大国との関係をくずすことが勝利につながると考えていた。ドイツ人から見て、ソ連の人間はあまりにも異質で、連合国の同盟はいずれ破綻すると見なしていた。

三巨頭会談が開かれれば、この問題は解決する。このイベントは連合国を勢いづけるだけでなく、戦争の重大局面で枢軸の士気を低下させる。

三巨頭会談は注目を集めるだけでなく、多くの緊急の課題を首脳三人が直接会って協議する機会を与える。このときすでに、解答を要する複雑な問題がいくつもあった。トルコを連合国側に引き入れるにはどうしたらいいか？　ソ連は日本と戦争するだろうか？　ナチスの占領からソ連が解放している分断されたバルト諸国の扱いをどうすべきか？

ローズヴェルトは、これらの疑問に答えるために、スターリンとの協力関係を深めたいと願っている。三国の首脳が顔をそろえれば、これらの難題や他の問題を直接話し合って、その場で結論が出せる。

そして、英仏海峡横断攻撃の件がある。戦争が新たな局面に入り、勢いを味方につけた今、この作戦の成案について合意を得るべきときだとローズヴェルトは考えていた。スターリンがその場にいれば、ふたりでチャーチルに迫り、フランス北部への攻撃の変更不可能な日程を承諾させることができるのではないかと思った。

これらをいっぺんに片付けられる舞台が整った。

しかし、大統領の不安が日に日に高まることがひとつあった。提案された会談の開催地だ。イランは遠すぎるとローズヴェルトは思った。彼にとっては長時間の旅になる。時間の大切さはどの国の首脳も理解するだろうが、この件をスターリンに切り出すのは慎重にしなければならない。特に彼を話に引き入れるためのこれまでの苦労を考えると。絶対にこのチャンスを逃したくはない。

九月九日、スターリンの電信を読んだ翌日、ローズヴェルトは「首脳会談に賛同いただけると聞いて喜んでいます」と返信した。意気込みを表すため「それに、一一月末という時期についても異存ありません」と付け加えた。

ここからが厄介な部分だ。「しかし、開催地だけが気がかりです」と彼は続ける。「というのも、私が思っていたよりもワシントンから遠いのです」。これがなぜそんなに問題なのか、詳しく説明することにした。「その時期、アメリカ議会は会期中にあたり、憲法により一〇日以内に議決することになっているのです。つまり、私は文書を受け取ってから一〇日以内に〔署名または拒否して〕議会にそれを戻さなければならず、天候で飛行機が飛べなくなる場合を考えると、テヘランは非常にリスクが高いのです」

代替案として彼は「エジプトのどこかをご検討いただけるとありがたいです。エジプトも中立国ですし、我々の都合に合わせてなんでも手配してくれるでしょう」と書いた[1]。

ローズヴェルトの指示でアメリカの外交官はエジプトに働きかけた。翌日、駐エジプト・アメリカ大使は、カイロからローズヴェルトに宛てて、エジプト首相モスタファ・エル＝ナハス・パシャが公式に次の声明を出したことを報告した。「英国、米国、ロシアがカイロで会議を開くことを歓迎し、喜んで施設を提供する[2]」

エジプト人が歓迎しているうえ、ここは完璧な立地だ。ここに決まるといいのだが。

あいにく、チャーチルがローズヴェルトと同じ日に、スターリンに宛ててテヘラン開催に異存はないと返信していた。チャーチルは喜びを隠しきれず――しかも、今度は自分も含まれることが確定しているので――スターリンに大げさに語っている。「会談が実現に近づき、私は喜び、安堵しています。これまでお伝えしてきたとおり、私は会談のためならいつでも、どこへでも行きます。したがって、イランでほかによい候補地がなければ、私はテヘランでかまわないと思います。閣下のご希望に従います[3]」

同時に届いた電信で、スターリンはチャーチルの前向きな反応のみを受け入れた。九月一二日、スターリンはふたりに「三人の国家首脳の会談について、私はテヘランに異存はありません。ソ連がまだ代表を置いていないエジプトよりも適切な場所であると思います[4]」と送った。

チャーチルはこれをゴーサインととらえた。九月二七日、まだ興奮冷めやらぬ様子で、場所の選択に賛成するという主旨の電文をスターリンに送った。

さらにチャーチルは、三人にとって非常に重要な警備の問題を取り上げた。

今度の会談は世界中から注目され、期待で盛り上がっているため、日程や場所、その他の詳細を秘密にしておくことはきわめて困難であると思われる。首脳たちはそれぞれ標的になっていることを自覚していた。

「テヘランでの首脳会談について、いろいろ考えてみました」とチャーチルは書いている。「完全にコントロールされていないこの地域での警備は、厳重にする必要があります[5]」。世界の報道陣の目を欺くために、エジプトのカイロで一種の囮作戦を行うべきとチャーチルは提案した。カイロに注目が集まっているあいだに、本当の開催地でひそかに準備を進め、街を封鎖するのだ。

そして、会談の二日か三日前に、イギリスとロシアの大部隊を、市の飛行場など要所に投入し、会談終了まで絶対的な警戒態勢を敷くのです。そのときがくるまで、イラン政府にも秘密にし、宿泊の手配もしないでおくのです。交信も完全に管理する必要があります。そうすれば世界中の報道機関だけでなく、不当にも我々のことを好ましくないと思っている不愉快な輩の目を欺くことができるでしょう。

チャーチルは厳重な警備計画や秘密の合言葉を考えるのが好きで、世界の舞台での緊張感を思うと高揚するらしい。

ほかにも彼が関心を注いでいることがまだひとつ残っていた。彼が思うに、会談にはよい名前が必要だ。もちろん、彼はすでに考えていた。

「今回の作戦のコードネームを『ユリイカ』とするのはどうでしょう」と彼はスターリンに提案している。「古代ギリシア語だと思いますが」と付け加え「ほかによい案があればお知らせください。大統領にも訊いてみましょう[6]」と記した。

会期中、テヘランを包囲するようにイギリスとロシアの大部隊を送り込むというチャーチルの九月二七日の提案に対して、スターリンはほぼ一週間後に返信した。「その方法はおすすめできないと思います。余計な騒動や露出を誘発する恐れがあります」とスターリンは反対した。その代わり、それぞれの国は「強力な治安部隊を同行させる」だけでいいと。

「そのほかの提案に異存はありませんし、会談関連の通信用に提案されたコードネームにも賛成します[7]」

三首脳には警備をどうするかという宿題がまだ残っていたが、少なくとも今のところ、スターリンはチャーチルの言葉の選択に賛成した。

ユリイカ。

第二次世界大戦中に、連合国の三首脳が初めて顔をそろえる会談のコードネーム。名前は決まった。あとはこの会談を実現させるだけだ。

39

一九四三年九月一二日、イタリア、グラン・サッソ

山がぐんぐん迫ってくる。

グライダーのパイロットは起伏のある岩だらけの斜面のどこかに着陸できる平らな面はないかと必死で探した。

「私は目を閉じ、考えるのをやめた」とオットー・スコルツェニー大尉はのちに述べている。彼と彼の八人のSS特殊部隊員は、激突の衝撃に備えた。

グライダーの底が激しく地面を擦り、「何度かバウンド」するわずか数秒間、「不気味なきしみ音」と「木の砕ける恐ろしい音」が響いた。それでもなんとか「最後に大きく揺れた」あと、機は停止した。[1]

スコルツェニーは自身が無事であることに感謝した。彼と他の隊員たちは壊れた機体から転がり出て、岩だらけの地面に降りた。奇跡的に、一八メートルほど滑って「完全に破壊された」グライダーは山頂のホテルからわずか一三メートルのところで止まっていた。

パイロットや他の隊員の無事を確認する間ももどかしく、スコルツェニーは機関銃を両手でつかんでホテル目がけて走り出した。同じく隊員たちが武器を持って続いている荒い息づかいが後ろに聞こえた。彼らは指揮官が最初に発砲するまで発砲しないこと、「糊のように指揮官にぴたりとついていくこと」と厳命されていた。[2]

もちろんスコルツェニーも隊員も、ムッソリーニが本当にこの建物のなかにいるかどうか確信はなかった。しかし、奇襲するために彼らは全速力で走った。

建物の側面に近づくと、ドアの側に警備のカラビニエリがひとり、立っているのに気づいた。相手も彼らに気づき、驚いて目を見開いている。「マニ・イナルト!」――「手をあげろ!」と特殊部隊員のひとりが怒鳴る。

イタリア兵は武器を捨てた。

警備兵を制圧した彼らはドアからなかへなだれ込んだ。そこは家事などを行う小部屋で、もうひとりのイタリア兵が椅子に座って無線送信機を必死で操作していた。彼はおそらくグライダーが山に向かってくるのを見て、すぐに無線機のところに走ったのだろう。

スコルツェニーはイタリア兵が何かを発信する前に飛びかかった。「素早く蹴りを入れると、彼の座っていた椅子が宙に飛んだ。そして、無線機を力任せに機関銃で数回叩いて破壊した」

部屋にはほかにドアがなく、スコルツェニー隊はまた外に出て、別の入り口を探しながら建物に沿って進んだ。ジャンプして石造りのテラスにのぼると、幸運にもそこから建物の正面がすっかり見渡せた。

「正面をざっと眺め、二階の窓に有名な顔がのぞいているのを認めた。ドゥーチェだ! 我々の努力は無駄ではなかったと思った」

確かに、ムッソリーニはなかにいる。窓辺にいるのは、彼らがやってくるのを見たからに違いない。

なかでは武装したカラビニエリの部隊が警戒しているはずだとスコルツェニーは思った。さて、どうする？　スコルツェニーが叫ぶ。

「ドゥーチェ、窓から離れてください！」

ムッソリーニはただちに部屋の奥へ引っ込む。

窓の位置を憶えたいま、なかに入りさえすれば、迷わずムッソリーニの部屋まで行けるはずだ。建物に沿って進んでいくと大きな正面玄関の前に出た。部下がついてきていることを確認し、なかへ突進する。

玄関の間にはカラビニエリが数人いたが、スコルツェニーはあとに続く部下たちが素早く敵を制圧すると信じてとっさに襲いかかった。イタリア兵たちには驚く間もなかった。

階段を見つけ、三段ずつ一気に駆け上がる。外から確認した部屋の位置の記憶を頼りに、長い廊下に面した二番目の部屋に突入する。

当たりだ。ドゥーチェがいた。

その脇には呆然としたカラビニエリが二名。銃を構えたナチスの一団を相手に勝てる見込みはないと判断したのか、ふたりは武器を捨てた。

ここまで、あっという間の出来事だったため、不意を衝かれたカラビニエリは抵抗する暇もなかった。最初のグライダーが着陸してからおよそ四分で、スコルツェニー隊は一発も銃を撃つことなく、目標を発見、確保した。

部下たちが、制圧したホテルのホールでイタリア兵に銃を突きつけているあいだ、スコルツェニーは解放するために来たのだと囚人に正式に告げる。

「ドゥーチェ、総統に命じられて参りました。あなたは自由です！[3]」

ムッソリーニは一瞬言葉を失い、スコルツェニーの手を握り、そして抱擁した。「我が友アドルフ・ヒトラーは絶対に私を見殺しにはしないと信じていた」と彼は言った。

ムッソリーニは「感極まり、彼の黒い瞳は濡れて光っていた」とスコルツェニーは述懐する。「正直に言うと、あれは我が人生で最高のときだった」[4]

このときまでに、山頂付近には後続のグライダーが次々と着陸していた。一機は着陸を試みながら、露出した岩に激突して機体がバラバラになり、乗っていた数名が重傷を負った。しかし、隊員のほとんどは生き延び、ホテルを包囲した。

勝利を確定するため、特殊部隊員はカラビニエリの指揮官に対し正式に降伏を求め、イタリア人はこれを受け入れる。白旗の代わりにホテルのベッドのシーツを掲げる。

ホテルを制圧したスコルツェニーと数名の部下は、ムッソリーニに付き添って階下へ降りた。彼らが正面玄関を出て山頂に着くと、そこに集まっていた特殊部隊員が気をつけの姿勢で立ち、敬礼をして出迎えた。

軽い雪が舞い始め、隊員たちはスコルツェニーとムッソリーニを囲んで勝利を祝う。そこで誰かがカメラを取り出して写真を撮った。

スコルツェニーとドゥーチェが談笑するなか、隊員たちは滑走路として使えるもっと広くて平坦なスペースをホテルの近くにつくるために、岩や茂みを取り除く作業にとりかかる。作業が終わると、隊員のひとりが緑色のライトを振る。上空を旋回していた双発の小型飛行機フィーゼラー・シュトルヒに下降、着陸をうながす合図だ。

同機が山頂に着陸すると、スコルツェニーとムッソリーニはこの小さな飛行機に乗り込み、荒っぽい離陸に備えた。

飛行機はすぐに急ごしらえの滑走路上を加速し、切り立った山頂の縁から飛び立った。最初、高山の薄い空気に対して積荷が重く、シュトルヒは機首を谷底に向けて真っ逆さまに急降下するかと思われた。しかし、パイロットはゆっくりと機体のバランスを取り戻し、まもなくグラン・サッソの山塊をあとにした[5]。

数時間で、シュトルヒはローマの飛行場に無事に着陸するだろう。そこで乗客のふたりは、オーストリアの都市ウィーンへ向かう飛行機に乗り換える。ウィーンではドイツ当局が彼らを迎え入れ、ドゥーチェの身の安全は保障される。

スコルツェニーはやった。ムッソリーニを救出し、解放した。

そのうえ彼は、ナチス上層部がまもなく心に刻むことをやってのけたのだ。すなわち、然るべき人間が指揮を執れば、不可能なことはない。

40

一九四三年九月一三日、オーストリア、ウィーン

「きみは歴史に残る軍事的偉業を成し遂げた。我が友ムッソリーニを連れ戻してくれた」[1]

アドルフ・ヒトラーがこう言って電話で武装SS将校オットー・スコルツェニーをねぎらったときには、真夜中近くになっていた。スコルツェニーがウィーンにある高級ホテルの続き部屋に案内されてすぐのことだった。

一時間前、スコルツェニーがムッソリーニと共にホテルに着いてから、館内は興奮に包まれていた。

まわりは市郊外の飛行場で彼らを出迎えた軍の護衛が囲んでいる。ホテルに入ると、彼らは凱旋した英雄のように歓迎された。

落ち着く暇もなく、スコルツェニーの部屋には次々と人がやってきて彼を讃えた。日付が変わる頃、ウィーン駐屯地から来た大佐が、総統に代わって彼に鉄十字勲章[2]を授けた。帝国で最高の軍事勲章だ。そのあとまもなく、ヒトラーから直々に電話があった。

このような状態が数日続いた。スコルツェニーはムッソリーニと一緒にウィーンからミュンヘンへ移動した。そこにはドイツ側の配慮で、追放されたイタリア元首相のための本部が設けられていた。ムッソリーニはここでナチスの支援を受けながら今後の策を練る。そして、ここでもスコルツェニーは英雄として讃えられ、接待された。

スコルツェニーによる見事なムッソリーニ救出のニュースは、たちまちドイツ中に広まった。戦争が泥沼化して、ナチス上層部は朗報に飢えていたため、ドゥーチェ救出のニュースは絶好のタイミングだった。

おそらく誰よりも喜んだのは、思わぬ贈りものをもらったナチスの宣伝大臣ヨーゼフ・ゲッベルスだ。「ドゥーチェの解放を心から祝おうではないか」と彼は書いた。「彼が解放されたというニュースは世界中に大きな興奮を巻き起こすだろう。これから幸運が続く予感がする」

ムッソリーニがファシスト仲間のヒトラーとの再会を果たすため、スコルツェニーと共に「狼の巣」に派手に登場したとき、ゲッベルスは東プロイセンに居合わせた。「ヒトラーとムッソリーニは久しぶりに会って抱擁した」とゲッベルスは日記に書いている。「男同士、仲間同士の絆を示す非常に感動的な光景だった。これほど感動的な儀式に強く心を揺さぶられない者はいないだろう」[3]

もちろん、世界の報道機関は、スコルツェニーが山頂の牢獄からムッソリーニを救出した離れ業を

親衛隊の特殊部隊の指揮官オットー・スコルツェニー大尉（中央、首から双眼鏡をさげている）が、元イタリア首相ベニート・ムッソリーニ（黒い服）と並んで解放を喜んでいる。ムッソリーニは連合国支持派のイタリア軍によって人里離れた山頂のホテルに監禁されていたが、スコルツェニーの特殊部隊が救出に成功した。（German Federal Archives）

伝えた。当初、連合国の報道機関は、帝国の通信社が最初に伝えたこの救出作戦を、ナチスのプロパガンダだと見なした。あまりにも奇想天外に思えたからだ。アメリカの新聞の一部は、ムッソリーニは、実は殺害されたか自殺したのだという偽情報を載せた。

しかし、世界中のジャーナリストはまもなく、この話はナチスが真実を伝えている非常に稀なケースだと知る。

真相がわかると、枢軸と連合国の両方の報道機関は、救出の記事のほとんどにスコルツェニーを登場させた。ときには彼の写真も掲載し、正確にいつ、どのように始まったかわからないが、彼は「ヨーロッパで最も危険な男」[4]と呼ばれるようになる。

今のところ、オットー・スコルツェニーは、ドイツでいちばん有名な男であることに満足していた。九月末にベルリンに戻ると、ナチス幹部がこぞって彼に会いたがった。彼は豪華なセレモニーの主賓だった。プライベートでも公の場でも、せがまれて救出劇の話を何度もした。

しかし、ようやく騒ぎが一段落し、そろそろスコルツェニーが仕事に戻るときがきた。

彼は大尉から少佐に昇進した――この年だけで二度目の昇進だ――が、親衛隊保安部（ＳＤ）の特殊部隊の指揮官という地位は変わらず、引き続きフリーデンタールにある訓練所を統轄していた。

彼はイタリアに出発する前にやっていた職務にすぐに復帰した。特にイラン作戦のための訓練を行い、監督することだ。

ＳＤに戻ってから、スコルツェニーは留守中にイランの情勢が変わり、突然、思いがけなく世界の舞台で重要になっていることを知る。実際、戦争が始まって以来、とりわけ重要なイベントの場所になろうとしていた。もしイランが重要になるなら、そこでの作戦も重要になるわけだ。

さらに、ムッソリーニ救出にまつわる派手な宣伝活動と興奮のあと、ナチス上層部とスコルツェニー自身が得た収穫のひとつは、いたってシンプルなものだった。つまり、特殊作戦は成功するということだ。少人数のチームがひそかに動けば、大軍団にはできないことが可能になる場合もある。

スコルツェニーがそれを証明した。そして、適切な精鋭チームがいれば、再びそれを証明できる。

41

一九四三年九月、ドイツ、ベルリン

三巨頭会談がテヘランで開催されるらしいと、ドイツはいつ、どのようにして知ったのだろうか？

これについては、よくわからない。ドイツが最初にこの情報を得たのはいつなのか、明確な記録が残っていないのだ。手がかりはいくつかあり、そこから推測するしかない。

もちろん、通信傍受を専門とするナチスの機関、F局は、四月から五月にかけて傍受した連合国の複数の通信から、ローズヴェルトがスターリンとの直接会談を求めていたことはすでに知っていた。

F局はこれらの情報に加え、同等レベルかハイレベルの通信を傍受し、ローズヴェルト、チャーチル、スターリンのあいだのやり取りや、スターリンが九月八日に最初にイランに言及したローズヴェルトとチャーチルに宛てた通信から、開催候補地の情報をつかんでいたと推測される。

九月八日以降、三巨頭や軍事外交の幹部の通信には、テヘランへの言及が増える。ナチスの国外諜報活動を指揮するヴァルター・シェレンベルクはのちに、ローズヴェルトとチャーチルの直接のやり取りも傍受して解読したし、一時はふたりの電話の会話もすべて盗聴できていたと自慢しているので、三巨頭会談の場がテヘランに決まりそうだと把握していたのかもしれない。

七月末のシェレンベルクとカナリスの会合では、総統が三巨頭会談に関するあらゆる情報を求めていることが話題にのぼり、その後、シェレンベルクは全力で情報収集にあたったと思われる。

諜報機関員だったあるロシア人はのちに、会談の場がテヘランになるとドイツ側が把握したのは、

「アメリカ海軍の暗号を解読」[1]できたからだと主張している。この主張が真実だったとしても、漠然としすぎているし、それを裏付けたり補強したりする記録はない。

国家保安本部に属するSDや他の機関が、テヘラン開催の可能性が高いと判断したことは、イラン方面での特殊作戦を継続していたことからうかがえる。四月にさかのぼる最初のフランツ作戦のあと、SDはそれを引き継ぐ複数の作戦――アントン作戦、ドーラ作戦、ベルタ作戦――を行い、ほかにも作戦名はないが、イラン上空に数回航空機を飛ばして、工作員を降下潜入させている。

そして九月下旬――三巨頭会談の開催地として連合国の首脳の通信に初めてテヘランが登場してからまもなく――SDの中近東支部は、テヘラン地域での新たな任務「ノルマ作戦」の準備に取りかかった。この作戦に関しては正式な記録はほとんど残っていないし、その目的は極秘扱いだ。

とはいえ、ノルマ作戦の人員については二点、詳細が判明しており、これは注目に値する。

第一に、SDレベルでは、作戦はローマン・ガモタが監督した。驚くことに、テヘランから避難したフランツ・マイヤーの元相棒は、この年の夏、ベルリンに再登場している。イラン経験が豊富で、かつてマイヤーと共に活動していたことを考えると、ガモタはSD内の誰よりもテヘランに詳しかったと思われる。

第二に、作戦の戦術の訓練を行うのは、誰あろうオットー・スコルツェニー少佐、その人であった。ムッソリーニ救出後、彼はSDの特殊作戦のトップとして、フリーデンタールで隊員のリクルートと訓練の仕事に戻っていた。SD内でのスコルツェニーの役割はイタリアに発つ前と何も変わらなかったが、今や彼は世界中の新聞に名前が載る国の英雄だ。国のエリート層と親しく付き合い、ヒトラーから直々に讃えられるなど、ナチ党最高の栄誉に浴していた。スコルツェニーの名がついた作戦は、いずれも極めて重要であったことがうかがえる。

では、ナチスの諜報機関は、首脳会談の開催地としてテヘランが候補に挙がったことを、いつ最初に知ったのだろう?

特に有力なヒントは八月初旬にあった。同月三日、ベルリンのSD本部は、テヘランにいるフランツ・マイヤーたちに無線で非常に具体的な指令を送っている。

「我々の情報によると、ローズヴェルト、スターリン、チャーチルの会談がまもなく開かれる模様。確認がとれ次第ただちに報告せよ[2]」

スターリンが最初にテヘランに言及したのが、この日から一か月以上あとの九月八日だったことを考えると、この指令は注目に値する。つまり、ベルリンのSDはどうやって、三巨頭会談の場がテヘランになりそうだと、その前に知ることができたのだろうか。

現在でも、その答えは推測の域を出ないが、少なくともふたつ、信憑性のある説明が成り立つ。ひとつは、SDはテヘラン案についてまだ何も知らず、SD国外諜報局長ヴァルター・シェレンベルクは、手がかりを求めて他の地域のスパイにも同じ指令を送っていた、というものだ。

八月三日といえば、シェレンベルクがアプヴェーアのカナリス海軍大将と面談したすぐあとだ。このとき、カナリスは総統が三巨頭会談の情報を求めていると言ってシェレンベルクの尻を叩いた。したがって、シェレンベルクがその日か近日中に、諸外国にいる信頼できるエージェントに、一斉に件の会談の情報収集を指示したとしてもおかしくない。

あるいは、SDがすでにテヘラン開催の可能性を把握していたからこそ、この指令を出したとも言える。スターリンが米英首脳に宛てて最初にイランに言及したのは九月八日だが、スターリンがまず国内で充分協議せずにこれをふたりに提案することはないだろう。もしかしたら八月初め、SDはソ連国内の通信を傍受して三巨頭会談の候補地にテヘランが提案されることを知り、早速彼の地にいるスパイに問い合わせたのかもしれない。

フランツ・マイヤーも、イランにいた他のドイツ人諜報員もこの問い合わせに返信していない。少なくとも、返信は記録されていない。おそらく、この時点で彼らはこの件について何も知らなかったし、報告する価値のある情報を持っていなかった。

いずれにしても、ベルリンにいるシェレンベルクやＳＤ幹部が、テヘランで首脳会談が開かれるかもしれないと最初に知ったとき――複数の手がかりから、おそらく九月中旬か下旬に知ったと思われる――非常に驚いたに違いない。

連合国首脳の選んだ土地が、偶然にもナチスのスパイがかなりの時間と資源を費やして活動の基盤を築いたばかりの国と都市だとしたら、これを利用しない手はない。

結局、長いあいだ忘れられ死んだと思われていたＳＤ工作員、フランツ・マイヤーが、その年の初め、奇跡的にベルリンと再び交信できるようになったのは、まれにみる幸運か、運命のなせる業と映っただろう。しかもマイヤーは、それまで一年半かけてテヘランに親ドイツの地下組織を構築しており、これも夢のような幸運だ。なぜなら、戦争中の最大級のイベント、すなわちヒトラーの強敵が顔をそろえる初の会談が、その都市で開かれる可能性が突如浮上したからだ。

ナチスにとって、これ以上ないタイミングだった。ナチスの国外諜報活動を指揮するヴァルター・シェレンベルクは、ここ数か月で枢軸国の戦局が著しく悪化していることを誰よりもよく知っていた。他の人々とは違い、彼はムッソリーニ救出がいかに華々しくとも、全体的にはほぼ影響がないと考えていた。

ドイツ国内では報じられなかったが、イタリアは連合国の侵攻以後、崩壊寸前になっていたし、強力なドイツ軍が東部戦線で連敗を喫していたため、ヒトラーはなんとしても流れを変える何かが必要だった。

イランは、そして連合国の首脳会談は、ドイツにとってそのチャンスになるかもしれない――何か並外れたことをやるチャンスだ。

もしそうなれば、それはテヘランにいる思いがけないヒーロー、フランツ・マイヤーの貢献にかかっている。

しかし、フランツ・マイヤーについては、シェレンベルクも知らないことがあった。マイヤーを取り囲む状況はすでに劇的に変化していたのだ。

ＳＤの最新のイラン作戦にとって、何もかもがひっくり返る変化だった。

42

一か月前……一九四三年八月一五日、イラン、テヘラン

ドクター・キッツィは歯科医師である。そんなことよりも、ナチスのスパイ、フランツ・マイヤーの恋人リリ・サンジャリの親戚であるという点が重要だ。

このふたつめの点に、ＤＳＯ――テヘランで活動するイギリスの諜報機関――のエージェントたちが注目した。彼らこそ、キッツィ医師や、現地のナチス協力者であるイラン軍上級曹長を捕らえた一団だ。ＤＳＯに尋問されたふたりは親ドイツの地下活動家であることを認め、フランツ作戦のドイツ人工作員と関わりがあることを白状した。

もう何か月も、ＤＳＯはリリ・サンジャリの監視を続け、彼女がマイヤーに隠れて関係を持っていた、若い米兵ロバート・メリックから定期的に報告を受けていた。

ＤＳＯは、リリ・サンジャリを拘引するとか逮捕する気はなかった。彼女を捕まえても何の役にも立たない。彼らの狙いはフランツ・マイヤーである。実際、イギリス情報部の報告によれば、ＤＳＯは「フランツ・マイヤーを捕らえるための囮として彼女を泳がせていた」[1]

今やＤＳＯは、そのリリ・サンジャリの伯父、キッツィ医師の身柄を拘束した。そして、運良くそれがマイヤーの組織に深く関わる人物だった。尋問されたキッツィは「マイヤーとドイツ人無線通信士との連絡役」[2]をたびたび務めたと認める。つまり、マイヤーとフランツ作戦のメンバーのあいだの連絡役だ。

キッツィが話せば話すほど、マイヤーを追い詰める環が縮まっていくようだった。しまいには、マイヤーのところまでイギリス人たちを案内すると言い出した。実際、マイヤーはまもなくキッツィの家に滞在することになっていた。

イギリス人にとって、絶好のタイミングだ。

八月一五日、午前一時一五分、ＤＳＯの諜報員数名がキッツィの家に押し入った。夜半過ぎということもあり、家の一階は真っ暗だった。静かに進んでいくと、二階に通じる階段があった。

「ＤＳＯが階段をのぼりきったところの部屋に入ると、暗闇のなか、男がひとりいるのが見えた」と同局の報告書にある。「声をかけると、男は抵抗する素振りも見せなかった」[3]

イギリス人諜報員のひとりが明かりをつける。彼らの前にいる男は、この二年追っていた人物の似顔絵に似ていた。「フランツ・マイヤーだな？」[4]と諜報員のリーダーが訊ねる。

「ああ」。銃を突きつけられた男が答える。

ついにここに姿を現した。テヘランで長く活動してきたナチ。

諜報員たちはフランツ・マイヤーを壁に向かせて押さえつける。ところが身体を拘束する前に、マイヤーは床にくずおれた。

フランツ・マイヤー、ナチスのスパイにして地下抵抗運動メリユンの首謀者が気を失ったのだ。

まもなく彼は意識を取り戻した。イギリス人たちはただちに彼を連れてＤＳＯ本部に戻った。彼は自分を売ったと思しき現地のイラン人を罵る以外、気力を使い果たしていた。長いあいだ困難な潜伏生活を過ごし、フランツ作戦でテヘランにやってきたドイツ人工作員を守るという重荷も背負わされ、彼はもう疲れ切っていた。

数日のうちに、彼は協力に合意する。彼は尋問を受ける。もう抵抗はやめた。これから数週間、数か月続く、長く過酷なときを迎えるとわかっているが、どうすることもできない。彼の身の安全は敵に握られている。間違いなく、ハッピーエンドになる可能性は低い。

この忠実なナチは何か月も二重生活を送ってきた。工作員の地下組織をまとめ、イランの親ドイツ運動の事実上のリーダーの役割を担ってきた。

今、フランツ・マイヤーは拘留され、質問には何でも答える気になっていた。

43

六週間後……一九四三年一〇月一日、ワシントンＤＣ

ここ数か月、三人の連合国首脳のあいだでは、通信が雨あられと飛び交っていた。

今やスターリンが年内の三巨頭会談に合意し、しかもテヘラン開催を望むという予想外の提案もあり、通信の雨あられは吹雪に変わった。

首脳会談そのものに加え、関連する重要なイベントがある。スターリンは首脳会談に先立って閣僚級の協議を行うべきと主張した。そうすれば三国の軍事参謀や外交官が事前に複雑な問題を処理し、首脳たちは大局に集中できる。閣僚級会談は、万が一、首脳会談が流れた場合の保険も兼ねている。

何度かやり取りしたあと、閣僚級会談は、一〇月一八日にモスクワで開かれることになった。アメリカ国務長官コーデル・ハル、イギリス外相アントニー・イーデン、ソ連外相ヴャチェスラフ・モロトフが出席する。それぞれの国の軍事参謀長も出席する。

同時にローズヴェルトは中国の指導者、蔣介石と会談するという別の重要な目標もこの長旅に入れるつもりでいた。日本の侵略と帝国主義に直面したどの国よりも悲惨な状況に追い込まれている中国は、最初からアメリカの同盟国でもあり、ローズヴェルトは太平洋戦争の次の段階に向けて、中国へさらなる物資援助と軍事支援をすべきと考えていた。

ただ、蔣介石と会うことは地政学的に複雑だった。枢軸に対してアメリカがイギリスとソ連と同盟を組んだ当初、スターリンは日本との和平協定締結に踏み切った。日本帝国主義のアジア権益は今のところソ連に影響はなく――日本はソ連と衝突する気はない――そしてスターリンにとっても日本と戦うことに何のメリットもなかった。そのうえ、ソ連は侵攻してくるドイツ軍から祖国を守るための大戦争に、できる限り多くの兵力と物資を投入する必要がある。結果として、日ソ両国はより大きな戦争では敵対しても、互いを攻撃しない条約を結んだ[1]。

つまり、スターリンは蔣介石が出席するいかなるイベントにも出席できない。なぜなら、それは日中戦争でソ連が中国に味方することを意味し、日本との約束を破ることになるからだ。しかしローズヴェルトは、せっかく地球を半周するほど遠方まで赴くのだから、その機会にぜひ蔣介石に会いたいと思っていた。

解決策として、ローズヴェルトは一一月初旬に、エジプトのカイロで蔣介石との会談を設定した。これはモスクワ会談終了後だが、予定されている三巨頭会談の前になる。チャーチルもカイロ会談の一部に参加することになった。中央に位置するカイロから、ローズヴェルトとチャーチルはスターリンに会いに行くか、あるいはカイロまで来るようスターリンを説得する。

これ以外にも、ローズヴェルトには乗り越えなければならない問題がもうひとつあった。提案されたテヘランの位置だ。

一一月には連邦議会が開会中で、合衆国憲法では議会を通過した法案は、一〇日以内に大統領が処理して戻す決まりになっていた。もしローズヴェルトが海外にいるときに法案が通過したら、文書は彼のもとへ空輸され、署名するか、拒否するかして、それから期限内に戻さなければならない。大統領の日程を調整する人々は、もし天候不順によりテヘランから山脈を越える貨物便が遅れたら、一〇日以内という期限に間に合わなくなると心配した。

チャーチルは以前テヘラン案を受け入れていたが、ローズヴェルトのために別の場所にするようスターリンを説得してみると言った。

こうしてローズヴェルトとチャーチルは別の候補地を挙げていった。蔣介石がいるという理由でスターリンがカイロに来たくないなら、代わりに旧イタリア領エリトリアの首都アスマラはどうかとローズヴェルトは提案した。「すばらしい建物と飛行場があります」と彼は勧めた。あるいはイラクのバグダードでやってもいいと提案する。「それぞれロシア、イギリス、アメリカの警備兵を適宜配置した快適なキャンプを用意させることもできます[2]」。もしこの二つの都市がスターリンにとって不便なら、三人はそれぞれ船で地中海に集まってもいい。

チャーチルは、イラク東部の砂漠の真ん中で開こうとまで言い出した。そこで「三つの野営宿舎を設置すればいい。完全に人里離れているので安全も確保されるし、快適に過ごせる[3]」。チャーチルはその光景を思い描いて高揚したのか、砂漠に三つの幕屋を建てるという新約聖書の文言をローズヴェルトに送るほどだった。

　スターリンの返事はいつもの通り、「ノー」だった。

「残念ながら、テヘランの代替としてご提案いただいた場所は、どれも承諾できません[4]」と書いていた。彼は対案も出さなかった。テヘラン以外にないというわけだ。

　ローズヴェルトはそれでも食い下がった。スターリンへの長文の返信でさらに別の場所を提案した──トルコのアンカラ、イラクのバスラ。ローズヴェルトは苛立ちを露わにした。「ロシア領からテヘランまでは九六五キロですが、私にとっては九六五〇キロの移動になるのですよ」。彼はスターリンにプレッシャーをかける。「二人の会談は、現在の我々の国民だけでなく、平和な世界に生きる将来の諸国民のためにも極めて重要なものになると考えております[5]」

　スターリンは譲らなかった。テヘランで開くか、会談をやめるかのどちらかだ。

　一一月が間近に迫るとチャーチルが苛立ってきた。「アンクル・ジョーの返答をまだかまだかと待っている状態は落ち着かない」と彼はローズヴェルトに書いている。「早急に日程を決めて準備に取りかかる必要があるというのに[6]」

　ローズヴェルトは新たな戦術に移行していた。一〇月一九日から始まるモスクワ会談に出る国務長官コーデル・ハルに、モロトフとスターリンを説得する役目を委ねた。アメリカ側は、スターリンにとって便利だと思われるレバノンの首都ベイルートを提案するつもりだった。

　一〇月二〇日、ハルはモロトフと会って話した。うまくいかなかった。ローズヴェルトへの報告で「彼〔モロトフ〕は、スターリンの意に従って、テヘラン以外は拒否すると言うばかりでした[7]。何か新しい展開でもない限り、スターリンが態度を変えることはないと思われます」

　スターリンはなぜそんなに頑なのか。彼がこれまで何度も繰り返してきたのは、ソ連は一一月後半から対ドイツ攻勢を計画しており、スターリンはその間、軍の指揮官と常時緊密に連絡を取る必要があるからという理由だ。テヘランなら、ソ連は直接モスクワに通じる安全確実な通信線を確保している。それ以外の土地は危険すぎる。

スターリンは正直に事情を説明しているだけともとれるが、ローズヴェルトにしてみれば、スターリンはただ力を誇示したいだけという疑いも拭いきれないのだった。西ヨーロッパの第二戦線開設が大幅に遅れていることを恨んだスターリンは、自分にも決定権はあるのだと示したいのかもしれない。

ハルはローズヴェルトに迫られてスターリンに直接掛け合うため、彼との面談をとりつけた。ローズヴェルトはスターリンに渡す手紙を急いで用意し、ハルに送った。それには彼にとってテヘランでは都合が悪い理由が改めて述べられていた。

しかし、一〇月二六日に行われた面談はやはり、同じ壁に突き当たった。スターリンは通信上の問題で「テヘラン以外の場所」は不可能であると告げた。

スターリンから見て、ローズヴェルトの憲法上の問題は、ソ連が計画している軍事作戦の重要性と比べたら些細なものだった。スターリンはハルに「軍事作戦では一歩間違えば数千人の命が失われるというのに、国の文書の送付が二日遅れることがなぜそれほど重要なのか理解できない」と語った[8]。

スターリンは最後に、もしローズヴェルトがテヘランに来られないというのなら、ソ連はローズヴェルトとチャーチルの選んだ土地のどこへでもハイレベルの代表を送ることはできるが、自身はモスクワにとどまると通告した。あるいは、ソ連軍の攻勢が一段落する春まで三巨頭会談を延期してはどうかと提案した。

これはローズヴェルトにとって問題解決ではなかった。最近の連合国軍の勢いに乗って、主導権を取りたいと考えていた。三巨頭会談を開くなら、翌春ではなく今だ。スターリンが欠席して、ソ連の代表がモロトフか、それより低いレベルの代表になれば、世界への宣伝効果が弱まる。ハルが述べるように「そのような会談に〔スターリン〕元帥が出席することは世界に大きな心理的効果を与え」、彼が来なければ「その重要な要素」が欠けることを意味する。[9]

　こうしてこの問題はまた行き詰まった。スターリンは地球上でとりわけ頑固な男と思われ、ローズヴェルトは議会の問題を解決する別の方法を考えなくてはならない。スターリンに譲歩するのは癪だが、万策が尽きていた。現時点で三巨頭会談より優先すべきことはなく、あらゆる標識がテヘランを指さしている。

　その間、アメリカ、イギリス、中国の当局は、自国の首脳だけでなく参謀、外交団、警備班を含めた一行をカイロに送り出さなければならない。

　この複雑な手配が進むなか、エジプトでの会談が重要性を増した。ひとつには、蔣介石が喜んで会談に臨み、戦争のあらゆる面について話す用意があると公式に発表したからだ。そしてもうひとつは、モスクワ会談のあと、米英の首脳が取り組むべき新たな問題がいくつも浮上したからだ。カイロ会談が終わったらすぐにスターリンと会談したいという彼らの願いはいっそう強くなった。

　この状況の最中の一〇月二九日――ローズヴェルトのエジプト入りまで三週間を切り、歴史的な三巨頭会談まで一か月を切ったとき――チャーチルが大統領に「私信、極秘」と記した電信を送ってきた。

　電信は大文字で一語のみ。セクスタント[10]〔SEXTANT《六分儀》〕。

　チャーチルはカイロ会談についていろいろ考えた末、ついにコードネームを思いついたのだ。

44

一九四三年一一月二日、ワシントンDC

ホワイトハウス・シークレットサービスの主任マイク・ライリーが、大統領から話があると呼び出されるのは、決まって何か悪い知らせがあるときだ。今日も例外ではなかった。

ライリーが席につくと、ローズヴェルトはさっそく切り出した。三週間以内に、カイロに行かなければならない。エジプトの。今年すでに行ったカサブランカへの大移動よりもさらに四八〇〇キロ遠い。彼らはこれまでも現職大統領による旅の最長記録を樹立してきたが、再びそれを更新しようとしている。

ライリーの精神的な疲れは、今年ローズヴェルトが行った二度の大移動――四月の全国行脚、八月のケベック訪問――からまだ完全に回復していないというのに、そこへ非常に大きなストレスのかかる旅が加わるわけだ。

そのうえ、大統領はその旅のあいだに「スターリンと会談したい」とライリーに告げた。しかし、スターリンはカイロには来ないので、ローズヴェルトはどこか、もしかしたらさらに遠くへ行くことになるかもしれない。

ライリーから見て、これは移動と警護の悪夢だった。しかし、彼の仕事は大統領の旅の選択に異議を唱えることではなく、皆の安全を守ることだ。

「コーデル・ハルは今、モスクワにいる」と大統領はライリーに言い、国務長官がモスクワ会談に出席していることを指した。「彼はスターリンと私の会談を設定しようと努めている」

ハルはアフリカを経由して帰国するので、ライリーも今すぐアフリカに行って彼に会い、最新の日程がどうなっているか聞き、それに合わせてすぐに準備に取りかかってもらいたいと大統領は言った。「彼がどこまで準備できたか知らないが、すべてまかせる」

ライリーの今後六週間に予定していた私的な行事はすべてキャンセルすることになった。

しかし大統領の要請とはいえ、ライリーはただ北アフリカ行きの次の便に乗るわけにはいかない。大統領の安全を担う責任者として、先に大統領のカイロまでの旅程計画について助言する仕事がある。そこには当然、訪問や宿泊が含まれる。いくつかの主なことが決まってはじめて、彼はハルと合流するために北アフリカ行きの便に乗れる。

奇しくもライリーと彼の部下は、その年のカサブランカへの旅で多くのことを学んでいた。大統領の外国への空の旅に伴う危険もそのひとつだ。「ボスは普通のステップを使えないので、飛行機がどこに着陸しようがスロープを用意する必要があった」とのちにライリーは語っている。「それに、そこでは敵のスパイや飛行場を空撮するドイツの偵察機に姿をさらすことになる」

そのため、大統領のフライトの回数を最少限にしたい。

アフリカに着いたら飛行機での移動は避けられないが、移動の最初の行程は別の手が使える。飛行機ではなく船に乗ればいい。

ライリーは軍関係者の協力を得て、最高司令官の太西洋横断に戦艦アイオワを確保した。ドイツのUボートが海上輸送路を巡回しているため船旅にもそれなりの危険が伴うが、護衛艦隊を引き連れた強力な戦艦アイオワがナチスの潜水艦を寄せ付けないだろうから、ライリーたちはその点、あまり心配していない。

戦艦がアルジェリアのオラン港に着いたら、ローズヴェルトは空路チュニスに向かい、そこで飛行機を乗り換えてカイロに向かう。

これらの最初の旅程が決まると、ライリーは鞄に荷物を詰めた。モロッコでハルと会う段取りを急遽国務省ととりまとめ、すぐに使える軍用機とパイロットを確保して出発した。

彼の旅はワシントンDCから始まり、それからニューヨーク・シティ、キューバ、トリニダード、ブラジルのベレン、フランス領西アフリカのダカールを経てモロッコに着いた。

旅の終わり、ライリーはマラケシュ空港にいた。そこにセダンが彼を待っていた。ライリーが車に乗り込むと、なかに国務長官コーデル・ハルがいて、彼とふたりだけになった。

ライリーは、大統領がカイロ会談後、どこに行けばスターリンと会えるか、ハルに聞いてくれと言われたことを早速話した。

「まあ、それならテヘランだね」と国務長官は言った。この時点でもまだスターリンは譲らず、ローズヴェルトはついに同意せざるを得なかった。ライリーはハルと大統領を除いて、この決定を知った最初の人間のひとりだった。

「しっかりやってくれ」ハルは彼と握手して言った。「きみと会ったことは私から大統領に報告しておく」[1]

ライリーのマラケシュでの仕事は終わった。しかし北アフリカでの仕事は始まったばかりだ。戦時中の合衆国大統領に相応しい移動と宿泊の両方の安全を確保するため、これから彼は大統領が計画した旅程のあらゆる面を自分の目で確かめる。

この準備のため彼はオラン、チュニス、そしてカイロに足を運び、大統領の到着に備える。

今、ここにテヘランが加わった。

45

一九四三年一一月三日、ポーランド、ルブリン

その日は音楽で始まった。

前日、ポーランドのルブリンにあるマイダネク強制収容所の正面入り口とその反対側に、拡声器を搭載した車両が一台ずつ停められた。

今日、まだ夜が明ける前に、その拡声器からドイツの伝統歌謡が大音量で流される。

音楽の合間をぬって、親衛隊（ＳＳ）の看守が収容所宿舎のあいだを行進する軍靴の音が聞こえる。前夜、追加で五〇〇〇名の隊員が送り込まれ、午前五時の今、彼らは囚人を追い立てながら宿舎から宿舎へと進んでいく。

看守たちは指示されたとおり、機械的にユダヤ人をそれ以外の囚人と選り分け、自分たちの後ろに並ばせる。

看守は囚人の列を順に敷地の外へ誘導する。成人男女、青少年、幼児、老人と、性別年齢を問わず集められた囚人の多くは病気にかかり、衰弱している。あたりはまだ暗かったが、彼らはどこへ向かっているか気づく。収容所に鳴りわたる音楽をかき消さんばかりの恐怖の悲鳴があがる。

ここ数日、囚人の一部は収容所周辺にジグザグ状の深くて大きな溝を何本も掘る作業をさせられていた。溝は対空兵器を収納するためだと説明された。囚人たちは何か別の恐ろしい目的があるのではと感じていたが、今その予感が的中したことを知る。

溝の側まで来た囚人たちは一〇人から一五人のグループに分けられる。逃げようとしたり、抵抗したりすれば殴られて列に引き戻されるか、射殺される。

武装した看守が囚人たちに服を脱いで裸になれと命じる。それからひとりずつ溝のなかへ突き落とす。全員、うつ伏せになれと命じる。ほかの囚人たちがそれを見て泣き叫ぶなか、溝に沿って並んだSS隊員たちが、武器を構えてひとりずつ囚人の首のうしろを撃っていく。

大音量の音楽も銃声と悲鳴をかき消すことはできない。一列また一列と、これが終日繰り返され、あたりの溝は死体でいっぱいになる。

この大量殺戮が今日行われたのは、ドイツの伝統的な祝日「収穫祭《エルンテフエスト》」にあたるからだ。同様の殺戮が、同じくルブリン地区にあるトラヴニキやポニアトワといった近くの収容所でも同時に行われた。この計画的な一斉大量殺戮は、祝日にちなんで「収穫祭作戦」[1]と名付けられた。

その日のうちに、三か所の収容所で推定四万二〇〇〇人のユダヤ人が銃殺された。およそ一万八〇〇〇人がここマイダネクで殺され、ユダヤ人の囚人が掘らされた溝はみるみる埋まっていった。

いっぽうドイツでは、帝国の指導者たちが国民に向かって大いに食べて飲んで踊って愛国的行事として祝日を祝うよう奨励していた。

しかし、この日の言語を絶する殺戮には別の理由もあった。

ここ数か月、収容所や占領下ポーランドのユダヤ人強制居住区域で生き残ったユダヤ人の一部が何度も暴動を企てたため、ナチス幹部は警戒感を強めていた。これらの企ては成功せず、ほとんどは関わった囚人が処刑されただけで終わった。しかし、ドイツ人の看守数名が負傷し、少数のユダヤ人が逃げ延びたケースもあった。

これらの暴動に直面したSS全国指導者ハインリヒ・ヒムラーは迅速で厳しい対処が必要だと考えた。彼はマイダネク、トラヴニキ、ポニアトワの三つの収容所で祝日に一斉に殺戮を行う計画をSS

収容所長に命じた。

収穫祭作戦は結果的に、戦争中、一日に行われた民間人虐殺のなかでも最大規模となった。しかし、犠牲者の総数が突出しているとはいえ、これは特に珍しいことではない。死の収容所では飢えや銃弾、ガス室など方法は違っても、連日、大量殺戮が行われていたのである。今日、空っぽになったマイダネクの宿舎はすぐにまた新しい囚人で埋まるだろう。そして、収穫祭作戦では死を免れた非ユダヤ系囚人――数千名のソ連兵捕虜と様々なポーランド人――もまもなく収容所で抹殺される。

戦争中のナチスの蛮行の軌跡は皮肉に満ちている。ドイツ軍がソ連と西側の連合国軍に対して劣勢になり始めると、SSの指導者たちは「最終的解決」としてのジェノサイドをいっそう強く推し進めた。ナチスは戦場でソ連軍やアメリカ軍に勝てなくとも、無防備なユダヤ人を殺戮して「勝利」を得られることを学んだ。

「ユダヤ人は現在彼らを苦しめている大惨事に見舞われて当然だ」とナチスの宣伝大臣ヨーゼフ・ゲッベルスは前年中に拡大したジェノサイド計画について日記に書いている。「我々はこのプロセスを熟慮の末の冷酷さをもって加速しなければならないし、そうすることでユダヤ人に何千年も虐げられてきた不幸な人類に計り知れない大きな貢献をしているのだ[2]」

ナチスに占領された土地では、囚人を強制労働で死に追いやるとか、銃やガス室で殺害するための収容所が、一九四三年末の時点で数千か所あり、マイダネクはそのひとつだった。およそ二〇か月前、ヴァンゼー会議で初めて「最終的解決」が策定されて以来、SSは大陸全土からユダヤ人を駆り集めて、主に東欧に開設されたこれらの収容所へ輸送する大がかりなシステムを構築してきたが、その明確な目的は虐殺だった。

最初のうち、SS幹部はユダヤ人の子供をどう扱うべきかで議論した。隊員の一部は、特に幼い子を撃ったり、殴り殺したり、餓死させたりすることに強い抵抗を感じた。収穫祭作戦の一か月前、一九四三年一〇月のナチス上層部の会議で、ヒムラーはこうした懸念について述べている。

「我々は問題に直面している――女や子供をどう扱うべきか？　私はここでも完全に明白な答えを見いだすことにした。男を抹殺――殺すか殺させるか――することについて私は正当化の必要はないと考える。さらに、彼らの子供が成長して我々の子や孫に報復する存在となることを許してはならない。この民族を地球上から消し去るために、難しい決断が必要であった[3]」

したがって、子供たちも抹殺を免れなかった。マイダネクやその他の溝には、大人の遺体に交じって子供の遺体もあった。

収穫祭作戦は偶然にも、三週間続いたモスクワ会談の最中に行われた。同月末に予定されている三巨頭会談に先立って開かれたこの会談は、連合国の外交官と軍事指導者が集まって戦略について話し合う場だった。

モスクワ会談の出席者たちは、自分たちが協議しているあいだにも、ポーランドの死の収容所でこれらの異様な殺戮が行われていたことは知らなかったが、当時の共同宣言の草案はナチス政権とその協力者たちによる人道に反する罪に言及している。

「イギリス、アメリカ、ソ連は、ヒトラー勢力が占領し、現在着実に追放されつつある多くの国々で彼らが行った残虐行為、虐殺、冷酷な大量処刑の証拠を多方面から受け取っている」と宣言は始まる。続いて、これらの犯罪行為をどのように処罰するか、その法的枠組みを説明している。「上記の残虐行為、虐殺、処刑を行った、あるいは同意の上で加わったドイツ軍将兵およびナチ党員は、解放された国々の法律に従って裁かれ、処罰を受けるために、その忌まわしい行為を行った国々へ送り返される[4]」

連合国首脳が、枢軸国による戦時中の残虐行為を糾弾する宣言を行ったのはこれが初めてではない。しかし、まもなくローズヴェルト、チャーチル、スターリンが署名するこのモスクワ宣言は、のちに元ナチス幹部を戦争犯罪で告発する際の枠組みとなる。

だが、今のところは紙に書かれたただの言葉だ。紙の上の言葉は地上で現在進行中の惨劇を止めることはできない。連合国の外交官や政治家が会談のテーブルを囲んでいるあいだにも、東欧全域で大量殺戮とジェノサイドが行われ、それに伴って子供たちが殺されていた。

この戦争では、日を追うごとに想像を絶する悲劇がもたらされていた。

したがって、連合国は勝利するだけでは足りない——それを一刻も早く、可能な限り迅速に達成しなければならない。そのために、連合国首脳は自国の資源を結集し、ナチ体制に反撃する作戦を立て、現在唯一の重要な場所、すなわち戦場で敵を倒さなければならないのだ。

46

一九四三年一〇月二〇日、ドイツ、ベルリン

情報はときには処理能力を超えた速さでやってくる。

一九四三年の秋、親衛隊保安部（ＳＤ）の国外諜報局でまさにそれが起こり、例によってヴァルター・シェレンベルクがその渦中にいた。

世界各国の諜報機関と同じく、彼のチームも素朴な問いに集中していた。かねてよりうわさされている三巨頭会談は実現するのか、もしそうだとしたら、いつ、どこで開かれるのか？

SDがテヘランについて何を、いつ知ったのかは定かではないが、おそらく真相に近いシナリオとして、彼らは三巨頭会談が近々テヘランで開かれるらしいという情報を得ていた。いずれにしても、SDはイランでの秘密作戦を継続し、引き続きスコルツェニーをその指揮官に据えておくことにした。

ベルリンのSD上層部に悪い知らせが届いたのは、この全体的にあいまいな時期だ。

九月になる前から、イランにいるフランツ・マイヤーとフランツ作戦のメンバーが、SDの無線通信に返信しなくなった。突然、彼らと連絡が取れなくなった。現地の連絡役も彼らを見つけられなかった。

当然、これは困った事態だが、考えられる理由はいくらでもある。

もしかしたら、天候かその他の要因で、フランツ班に信号が届いていないのかもしれない。無線装置が壊れたか、盗まれたか、没収されたのかもしれない。マイヤーたちは見つかりそうになったため、いったんテヘランを離れることにしたのかもしれない。あるいは無線が傍受されていると不安になったのかもしれない。

一〇月二〇日、SDは真相を知った。フィルーズという名の情報の運び屋が最近イランを出てトルコに入り、現地のドイツの諜報組織に知らせをもたらした。公式報告は次のようになっている。

「フィルーズ、違法入国後、今日こちらに到着。彼によれば、マイヤーは八月一五日午前二時、歯科医キッツィの家で身柄を拘束された[1]」

これではっきりした。テヘランで長く活動してきたSDの工作員、フランツ・マイヤーが逮捕された。マイヤーが逮捕されたということは、おそらく彼の地下組織の存在も発覚し、フランツ作戦の工作員を含め、他のメンバーも逮捕されたに違いない。

しかも、二か月以上前にそうなっていた。SDはすでに八週間もテヘランでの支援を当てにできないことを知らずに作戦計画を練っていたのだ。

最悪だ。

しかし、惨憺たる結末を覚悟していた彼らは知る由もないのだが、まもなく僥倖に恵まれる。誰も予想だにしない幸運がすぐそこまできていた。

47

一九四三年一一月一四日、大西洋

フランクリン・ローズヴェルトは海が好きだ。

子供の頃にヨットの操作を覚え、ボートに乗りながら育ったようなものだ。若きローズヴェルトがウッドロウ・ウィルソン政権下で海軍次官に任命されたのは、ずっと航海が好きだったことも影響している。三九歳のときポリオに罹患して身体が不自由になり、医師たちには快復は見込めないと言われた。運動ができるのは水のなかだけで、膨大な時間を池や湖、海でのリハビリテーションに費やし、そのおかげで徐々に上半身が動かせるようになった。

政界と公職に復帰したあとも、休日や休暇のたびに家族や友人を連れて海へ行き、ヨットやスクーナーに乗せ、釣りやちょっとした船旅に何度も出かけた。

そして今日、バミューダ北東、最寄りの陸地から数百キロ離れた戦艦アイオワの甲板で車椅子に座り、大西洋の大海原を眺めている。

いろいろあったが、ようやくカイロに向かっている。

彼の後ろには例によってシークレットサービス――ライリーの部下のひとり――が控えている。その仕事は大統領の身辺警護だが、車椅子を押す役も兼ねている。そして側にはアメリカ艦隊司令官にして海軍作戦部長を兼任するアーネスト・ジョゼフ・キング海軍大将もいた。キングはほぼ一年前、ローズヴェルトに日本軍のパールハーバー攻撃を最初に知らせた人物のひとりだ。

ローズヴェルトはたびたび船の甲板にいるときによい考えが浮かんだ。そして今、彼には考えるべき問題がいろいろあった。

彼はテヘランの件ではスターリンに負けた――そうとしか言いようがない。この事実を受け入れる必要がある。

スターリンが譲らなかったため、ローズヴェルトのほうが折れるしかなかった。予想される憲法上の問題については、大統領のチームが複雑な仕組みを考え出した。大統領が国を留守にしているあいだに議会が法案を通したら、文書をはるばる東のテヘランに届けるのではなく、北アフリカのチュニスまで飛行機で運ぶ。法案に署名するか、拒否する必要があるなら、ローズヴェルトはテヘランからチュニスに飛行機で行く。そしてテヘランへとんぼ返りする。法案の文書はチュニスから返送すれば、憲法に定められた期限内に確実に届くだろう。

多くの輪をくぐり抜けなければならないが、ローズヴェルトにとって何よりも重要なことは三巨頭会談の開催だ。戦争に勝つという圧倒的な優先順位と、この目的を果たすためにローズヴェルトが三人に課した責務を考えると、これほど重要なことはほかにない。スターリンがテヘランにこだわったのは、彼が述べたとおりの理由からか、力を誇示したいだけだったのか、今となってはどうでもいい。

一一月八日、ローズヴェルトは正式にテヘラン開催を承諾するとスターリンに書き送った。文面に高揚感がにじみ出るように書いた。「全世界が私たち三人の会談に注目しています。あなたとチャーチル氏と私が直接会って話すことは、私たち三国の内部で好意的な意見を引き出すのに大きな効果があるでしょうし、ナチスの士気をさらに挫くのに役立つでしょう」。末尾に「あなたと腰を据えて話し合うのをとても楽しみにしております」と記した。[1]

スターリンの一一月一〇日付けの返信はそっけないものだった。「お返事、ありがとうございます。イランで会談を開催する件、了解しました」。[2] 共通の理念のためという高潔な言葉も表現もなかった。三巨頭のパートナーで大統領が気がかりなのはスターリンだけではない。チャーチルはスターリンとは違って、会談を心から願う大統領とその意欲を共有していた。しかし、こと海峡横断攻撃になると一転して慎重になった。

「今のところ、一九四四年という年は危険が多すぎると感じています」と彼は一〇月二七日にローズヴェルトに宛てて書いている。そして、その同じ電文に「一九四四年の軍事作戦には、私がこれまで関わったどの作戦よりも強い懸念を抱いていることを付け加えておきます」と記している。[3]

彼が何を指しているかは言うまでもない。一九四四年の最重要課題といえば、フランス北部に第二戦線を開くことだ。

さらに不吉なことに、チャーチルは参謀と共に戦略そのものを再検討しているとはっきり述べていた。『クアドラント』――ケベック会談を指す――以後の情勢変化を見て、私どもは一九四四年の現行の作戦計画について充分に協議を行いました。それに関して、イギリスの参謀本部と戦時内閣は非常に憂慮しております」[4]

海峡横断攻撃――英仏海峡の向こう側で待ち構えているナチスの大軍団に対して米英の部隊を送り込むこと――を想像するだけでチャーチルは恐怖に身が震えた。ここ数か月、連合国は勝利を重ねていたが、フランス北部の上陸侵攻には途方もない危険が伴うことをチャーチルは知っていた。自分の方針如何によって大惨事になる可能性がある。しかも、イギリス本土からわずか数十キロしか離れていないところで。

このとき、連合国のイタリア本土侵攻は順調に進んでいたため、気をよくしたチャーチルはリスクの少ない地中海戦線に再び闘志を燃やしていた。戦闘が長引き、苦戦したとはいえ最終的にイタリア戦線で勝利すると、チャーチルはイタリアにいる兵力を東へ移動させて、枢軸が支配するバルカン半島に侵攻する計画を閣僚たちと協議し始めた。

これらの計画は一九四四年の春に予定され、したがってオーヴァーロード作戦と重なる。バルカンは新たな「柔らかい下腹」だった。

アメリカ軍の上層部のあいだには、チャーチルらイギリス人が再びオーヴァーロード作戦を延期するか、重要度を下げるか、さもなければ中止に追い込むのではないかとの懸念が広がった。「真夏まで延期すれば深刻な事態になり、それはなんとしても避けなければならない」と陸軍長官ヘンリー・スティムソンは、ローズヴェルトの側近ハリー・ホプキンズが大統領と共に戦艦アイオワに乗船するためにワシントンDCを発つ直前、ホプキンズに宛てて書いている。「戦争終結までのさらなる困難と遅延に加え、この延期によって数千名の命が失われるだろう」

スティムソンはホプキンズに訴えることで、大統領に率直な意見を伝えようとしていた。「最高司令官の任務は現状をしっかり把握し、合意された道を突き進むことである。計画からの逸脱を容認してはならない」。スティムソンは明らかにイギリスの優柔不断を指し、続けた。「だから私は最高司令官が断固として信念を貫くことを願う――非常に難しい美徳ではあるが、この特殊な問題においては、他のどんな美徳よりも求められている」[5]

カイロへ、その先のテヘランへと向かう旅の途上、太西洋を眺めながら、ローズヴェルトには熟考することがたくさんあった。なによりも、戦争に勝ち、世界に平和を取り戻すために共に戦っているのだとスターリンに納得させる必要があり、同時にスターリンと共にチャーチルに最大のプレッシャーをかけ、オーヴァーロード作戦に本気で取り組むよう働きかける必要がある。
明るい午後の日差しが降り注ぐなか、ローズヴェルトの考え事は中断される。
キング海軍大将は特別に配慮して、ローズヴェルトの車椅子を海と空が見渡せる位置に案内していた。乗組員たちは大統領にアイオワの凄まじい防衛火力を披露する演習を計画し、それがこれから始まるところだ。

演習のために、アイオワは標的代わりの気象観測用バルーンをいくつも宙に打ち上げる。たちまち戦艦の対空砲が火を噴き、大統領と海軍大将、ほか数十名が甲板から見守るなか、およそ一〇〇基の砲がバルーンを次々と撃ち落としていく。射程から外れた数個のバルーンは、近くにいた護衛の駆逐艦によって撃ち落とされる。

総じて見事な演習であり、見物人はアメリカ海軍が誇る最強の戦艦の威力を目の当たりにして畏怖の念を抱く。この演習にリスクはない――ただし、付近でドイツのUボートに見られていなければ。

その瞬間、艦橋に無線が鳴り響く。「魚雷がそちらに向かっています！」

きっと演習の一部だろう――しかし戦艦の上級将校はすっかり慌てている。

「これは演習ではない！」拡声器が怒鳴る。「右舷正横に魚雷！」[6]

警報が鳴り、戦闘配置につくために駆け回る乗組員の足音がそこらじゅうに響く。

間違いなく、これは演習ではない。

本物の魚雷が戦艦アイオワに向かって発射された。

しかも、車椅子の合衆国大統領は動くことも逃げることもできず、まだ右舷側の艦橋にいる。

48

一九四三年一一月初旬、ドイツ、ベルリン

最初は、その幸運が信じられなかった。

マイヤー逮捕を知ってからわずか数日後の一〇月下旬、シェレンベルクは外相ヨアヒム・フォン・リッベントロップのオフィスから緊急の連絡を受けた。最近、驚くべき文書を入手したので、それを調べて欲しいという依頼だった。

正確に言うと、それは文書を一ページずつ撮影した写真の束で、元はトルコから送られてきていた。写真を届けたエージェントによると、これらは駐トルコ・イギリス大使、サー・ヒュー・ナッチブル・ヒューゲセンの保管する機密文書の写しだ。

トルコは中立国である。しかし、連合国に加わるよう圧力をかけられていた。枢軸はトルコに対して連合国の圧力に屈するなと迫っていた。

イランに隣接するトルコは、この地域での連合国の会議でよく話題にのぼった。ということは、イギリス大使は今度の三巨頭会談についてもハイレベルな会話に触れる機会があり、機密度の高い外交文書を入手していた可能性が高い。

最初、シェレンベルクは写真を疑いの目で見た。たぶん悪ふざけか、連合国の罠か何かだろう。しかし写真を調べてみて、彼はその内容に驚いた。「アンカラのイギリス大使館とロンドンの外務省のあいだで交わされた極秘文書を手に入れたのだとわかった」と彼はのちに述べている。「大使自身が書いた私的なメモもあった。イギリスとトルコ、イギリスとロシアの関係について記したメモだ」

ドイツにとって、これは諜報の大手柄だった。

そもそも写真がリッベントロップのもとに届いた経緯が普通ではなかった。どうやら、イギリス大使の身の回りの世話をする男性従者[1]──たいてい大使館内の家事使用人の筆頭──が大使の留守中に、これらの文書をひそかに撮影したらしい。

従者は写真がある程度たまると、アンカラにいるドイツ政府の関係者に近づき、大金と引き換えに渡してもいいと取引をもちかけた。従者は現地採用のトルコ人だった。彼に金銭以外の動機はない。

普通ではないことは、それだけではなかった。従者はドイツが金を出すなら、今後も大使の書類の写真を撮ってやってもいいと言う。要するに、彼は当分のあいだ情報を流し続ける気満々だ。

従者は本名を明かすようなへまはしない。最初、ドイツ人は彼を「ピエール」と仮の名で呼んでいたが、すぐにもっとよい仮名を思いついた。古代ローマの哲人にちなんで「キケロ」と呼ぶようになる。なぜなら「彼の文書が非常に雄弁に語っていた」からだ[2]。

情報の受け渡しの経路を整えるまでに数日を要したが、一一月初旬には、シェレンベルクはキケロの写真を定期的に受け取っていた。

こうして特にトルコ、イラン、ロシアを含むペルシア湾地域に関連する、連合国側の極秘の情報がほぼ数日で手に入ることになった。

「キケロ事件」と呼ばれるこの件は、のちに戦争中の最も劇的なスパイ事件となる。しかし、現時点で──一九四三年一一月上旬──これは特定の意味があった。トルコはこれから開かれるカイロ会談と三巨頭会談でとりわけ重要な議題となるため、シェレンベルクはほぼリアルタイムで、前例のない方法で会談の準備段階から情報を得られることになった。

最初に彼は、スターリンが三巨頭会談をテヘランで開くよう勧めていたことを知る。そしてローズヴェルトがそれに反対したことも知る。少しずつ、一通ずつ読むうちに彼は最前列の席にいた。かつては傍受した通信をつなぎ合わせても、何を示しているかよくわからなかったが、今や直接的で明瞭な情報が手に入る。

もう何か月も、イランで様々な秘密の作戦が進んでいた。現在これらの作戦はまったく新しい重要性を帯びている。もちろん、フランツ・マイヤーの逮捕は一歩後退だった。しかし、作戦は前に進めなければならない。

幸運の女神は今、SDに微笑みかける。そして、シェレンベルクはこれを逃してはならないことを知っている。

SD幹部が次の一手を考えているとき、キケロの文書はナチス上層部に興奮を巻き起こしていた。では、このすばらしい情報をどう使えばいいのだろう?

答えはすぐに出る。一一月初旬、アドルフ・ヒトラーは内密の会合のためにシェレンベルクを「狼の巣」へ呼び出す。さらにナチスのスターにして特殊部隊の創設者、あのオットー・スコルツェニー少佐も呼ばれる。

会合のテーマ?

テヘランでの三巨頭会談である。

49

一九四三年一一月一四日、大西洋

実魚雷がこちらに向かってくる。

とっさに思い浮かぶ疑問は、いったいどこから発射されたのか。ナチスのUボートか、近くにほかの敵艦がいたのか？

そのほうがまだましだったかもしれない。真相は誤射だった。

護衛艦艇の一隻、駆逐艦ウィリアム・D・ポーターは演習に参加していた。予定では、ポーターはアイオワに向かって無害の空魚雷を数発発射し、アイオワがそれを探知、迎撃する様を披露することになっていた。

ところが、駆逐艦ポーターの魚雷担当下士官が発射管のひとつから誤って実魚雷を発射してしまった。ミスに気づいたときには、魚雷はローズヴェルト大統領の乗ったアイオワに向かって時速八〇キロで進んでいた。

当然、ポーターの艦長はぞっとした――そして、ただちにアイオワに警告しなければと思った。

ただ、それが簡単ではなかった。艦隊は全艦、無線禁止の厳命を受けていた。敵に傍受されて存在を知られるのを避けるためだ。

そこでポーターはアイオワに発光信号で知らせようとしたが、うまくいかなかった。

ポーターの艦長は命令に背いて無線信号を送るか、それとも合衆国艦隊司令官、国務長官、合衆国大統領を乗せた戦艦アイオワに向かってまっすぐ実魚雷が進むのに任せるか、決断を迫られた。選択の余地はない。

艦長は禁を破って無線信号を送る。

戦艦アイオワでは、ジョン・マクレア艦長が大がかりな回避行動をとった――方向転換。

乗員たちが懸命に操作し、巨大な艦船は船首を右舷に向ける。

戦艦は横幅よりも縦に長く、接近してくる魚雷の方向へ旋回することではるかに狭い標的になる。

幸いにも警告の信号は早く届いた。そのおかげでアイオワは素早く旋回操作に取りかかることができた。

戦艦が向きを変えると、大波が広がった。波は右舷方向から向かってくる魚雷とぶつかり、九〇メートルほど離れたところで爆発した。アイオワの艦上では、その水中爆発の衝撃は船に爆雷が命中したかのように感じられた。

ローズヴェルトはどうしていたかといえば、艦橋にいた他の見物人と同じく、最初は何の騒ぎかわからなかった。しかし、何が起こったかを知ると――そして彼も彼のスタッフも安全だとわかると――爆発の様子を見たいので、車椅子を艦橋の際まで押してくれと頼んだ。

彼に付き添っていたシークレットサービスは言われたとおりにした。こういうとき、どう対処すればよいのかわからなかったため、魚雷が近づきすぎたら撃つつもりで拳銃を取り出した。

アメリカの駆逐艦が大統領を乗せた戦艦に実魚雷を発射するというこの顚末は、アメリカ海軍の歴史で最も恥ずべき過ちとして語り継がれることになる。海軍はこの事件のあとすぐ、ポーターに乗っていた士官と乗員の全員の逮捕を命じ、徹底調査のために同艦をバミューダへ送るよう指示した。[1]

アイオワ艦上で騒ぎが落ち着くと、大統領顧問のハリー・ホプキンズが場の雰囲気を和ませるため、駆逐艦からミサイルを撃った人物は「きっと共和党支持者に違いない！」とふざけた。[2]

ローズヴェルトもこれをおおごとにしなかった。悲観的になるのは彼の性に合わない。

しかし、大統領の身の安全を担う者にとっては、戦時中に最高司令官と旅することの危険性を改めて思い知らされる事件になった。強大なアメリカ艦隊に囲まれたこの安全な海域でも大統領の命は危険にさらされている。

あと数日で、その危険はいっそう高まる。なにしろ、敵のスパイに囲まれた馴染みのない街に入るのだから。

50

一九四三年、晩秋

ドイツは幸運に恵まれた。トルコのアンカラに駐在するイギリス大使の従者の裏切り行為により、思わぬ貴重な情報を入手でき、連合国の会談予定について知ることができた。

しかし、情報収集に関しては、幸運は双方に訪れることもある。

まもなくソ連も諜報の幸運に恵まれる。

ポーランド国境に近いウクライナ西部は、戦争とナチスの占領により、完全に荒廃していた。現在、民間人に対する恐るべき残虐行為の拠点のひとつとなり、そこには様々なドイツ兵、軍関係者、ＳＳ隊員が入り乱れていた。

ナチスの下っ端のなかに、パウル・ジーベルトという名の、角張った顎の若い中尉がいた。ハンサムで外向的な性格のジーベルトは人気者で、尊敬されていた。

ところが、同僚は誰も知らないのだが、彼の本名はパウル・ジーベルトではなかった。実の名をニコライ・クズネツォフ[1]といい、ドイツ人らしい名前ではないのは、彼がドイツ人ではないからだ。

クズネツォフはソ連の内務人民委員部（ＮＫＶＤ）所属のスパイだった。毎日、彼はこの地域のナチスの活動に関する情報を命がけで集め、それをモスクワの上司に送っていた。彼はすでにソ連の優秀なスパイだった。北欧人のような顔立ちで、訛りのないドイツ語を話すため、彼をスパイと見破るのは難しかった。また彼は非常に勇敢でもあった。偽名を複数使い分け、ウクライナの都市、リビウやリヴネでナチス高官に対する複数の暗殺計画に関わってきた。ある証言によると、そのうち数件は、彼自身が引き金を引いたという。

しかし、今夜の目的は殺しではない。

晩秋のこの寒い夜――正確な日付は不明だが、おそらく一一月初旬――クズネツォフ、またの名、パウル・ジーベルト中尉は、ハンス・ウルリヒ・フォン・オルテル[2]という名のドイツの特殊部隊の将校と酒を飲んでいる。クズネツォフはこれまでもドイツ人の将校や兵卒と親しくなったように、最近フォン・オルテルとも親しくなった。ふたりはくつろいで雑談をしていた。

クズネツォフはフォン・オルテルが飲めば飲むほど饒舌になることに気づいた。スパイにとって、今夜はよい晩になりそうだった。

実際、クズネツォフがコニャックを注ぐと、フォン・オルテルは自慢話を始めた。彼は特殊作戦に関わるチームに入っていると言う。カルパチア山脈でそのための訓練を行ってきた。なによりすばらしいのは、訓練を指導した人が只者ではない。ムッソリーニ救出を指揮した特殊部隊の創設者、かの有名なオットー・スコルツェニーである。

このときクズネツォフは俄然興味を覚えた。

フォン・オルテルは特殊作戦についてそれ以上何も話さなかった――が、クズネツォフはいい話を思い出した。フォン・オルテルは以前、金に困っていると言っていた。このへんから攻めてみよう。クズネツォフはこの酒飲みの相手に、資金を動かせる人に伝手があり、愛国的なドイツ人が彼に金を貸してくれると思うと話した。

この思わせぶりから信頼関係ができた――それより重要なのは、フォン・オルテルが口を滑らせたことだ。

金はちゃんと返す、「ペルシア絨毯で」とフォン・オルテルは言った。[3]

何気なく放ったひとこと――ペルシア絨毯――がこの作戦の目的地を示す大きなヒントになった。イランか。

活動区域がウクライナに限られるクズネツォフは中東の事情に疎く、イランで三巨頭会談が計画されていたことは知らなかったかもしれない。彼はこのコメントを記録しただけだった。

フォン・オルテルのグラスに酒を注ぎながら、彼はその晩、さらに情報を引き出そうとしたが、フォン・オルテルは極秘任務についてそれ以上何も明かさなかった。

いつものように、クズネツォフはこの晩の会合の内容が「ただちにモスクワに伝わる」[4]よう手配した。

現場のスパイにはフォン・オルテルがうっかり漏らした情報の価値がわからなかったが、本部にいるNKVDの専門家は大いに関心をもった。

これはすばらしい発見だ。ナチス特殊部隊の作戦。イランで。指揮官はオットー・スコルツェニー。そして、そこで三巨頭会談が開かれる三週間前にその訓練が行われている。

偶然だろうか？

それはあり得ない。

ソ連も仕事にかかるときだ。

51

一九四三年一一月二三日、エジプト、カイロ

マイク・ライリーはまた飛行機に乗っている。

この二週間、数え切れないくらい何度も乗ってきた。飛行機だけではない。船、列車、トラック、ジープ。コーデル・ハルに会うために北アフリカに飛び、マラケシュ空港で待っていたセダンのなかでハルと会ってから、ずっと慌ただしい日々が続いている。

マラケシュからアルジェリアのオランへ、そこからチュニス、カイロ、バスラ、テヘランへ、そしてまたオランに戻ってアルジェへ、そこからまたオランに戻った[1]。

これは大統領到着に先立つ下見であり、事前に警備の手配をするためだ。ローズヴェルトと戦艦アイオワがアルジェリアのオラン港に入ったら、ライリーは大統領一行に合流し、大統領と一緒にオランからエス・セニアへ飛び、そこからチュニスへ、最終的にカイロに飛ぶ。

カイロに着いたら、大統領はチャーチル首相、蔣介石将軍、蔣介石夫人と会う。夫人は夫の通訳兼相談役として、たびたび重要な国際会議に同席する。

これはカイロ会談——もしくは、チャーチルが言う「セクスタント会談」の始まりである。

ライリーにとって、カイロ会談のための警備計画は猛烈に忙しかった。下見の旅で、「不穏な空気が渦巻いている」ことを実感し、イギリスやフランスの大使館前では激しい抗議デモが起こっていた。ライリーの情報源によると、カイロは「枢軸のスパイもそこらじゅうにいる」ということだった。会談を無事に開催するために、あらゆる対策をとる必要があった。

　現地を下見したライリーは、会談が開かれる予定のメナ区域を封鎖するため、有刺鉄線のバリケードを置くよう指示した。ローズヴェルトとアメリカの随行員の多くが滞在する公使館のまわりには急遽、米英の兵士が配置された。公使館の現地採用の使用人は全員、この期間に限ってアメリカ人に入れ替えさせた。そうでなければ、敵のスパイや密告屋が昼食時にグラスに水を注ぐ係としてもぐり込む恐れがある。

　アメリカ軍も協力した。「対空砲台と偵察機により防空システムは強化された」とライリーはのちに述べている。偵察機が撮った近くのクレタ島の写真にドイツ空軍機が写っていたため、アメリカ軍機は「大統領がカイロに到着する前と滞在中[2]」、クレタ島に激しい爆撃を行った。

　これらの対策を講じたのち、行事は始まった。当然、武器を携帯したライリーのチームが大統領とアメリカ代表団を守るために常時待機し、同じく自国の代表を守る役目を負っているイギリスや中国のチームと連携する。

　自分のチームが任務につき、現場の安全が確保されると、ライリーは次の飛行機に乗るために空港へ向かった。今度はテヘラン行きだ。万事予定通りに進めば、大統領はカイロ会談が終わりしだい現地を発ち、四日以内にテヘランにやってくる。

　ライリーは先に現地入りして準備をしなければならない。

　テヘランへ行くのは初めてではない。ライリーは一週間前にも立ち寄っていた。とはいえ、空港と市内までの経路を確認しただけの短い滞在だった。そのときは、なるべくひそかに下見したかったので、イギリスやソ連の警備担当にも知らせなかった。

今回は空港や市の中心部以外の場所も見ておきたいし、大統領が宿泊する施設や会談の会場も調べておきたい。また、三巨頭会談を目前にして、それぞれ警備を整えているソ連やイギリスのご同業ともしっかり連携するつもりだ。

午前一一時三〇分、ライリーの乗った飛行機が離陸する。ほぼ二五〇〇キロの旅のあと、その日の午後遅く、テヘラン郊外のガーレ・モルギ空港に到着。この空港はこの地域の戦時下の複雑な現実を表していた。アメリカ軍機に乗るソ連軍が使用しているイランの空港。

ライリーは、空港で彼が「私の同類」[3]と呼ぶソ連の警備担当者にして諜報機関ＮＫＶＤの幹部将校、ドミトリ・アルカディエフ将軍と会う。ライリーとアルカディエフは会談期間中、連合国首脳の警備を分担する。

ライリーの最優先事項は、市の南側郊外にあるアメリカ公使館の下見である。大統領はここに滞在する予定になっている。その最大の特徴は不便な立地だ。チャーチルとスターリンが滞在し、会談のほとんどが開かれるイギリスとソ連の大使館から二キロ半[4]ほど離れ、そこへ行くのに街を縦断しなければならない。

大統領からは、独立性を保つためにアメリカの領土に滞在したいと念を押されていたが、ライリーから見れば、大統領がそのような距離を行ったり来たりするのは好ましくない。

ライリーはまず、アメリカ公使館のセキュリティ・チェックから始める。いつものチェックリストの確認に加え、現地のアメリカ軍司令部に連絡し、憲兵が敷地内と周辺を巡回する厳重警備を依頼する。

次のステップはイギリスとソ連の大使館の下調べである。[5]ぽつんと離れたアメリカ公使館とは違って両方とも街の中心部にあり、隣り合っていて高い塀に囲まれている。ふたつの敷地を隔てるのは狭い道一本のみで、そこを通行止めにすれば簡単に封鎖できる。三首脳会談の場としては、非常に安全で便利だという印象を受ける。

そしてソ連大使館を見てまわっていると、彼の同類で警備担当のドミトリ・アルカディエフ将軍が彼を脇に呼び寄せる。

将軍は険しい顔をしている。ライリーはすぐに察した。何か悪い知らせだ。

52

マイク・ライリーは最悪の知らせがくると覚悟した。勘は当たった。

アルカディエフ将軍によれば、ソ連の治安部隊は「テヘラン近くのソ連領内にドイツ軍がパラシュートで兵を送り込んできた」と断定した。

しかも、その一部は昨日、降下したと思われる。

「これはまずい」とライリーは思った。ドイツのパラシュート兵。テヘラン近くに。市内で連合国首脳の三人が会う直前に。

さらにアルカディエフは、ソ連軍が「まだドイツ兵をひとりも捕まえていない」ため、彼らは「山に隠れている」かもしれないと告げた。

ライリーは事態の悪化を考える。「ドイツ軍が兵士を送り込んだ理由はふたつのうちのどちらかだ」と彼はのちに語っている。その生命線である「バスラとテヘランのあいだの鉄道を破壊する」か、「連合国首脳を暗殺する」かのどちらかだと彼は考える。

もしそれが前者なら——鉄道の破壊——なぜドイツは突然、三巨頭が到着する二、三日前に兵士を送り込んでくるのか？ これは偶然とは言いがたい。

それより現実的なのは——そして恐ろしいのは——ドイツが会談の情報を入手し、連合国首脳に狙いを定めているという可能性だ。

今となっては、最悪の事態を想定すべきである。

警備専門家のふたりはただちに行動した。「我々は公使館周辺の警備区域を広げ、警備兵の人数を倍に増やした」とライリーはのちに語っている。そのときから、「ソ連、イギリス、アメリカの要人警護要員と情報部員がテヘランをしらみつぶしに捜査し、潜入したドイツ人を捜索した」[1]

問題は、ここが人口七五万人の都市で、しかも国際首脳会談の混乱も重なり、どうやって数名の敵のスパイの居所を突き止め、特定するかだった。

パラシュート降下したドイツ兵は、ナチスの制服を着て市門から入ってくるわけではないのだから。彼らは紛れ込む方法を見つけるはずだ。溶け込む方法を。

そして、もしそうなら、彼らはすでにテヘランにいるかもしれない。知らないうちに、すぐそばまで来ているかもしれない。

53

ドイツ、ベルリン

これはまたとない機会だ。

数日とはいえ、連合国の首脳三人が同じ都市、同じ部屋で過ごす——同じテーブルで食事することもあるだろう。記念撮影のためにそろって大衆の前に出てくるかもしれない。ナチスの特殊部隊が三人をいっぺんに片付けるのにこれ以上の好機は二度とないだろう。

唯一の問題は、どうしたら近づけるかだ。イベントの性格からして、三人の首脳がどこに滞在するかは簡単に予測できる。それぞれの国の大使館か公使館だ。これがスタート地点になる。

もちろん、連合国側は敵に知られたと想定して、これらの施設を軍事要塞のように厳重に警備している。それぞれの敷地に正面から攻め入るのは愚かだ。ひそかに侵入する経路を見つけなければならない。

市の簡単な地図を見ると、三国の建物の位置関係がわかる。ソ連とイギリスの大使館は市の中心部にあり、隣り合っているが、アメリカ公使館は郊外にあり、ほかと離れている。

警備のレベルは変わらないかもしれないが、会談が始まれば、アメリカの大統領はほかのふたりに会うために街中《まちなか》を移動するか、ふたりのほうが移動することになる。当然、三人が中間地点で会う可能性もあるが、それでも三人が街中の移動を余儀なくされることに変わりはない。

彼らは敷地内にいる限り安全だ。移動中は無防備になる。

これが第一のチャンスだ。

ナチスの諜報機関が得たこの都市に関する詳細な情報から、第二のチャンスが見つかる。それぞれの国の大使館、公使館は地下道に通じており、一階のドアや玄関以外にも、ここから侵入できる。

地下道はもとは水を引き込むためにつくられたものだ。

テヘランを訪れる者は誰でも知っているが、市が供給する飲料水は外国から来た者には安全ではない。それどころか、現地人にも安全ではない。住民はたいてい市の不完全な下水道網ともつながった水源から水を引いており、その水は人や動物の排泄物に含まれる細菌に汚染されていることで有名だ。これは身体が弱っている西洋人にとっては最悪だ。腸チフス――カール・コレルの命を奪った病気――は、罹患しやすい多くの疫病のひとつである。

連合国軍はテヘランに進駐を開始したとき、この問題に対処した。ビン詰めの飲料水の輸入に頼ったり、駐留する人員の命を危険にさらしたりするのではなく、山から安全な水を引いてソ連、イギリス、アメリカの役人が使う施設へ届けた。

それで地下水道があるわけだ。

水はこれらの地下水道を通って三国の外交官の居住区――ソ連大使館、イギリス大使館、アメリカ公使館――や、現地の米軍司令部の敷地内へ直接流れ込む。

確かに、これら施設のどれかを直接攻撃すれば、失敗に終わる可能性が高い。しかし、地下水道を通っての奇襲はどうだろう？　これはこれで事情が違ってくる。

ドイツの諜報機関がエージェントに地下水道を調べさせたか、その地図もしくは設計図を手に入れていたかどうかは、今もってわからない。だが、ドイツ人が地下水道の存在を知り、人間がそこを通れることを知っていたのは間違いないだろう[1]。

あとは大きな問題だ。ローズヴェルト、チャーチル、スターリンはいつ全員そろうのか？　いつ襲えばいいかがわからなければ、三人いっぺんに片付けることはできない。

厄介なことに、首脳会談の数日前になってもまだ会議の日程が決まっていない。そして最終的に決まったとしても、それは極秘扱いになる。さらに厄介なことに、毎回会合の出席者が異なり、三首脳が顔をそろえるのは数回のみで、ほとんどは外交官と軍参謀だけが出席し、首脳は顔を出さない。

暗殺者が正確な日時を突き止めるのは至難の業だ。しかし、会談の期間中にある特別な日が含まれていることは、情報将校になりたての未熟者でも気づくだろう。

一九四三年一一月三〇日。ウィンストン・チャーチルの誕生日だ。正確に言うと、六九回目の。国際的な首脳会談ではたいてい、長い一日の会議の終わりに首脳や出席者が集まって親交を深めるために、長時間におよぶ豪華な晩餐会が開かれる。こうした晩餐会は毎晩開くものではないが、ウィンストン・チャーチルの誕生日が偶然にも会期中にあるということは?

三人がひとつの部屋に、同時にいる可能性が高い。

もしかしたら、ウィンストン・チャーチルは本物のバースデー・サプライズをもらうことになるかもしれない。

54

一九四三年一一月二七日、イラン、テヘラン

チャーチルは窓外の光景に不安を覚えた。

カイロ会談のあと、イギリス機はアメリカ機より数時間先に出発したため、首相とその随行員の搭乗機が午前一一時にテヘランのガーレ・モルギ空港に着陸したとき、アメリカ機は見当たらなかった。待つ必要はない。首相一行はただちに市内へ向かう。

チャーチルは車の後部座席に落ち着き、イギリス人一行の長い車列はテヘラン中心部に向かって砂漠の道路を走る。

今、この暑いなかを車で進みながらチャーチルは不安になる。イギリス人と現地のスタッフが彼のために整えた警備態勢が気に入らない。

「我々が市内に近づくと、ほぼ五キロにわたって、四五メートル間隔で道路脇にペルシアの騎兵が並んでいた」と彼はのちに到着時のことを記している。「悪意ある輩に、要人が来ることを、どの道を通ってやってくるかを教えてやっているようなものだ」

彼はイランの騎兵についてさらに述べている。「馬に乗った男たちは経路を宣伝しておきながら、警備に関してはまったくなんの役にも立っていない」。そして、要人が通るぞと言わんばかりに「一台の警察車両が一〇〇メートル先を走りながら我々のことを知らせていた」

チャーチルの乗った車が市に近づくと、要人の到着を示す兆候がふんだんにあるが警備は貧弱、と

いうこの哀れなアンバランスが、まもなく予想通りの結果を生む。「おおぜいの群衆がペルシアの騎兵のあいだの隙間を埋め始めた」とチャーチルは記している。「そして、私が見た限り、警官は数人しかいない」

この群衆のなかから首相に襲いかかる者がいたとしても防ぎようがない。

車がゆっくりと街中を進むうちに、状況は悪化する。まもなく群衆は「四重にも五重にも増え、車が交差点で止まると前列の見物人が押されて車から数十センチのところまできた」

首相は呆れてものが言えなかった。「拳銃や爆弾を持った決死の男たちに襲われても、まったく防ぐ手立てがなかった」

このとき、敵対的な人物はいなかった――「私が群衆に笑顔を向けると、だいたいみんな笑みを返してきた」とチャーチルは述べている――が、敵のスパイは簡単に群衆に紛れ込むことができる。

市の中心部にあるイギリス大使館に到着する頃には、チャーチルの神経はすり減っていた。「もし最大のリスクをとり、ひそかに到着する安全性も有能なエスコートもない状況を狙ってそうしていたのだとしたら、まさに最高のできだった」と彼は書いている。[1]

実際、彼がこのような印象を受けたのは警備の欠如に原因がある――しかし、ほかにも頭を悩ませていることがあった。

イギリス人とアメリカ人はなにも好き好んでこの遠方の都市に来たわけではない。異なる文化を持つこの国のことが彼らにはよくわからなかった。加えて、イラン国民が開戦当初はドイツを支持し、その多くは現在の連合国による占領を嫌っていることは周知の事実である。その結果、市内には親ドイツの地下組織があり、継続してナチスのスパイが潜んでいた。

おまけに、現地政府は警備にはほとんど手を貸さず、連合国首脳は自分たちで対処することになった。

ウィンストン・チャーチルは愚か者ではない。テヘランに到着して一時間、彼がなによりも強く感じていたのは、我が身が危険にさらされているということだった。

55

一九四三年一一月二七日、イラン、テヘラン

マイク・ライリーはあれからまた何度か飛行機に乗り、テヘランに戻る。今度は大統領も一緒だ。午後三時、大統領一行を乗せた飛行機がガーレ・モルギ空港に到着する。もしすべてが予定通りに進めば、三巨頭会談は明日の午後、行われる。

何台もの軍事車両に護衛されながら、大統領一行の車列は空港から市の南の郊外にあるアメリカ公使館へ向かう。大統領が部屋に落ち着き、安全が確認されると、ライリーは仕事に取りかかる。明日までにやることがいくらでもある。

これまでのところ、パラシュートで降下したドイツ兵の件は大統領周辺の誰にも話していない。きわめて不確実な情報であるため、あまり騒ぎ立てないほうがいい。それでも、ライリーは市の中心部に戻り、ソ連の諜報機関ＮＫＶＤから何か新たにわかったことがないか確認したかった。

ソ連大使館まで車を飛ばすと、朗報がきていた。ＮＫＶＤのチーフの説明によれば、ソ連の諜報員が「パラシュート兵を何人か逮捕した[1]」

さらに詳しいこともわかった。具体的には「三八名のナチがテヘラン周辺に降下した」

「三八人で間違いありませんね?」とライリーは訊ね、数字の細かさをちょっとからかう。

「間違いありません」とソ連のスパイのチーフが静かに答える。「捕らえた男たちを徹底的に尋問しました」

チーフはにこりともしない。「彼の口調から、私はドイツ人たちが尋問される場に居合わせなくてよかったと思った」とライリーはのちに記している。

捕らえたドイツ人をロシア人がどのように尋問したかを知りたいとは思わないが、彼らが得た情報はぜひ知りたい。

尋問により「市内には少なくとも六名のドイツ人が一台の無線送信機を持って潜伏していることがわかった」とロシア人が説明する。

これでライリーは現状を把握した。三二名のドイツ人が捕まり、無線機を持った六人がまだ自由に動き回っている。無線機があれば、ベルリンの本部と連絡が取れる。

言うまでもなく、まだ多くの疑問が残っていた。ドイツ人は全員、最近パラシュート降下して潜入したのか、それとも一部はここに前からいたのか? ドイツの誰が、あるいはどの組織が彼らを送り込んだのか?今後もまだ工作員がやってくるのか?

NKVDのチーフはそれ以上の情報を提供しない……少なくとも、今のところは。

ソ連の治安部隊は健闘しているようだが、いまだ危険な状況に変わりはない。まだ捕まっていないナチスの工作員六名は真の脅威だ。米英ソが整えた厳重な警備を思えば、この少人数で三巨頭会談の会場を直接攻撃するとは考えにくい。それに、たとえ大人数だとしてもそれは彼らの流儀ではない。おそらくナチスの暗殺者はひそかに侵入し、静かに近づく。

いかに警備が厳重でも、ローズヴェルトとチャーチル、スターリンが無防備になる瞬間が必ずある。

三人とも車でテヘラン市内を移動しなければならない。そして、三人とも現地の使用人やスタッフとの接触を完全には避けられない。

群衆に紛れ込んだ殺し屋、恰好の屋上を見つけた狙撃手、施設に侵入したドイツ人スパイがひとりいれば事足りる。パラシュート兵をいくら捕まえても、ひとりでも逃したら万事休すだ。

では、アメリカ側はどうすべきか？　ＮＫＶＤのチーフがライリーに率直に告げる。

これらの危険を鑑み、スターリンは「大統領が孤立したアメリカ公使館を出て、市の中心部にあり、重厚な塀に囲まれ、互いに隣接しているイギリス大使館かソ連大使館に移ること」を正式に申し入れる[2]。

ライリーはこの提案が気に入った。それがいいと思った。

問題は、アメリカ公使館に滞在したいと大統領からあらかじめ言われていたことだ。当然、ライリーには大統領の要望を無視して物事を決める権限はない。ソ連側とこれらの会話をしたあと、彼はこれを誰に話すかを決め、受け取ったばかりの機密情報をどう扱うかを決めなければならない。

あとでわかることだが、ほかの誰かが彼に代わって決断しようとしていた。

56

明日の首脳会談の準備をしていたアメリカ人はマイク・ライリーだけではない。

ライリー同様、駐ソ連大使、W・アヴェレル・ハリマンは大統領一行と共に到着した。そしてライリー同様、午後中ずっと忙しかった。

大統領とアメリカ代表団の面々が部屋に落ち着いたあと、ハリマンは予定を円滑に進めるために、ソ連大使館とイギリス大使館、在イラン米軍司令官ドナルド・コノリー将軍の軍事施設――ハリマン自身もそこに滞在する――を駆け回った。

この忙しさは夜まで続き、ようやくハリマンがコノリー将軍の施設に戻れたのは真夜中近くだった。この日、ハリマンの一日はカイロで午前三時に始まり、それからテヘランへ飛んだ。そのあとはずっとプレッシャーのかかった状況に置かれた。再び、長く慌ただしい一日が始まる前に数時間でも睡眠をとりたい[1]。

ところが、もう休もうと思ったちょうどそのとき、ソ連外相ヴャチェスラフ・モロトフから緊急の連絡が入る。ハリマンはその日の午後、会談日程の調整でモロトフと長い時間を過ごしていた。それなのに、なぜまたモロトフは彼に用があるのかわからなかった。

モロトフのメッセージには、今から――ただちに――ソ連大使館に来てもらいたいとあった。モロトフは、駐ソ・イギリス大使のアーチボルト・クラーク・カーにも同席を求めていた。

ハリマンの睡眠はお預けだ。彼はすぐにジョン・ベイツ少佐を探しだし、彼に同行を頼んだ。ハリマンとカーの大使ふたりが、護衛の将校を伴ってソ連大使館に着いたときは夜半を過ぎていた。この時点になっても、なぜこんな遅くにモロトフに呼び出されたのか、ふたりともわからない。闇のなか、彼らはこの先に何が待っているか見当もつかないまま、塀で囲まれたソ連の領内に入る。

モロトフが彼らと会う。彼は「悪い知らせ」があると言い、大使ふたりにそれを話す。「テヘランにいるドイツのスパイが、ローズヴェルト大統領が市内に滞在すると知って」、「デモンストレーション」を計画しているという情報を得た。

どういうことですか？　ハリマンは説明を求める。

モロトフはふたりを見つめる。「暗殺計画です」

暗殺計画。ドイツのスパイによる暗殺計画。会談が始まるまさにその朝に、彼らはそう知らされる。ハリマンもカーも知らないのだが、マイク・ライリーがまったく同じことをＮＫＶＤのアルカディエフ将軍から聞いていた。

「たとえ失敗したとしても」とモロトフは続ける。この暗殺計画は「たぶん銃で狙うことになり、罪もない見物人が犠牲になるかもしれない」。そのうえ、このような事件は「連合国にとって最悪のスキャンダルとなり、ナチスのプロパガンダに利用されるに違いない」

当然のことながら、アメリカ人はソ連側から少しでも多くの情報を引き出そうとした。ハリマンがのちに語ったように、「私は詳細が知りたくて、礼を失しない程度に彼に強く迫った」。しかし、モロトフは外相であって情報将校ではないため、それ以上詳しくは知らなかった。

どうやら、この情報を彼に直接伝えるよう頼んだのはスターリンらしい。

では、スターリンに何か案があるのか？

実際、彼は提案する。危険を避けるため、ローズヴェルトはアメリカ公使館に滞在するのではなく、ソ連大使館に移るべきだ。

ソ連大使館の敷地は広く、部屋はいくらでもある。イギリス大使館も隣にある。ローズヴェルトが移ってきたら、三巨頭は互いに会うために、真っ昼間にテヘランの街中を車で移動せずに済む。事実上、全員がひとつ屋根の下にいるようなものだ。

スターリンの申し出を裏付けるために、モロトフはハリマンを真夜中の敷地内見学に連れ出し、ローズヴェルトと彼の側近が干渉されずに滞在できる別館に案内する。

ソ連側は大統領の承諾を想定して、配管工事やその他の準備に取りかかっていた。

ハリマンは別館を見てまわる。「内装は派手で悪趣味だが、滞在するだけなら充分快適だと思った」とのちに述べている。[2]

さて、ハリマンはどうする？

彼の長い一日はまだ終わらない。情報を共有してくれたモロトフに礼を言ってカーと別れ、コノリー将軍のもとへ戻る。そこでコノリーと警備責任者のマイク・ライリーのふたりに話があると告げる。ハリマンとライリーは、コノリーにソ連側と話した内容を伝える。ふたりの話は一致する。不測の事態について話し合い、ある結論に至る。

まず、明朝、彼らは大統領と面談する……そして、あなたの命が狙われていますと告げるのだ。

57

一九四三年一一月二八日、イラン、テヘラン

アメリカ合衆国大統領フランクリン・デラノ・ローズヴェルトは、一一月二七日午後三時、随行員と共にテヘランの空港に到着した。[1]

翌日午前九時三〇分の今、彼は部屋にいて、緊急のミーティングを求めた軍の幹部や警備責任者と向かい合っている。隣の部屋にはほかの顧問たちがいて、慌ただしく話をしたり、部屋から部屋へ出たり入ったりしている。[2]

彼らは皆、今し方ソ連から聞いた話を理解しようとしている――三巨頭の命が狙われている。ミーティングでは、駐ソ連大使のアヴェレル・ハリマンが主に話す。説明を聞いたあと、他の者も口をはさむ。

ハリマンはスターリンとモロトフの言葉を伝える。「テヘランには枢軸の協力者がうようよいて、首脳同士が会うために街中を車で移動中、不幸な事件が起こる恐れがある[3]」

具体的には、ソ連の情報機関は、ドイツがこの近辺にパラシュートで工作員を送り込んだ事実を把握している。その一部はまだ捕まっていない。これは、マイク・ライリーがソ連の警備を担うNKVDの幹部から直に聞いた話と一致する。

その日の午後遅く、スターリンは最初の挨拶のためにアメリカ公使館を訪問する予定になっており、チャーチルもそのすぐあとに訪問する予定だ。ハリマンが述べたように、この日、数時間のうちに「大統領を訪問するための移動中に、チャーチル氏とスターリン元帥が暗殺される恐れが現実味を帯びていた[4]」

ハリマンは大統領に対策を提案する。大統領が宿舎をソ連大使館に移す。そうすれば「首脳三人は互いにすぐ近くに滞在することになり、街中を車で移動する必要がなくなる[5]」

ハリマンは付け加えて、ソ連側が提供を申し出た宿舎をすでに自身の目で確かめたが、許容範囲内だと思ったと告げた。

ハリマンは最後に、どのような決断になろうとも、これは大統領の身の安全に関わるだけでなく、それ以上の大きな意味を持つことを強調した。

彼が述べたように「ソ連領内の宿舎提供の申し出を断れば、スターリン元帥がローズヴェルト大統領に会うために街を車で移動することになり、その際に危害を加えられたら、アメリカがその責めを負うことになります[6]」

ハリマンが話し終えると、ローズヴェルトはほかの人の意見を聞きたがった。

海軍中将ウィルソン・ブラウンが、スターリンの求めにすぐに応じるのは癪だと反対する。「そもそもテヘランを提案したのはスターリンですし、それが今になって安全ではないと言い出すのはおかしいでしょう」[7]と彼は指摘する。

まったくだ。だが、ローズヴェルトが意見を聞きたい人物がもうひとりいた。大統領の身辺警護の責任者マイク・ライリーである。ライリーは長年の経験から、大統領に発言を促されたら、手短に話さなければならないことを知っていた。彼はここで自分の意見を聞き入れてもらう必要がある。

ライリーは、できるだけ明瞭に、大統領がアメリカ公使館を出てほかへ移るという意見に「完全に賛成」すると述べた。市内にナチスの工作員が潜んでいるなら「スターリンやチャーチルは大統領に会うために無駄に危険にさらされるし、ソ連のＮＫＶＤの見方では、大統領は郊外に滞在することで、自身の命ばかりか、ほかのふたりの命も危険にさらすことになる」[8]

ライリーはこの最後の点をもっと強調する必要があると感じる。ＮＫＶＤのエージェントとじっくり話してみて、彼はソ連の諜報機関のやり方を知った。彼はローズヴェルトに説明する。「アメリカ合衆国大統領に何かあれば、我々シークレットサービスは大恥をかくだけですが、ロシアのシークレットサービスは日が暮れる前に死んでいるでしょう」

なんと恐ろしい。最後は、大統領が決めることだ。

「きみとしては、どっちがいい？」彼は訊ねる。

「あまり違いはないですね」[9]ライリーが答える。

大統領は少し考える。不安なニュースを聞いたばかりだというのに、彼は自身の安全のことはあまり考えていなかった。それは警備スタッフや軍部の仕事だからだ。考えていたのは、会談で取り上げる最優先の戦略についてだった。実は、この予想外の出来事――ナチスの暗殺計画――は、彼にチャンスを与えてくれた。

「よし、わかった。ロシアのほうにする」と大統領は言う。「それで、いつ移動する?」

もっともな質問だ。しかしローズヴェルトはただ「いつ」移動するかを訊いているのではない。「どうやって」移動するかも訊ねている。

ナチスの暗殺者が六人、テヘランにいるらしい。ハリマンが言ったように、チャーチルやスターリンがアメリカ公使館へ向かう際に暗殺に遭う危険性は「非常に現実的」だ。ローズヴェルトがそこから移動する際も同様に危ない。

どうにかして、彼らは大統領を――そして随行員全員を――街の反対側へ移動させなければならない。しかも、誰にも気づかれないように。

幸いにも、マイク・ライリーに考えがあった。

58

人口密度の高い都市で、何台もの車を連ねた派手な車列で走行するとき、どうすれば大統領の安全を保障できるか?

答えは、できない、だ。

テヘラン郊外から二キロほど離れた街の中心部にあるソ連大使館の塀の内側まで、ローズヴェルト大統領を輸送する方法をマイク・ライリーと彼の警護チームが検討した末に出した答えがこれだ。「混雑したテヘランの通りに彼を送り出す根性はなかった」とライリーはのちに述べている。「普段でさえたいへんな仕事なのに、ナチスの工作員が六人もどこかにいるとなると、まさに頭が痛い問題だった」

アメリカ人が大統領を警護できないという意味ではない。なんのかんの言っても、近くに現役の米軍基地がある。しかし、武器を携帯した兵士を動員しても問題の一部しか解決しない。「全ルートに兵士を配置することだってできるが、飛行機から降下する度胸のある半ダースのナチなら、何があっても狙撃する方法を見つけるだろう。それに、ナチスの暗殺者が発砲したら、一発でも大きな意味を持つことはわかりきっている」

車列は目立ちすぎて秘密にしておくことはできない――そして、大統領がそこに加わるなら身の安全は保障できない。では、どうすればいいのか？

シークレットサービスの得意技を使う。

偽装。

今日でも、シークレットサービスは同じトリックの様々な変形を活用している。

大統領の安全を保つ唯一かつ最善の方法は、彼がいない場所で人々に彼を捜させることだ。

「全ルートに沿って隙間なく兵士を配置した。銃を搭載したジープで前後を固めた標準的な車列をつくり、兵士が並んで立っている通りをゆっくりと走らせた」とライリーはのちに語っている。一行が街中を進むなか、大統領のセダンはその真ん中にいる。すぐに群衆が集まる。誰もが大統領をひとめ見ようとする。

落ちは、ローズヴェルトがこの車列のどこにもいないという点だ。

「車列がアメリカ公使館を出るとすぐに、我々は大統領を別の車に乗せた」とライリーはのちに説明している。「先導するのは一台のジープ」

なんの変哲もない二台の車は車列と反対の方向へ行き、「テヘランの旧市街を猛スピードで突っ切った」。その間、「囮の車列は目抜き通りを進んだ」

街中では、見物人、野次馬、兵士が皆、車列のほうへ首を伸ばし、世界で最も大きな力を持つ人物が乗っていると思われるセダンのなかを見ようとする。

実際に彼らが垣間見たのはボブ・ホームズ。偽の大統領役を快諾した平凡な風貌のシークレットサービスの要員である。彼は文字通り、もし暗殺者が発砲したら、最高司令官の代わりに銃弾を受ける覚悟ができていた。

「現地人の声援を受けた」のは大統領ではなくホームズであり、「私〔ライリー〕は、パラシュートで降下したドイツ人たちがとまどって悪態をついていればいいのにと思った」[1]

そのとき、本物の大統領が乗った小型セダンには三人の男が同乗していた。[2] リーヒ海軍大将、ベテイガー陸軍少佐、そしてローズヴェルトが信頼する友人で顧問のハリー・ホプキンズだ。問題が起きれば彼らは全力で大統領を守る。

ローズヴェルトはその性格ゆえに、怯えてはいなかった。それどころか、二台の車が絵に描いたような入り組んだ裏通りを疾走するあいだ、姿を見られないように身を伏せながら、そのドラマチックな展開をおもしろがっていた。

「ボスは偽の車列のトリックや『警官と泥棒ごっこ』の類いを大いに楽しんでいて、それはそれでよかったが、私のほうは楽しむどころではなかった」とライリーは述懐している。[3]

実際、ライリーとシークレットサービスは、この件で終始、強い緊張を強いられた。この凝った偽装工作が最善の策とはいえ、それで危機を回避したわけではない。もしナチスに偽装を見破られたり、この二台だけの小さな輸送隊が移動中に敵と遭遇したりしたら、大統領を守り切れるだろうか。それに、敵がこのトリックに引っかかって偽の車列を襲ったとしても、ライリーの部下ボブ・ホームズを含め、犠牲者が出る恐れがある。ホームズは防弾ベストを装着しているとはいえ、それでも狙い澄ました銃弾に命を奪われるかもしれない。

ソ連大使館前に着くと、武装した衛兵が手を振って合図し、ローズヴェルトたちの乗ったセダンを塀に囲まれた警備の厳重な敷地内へ招き入れた。そこでライリーはようやくほっと一息ついた。

少なくとも一日目、彼らは大統領を守った。

さて、これからが本番だ。

59

ローズヴェルトは、チャーチルが着く前にスターリンと一対一で非公式に会いたいと思い、慎重に段取りをしていた。彼ら一行が滞在するソ連大使館の別館に案内されてから、ゆっくり落ち着く暇もなかった。

数分後、マイク・ライリーはスターリンがもうこちらに向かっているとの知らせを受ける。

「マイク、彼とは居間で会うよ」と大統領が言う。「私の支度が終わるまで、ちょっと待ってもらってくれ」

ライリーたちがソ連の指導者を迎えるために部屋の外で待つあいだ、ローズヴェルトは席に着く。

スターリンは両脇に警護隊を従えて大使館本館を出る。彼らはまとまって敷地内の並木の通路を進んでいる。丸一年を根回しと準備に費やした末、ついに誰もが待ち望んだ瞬間が訪れる。

「初めて彼を見たとき、ぎょっとした」とライリーはのちに記している。[1] スターリンの顔はある種のアイコンとなって世界中で知られていたため、平凡な風貌の小柄な人物がこちらに向かって歩いてくるのを見るのは誰にとっても不思議な体験だった。

ローズヴェルトの護衛のひとり、ジョン・ベイツ少佐は「(スターリンの)髪は白く、黄色っぽい顔にはあばたがあった」と記している。[2] 左腕は若干変形し、歩行にはぎこちなさが見られた。身長一六三センチの彼はその場にいた誰よりも背が低く、両脇に従えた長身のロシア人の護衛と比べると低さが目立った。

それでも、彼は恐れと尊敬を喚起する不思議な雰囲気を醸し出していた。ライリーは「確かに彼は小男だが、なぜか非常に大きく見えた」と記している。

アメリカ人たちは部屋のドアを開け、スターリンをなかに入れた。車椅子に座っていたローズヴェルトと目が合うと、彼はトレードマークの口ひげの下に大きな笑みを浮かべ「ゆっくりと歩いて」[3] きて、握手の手を差し伸べる。

「ついに!」ローズヴェルトも笑みを浮かべている。「お会いできて光栄です。このときを長いあいだ待っていました」[4]

スターリンは挨拶を返し、ローズヴェルトにロシアの紙巻き煙草を差し出す。スターリンは予習していた――大統領が愛煙家だと知っている。ローズヴェルトは初対面の人にはたいてい、最初に軽い冗談を言う。スターリンがパイプを手にしている壁の写真を指さし、会期中に三人の連合国首脳の写真を撮りましょうと言う。スターリンがパイプを、チャーチルがトレードマークの葉巻を、ローズヴェルトが紙巻き煙草とキセルを手にしている写真をぜひ。[5]

スターリンは思わず笑いを漏らす。

まもなく両首脳とそれぞれの通訳を残して全員が部屋を出る。ローズヴェルトは東部戦線の進捗について訊ね、それから戦争の複数の局面について手短に会話が交わされる。物資輸送の遅れ、フランスの役割、中国の最新の状況などが話題にのぼる。雑談ばかりで、会談で正式に取り上げる予定の議題には一切触れない。

ローズヴェルトのここでの真の目的はスターリンとある程度親しくなり、彼の人柄を知ることだ。そうすれば、本番の会談でソ連首相の話のリズムと言葉遣いが予測できる。ローズヴェルトはまた、自身が独立した存在であること、彼とスターリンはチャーチルとは別に独自に連携できることを示しておきたかった。

この目標がほぼ達成されてこそ、三巨頭会談は正式に幕を開けることができる。

午後の日差しのなか、両首脳はアメリカ人用の宿舎を出て、大使館本館へ向かった。

最初のセッションは午後四時に開始の予定だ。

アメリカとソ連の大人数の代表団がひとつの方向から到着する——普段通り、武装した護衛にはさまれて——イギリス人たちは別の方向からやってくる。まもなくこの三つのグループが入り口で合流し、主たる会議場へ入る。

チャーチルにとって、この日はすでにきつい一日だった。彼はカイロでひどい風邪をひき、喉の痛みで話すのもつらい。機嫌が悪いうえに、会議前に昼食を共にしようとローズヴェルトを誘ったのだが断られ、さらに不愉快になっていた。到着してからずっと大統領の目は、もっぱらスターリンに注がれている。

挨拶代わりの雑談を終えると、出席者たちは会議テーブルにつき、各首脳がまず一言ずつ述べる。それぞれの個性が自然と表れた。

このセッションの議長を引き受けたローズヴェルトが最初だ。「三人のなかでいちばんの若輩者として、年長者のおふたりを歓迎します」と笑顔で言う。
それから彼は「新しい家族、すなわち本会議の参加者を歓迎します。この種の会議では友人同士のようにあらゆる面で率直に話し合う」ことを願うと付け加えた。そうすれば、「三つの偉大な国が緊密に連携できる」と。
次のチャーチルはもっと高尚な路線を行った。「この三国は、世界が未だかつて見たこともない非常に大きな力の集まりであります。人類の幸福な未来をこの手に握っているという絶対的な確信を持って」進まなければならないし、そして「神から与えられたこの機会に我々が相応しいことを願っている」と語った。[6]
スターリンは淡々とした口調で言った。「出席者の方々を歓迎します。では、さっそく始めましょうか」[7]

60

ローズヴェルトはアメリカの戦局の説明から始める。太平洋戦域での最近のアメリカ軍の進撃と、アメリカの武器製造および出荷状況について説明した。それからすぐに、会議卓についている誰もが最も重要だと思っている議題に移る。

オーヴァーロード作戦。

英仏海峡横断攻撃は、この同盟関係を危うくするテーマである。そして、これが戦争の行方を決めることを誰もが知っている。

そのため、ローズヴェルトは明確な事前計画を立てていた。スターリンの信頼を勝ち取り、チャーチルに圧力をかけるのだ。

大統領はまず、明言する。「イングランドからフランス北部への海峡横断攻撃は戦略の目玉であり、大規模な軍事作戦を行うこと、現時点では一九四四年五月一日に決行することが、ケベック会談で合意されました[1]」

しかし、来年一月にはローマが陥落すると思われ、その後、米英軍をどうするかの問題が残っていると付け加えた。チャーチル首相からは、それらの兵力を地中海での今後の作戦に差し向ける案がいくつか出されているが、すると海峡横断攻撃のための資源を使うことになり、攻撃開始が遅れるだろう。

地中海でなんでもやりたいようにできるわけではないし、イギリスになんでも要求できるわけでもない……地中海で大規模な軍事作戦を行うなら、この重要な海峡横断攻撃を諦めざるを得ないし、検討されている地中海作戦によっては、オーヴァーロード作戦を一か月か、二か月か、三か月、遅らせることになるかもしれない[2]。

「私と首相はこの点について、スターリン元帥の意見を確認したいと思います」とローズヴェルトは述べる[3]。

これはローズヴェルトがスターリンに投げた特大のソフトボールであり、スターリンはすかさず打ち返す。

「ソ連が考える最善策は、フランス北部か北西部を攻め進み、ドイツの心臓部に迫ることです[4]」と彼は言い、これまで言い続けてきたことを繰り返す。

スターリンは地中海作戦が「航海の自由を得るためには非常に重要だった」ことを認め、しかし「今となってはドイツを倒すためにそれほど重要ではない」と述べる。[5]

こうしてスターリンはローズヴェルトの援護を受け、チャーチルを守勢に立たせる。

今度はチャーチルが話す番だ。彼はまず、「海峡を越えてフランス北部か北西部へ侵攻する作戦については、以前からアメリカと同じ意見である[6]」ことを明らかにしておきたいと述べる。

しかし彼はまた、イタリアに駐留する米英の部隊はまもなくローマ周辺での作戦を終えるだろうが、「この時期、敵に最大の圧力をかけるために、地中海戦域の兵力をどう動かすべきか」を考えている最中だとも述べる。

彼はギリシアやバルカン半島など地中海東側での様々な作戦に関心があり、「検討された作戦によっては、オーヴァーロード作戦を二か月ほど遅らせることになるかもしれない」と認める。[7]

基本的にチャーチルの要望は、海峡横断攻撃の決行日に幅を持たせるということだった。これは遅延を意味する。

スターリンには、この二年間聞かされてきたことの繰り返しに聞こえた。彼らは作戦をやるやると言いながら、何度も遅らせてきた。

スターリンは「オーヴァーロード作戦を一九四四年の基本の作戦とし、他の作戦は陽動作戦とする[8]」ことをはっきりと求める。

イタリアに駐留する米英の部隊が暇になるのが心配なら、海峡横断攻撃の直前に、フランス南部への補助的な攻撃を計画すればいい。そうすればオーヴァーロード作戦を遅らせるのではなく、支援できる。

ここからスターリンはこの件を執拗に追求する。ローズヴェルトの通訳、チャールズ・ボーレンが述べたように「テヘランでのスターリンの狙いは、一九四四年春のフランス侵攻という、この夏にケベックで決まったことが実行されるよう、連合国西側の首脳ふたりに確認する、その一点だけだった」[9]

セッションが続き、問題は決着を見ない。別の議題に移っても、オーヴァーロードの件がいちいち立ちはだかる。この主要な問題で合意が得られなければ、結束はあり得ない。

会議は午後七時二〇分に終わったが、午後八時、三人の首脳は晩餐会のためにまた集まった。この日はアメリカの主催で、メニューはステーキとポテト。ローズヴェルトは自慢のマティーニを振る舞うため、自ら食前のカクテルを作った。

スターリンは律儀にそれを味わい、「うまいが、ちょっと胃が冷える」と感想を述べた。[10]ディナーのあいだ、首脳たちはいろいろ話をした。ローズヴェルトは途中で気分が悪くなったため退席した。診察した主治医から、ただの消化不良だと思うが部屋に戻って休むように勧められた。

別館に戻ると大統領の体調は回復した。外遊中の夜はくつろいで過ごすのが好きだった。たいてい、息子のエリオットと、顧問で友人のハリー・ホプキンズ、そしてアメリカ・チームのごく限られた人々と一緒だった。

今日は非常に重要な一日だった。ナチスの暗殺計画を知り、テヘランの通りを走り抜け、ソ連首相スターリンと初めて会い、一年以上待ち望んでいた首脳会談の最初のセッションで活発な議論を交わした。

会議に関しては、ローズヴェルトは自分の戦略に手応えを感じていた。望み通りスターリンと信頼関係を築き、オーヴァーロードの件で共同でチャーチルに圧力をかける作戦はうまくいったように思える。

今、一日の終わりになってようやく、特別に信頼している顧問や友人たちと話をしながら、くつろいでいる。

困ったことに、話を聞いているのはこの顧問や友人たちだけではない。

部屋のカーペットや壁、家具にはそれとわからない極小のマイクが仕掛けられていた。大統領と彼のチームが話をしているあいだ、まったく別の耳がひとことも漏らさず聞いていた。

61

まだ六人がどこかにいる。しかも彼らには無線機がある。

ゲヴォルク・ヴァルタニアン、当時一九歳のＮＫＶＤ機関員にして軽騎兵隊員は、会談期間中に直面した危機をのちに、こう説明している。

首脳会談が開幕するまでの数週間、テヘランの市内を自転車で走り回るヴァルタニアンと彼の同志たちは忙しかった。それどころか、この地域で活動するＮＫＶＤ全体にとって忙しい時期だった。まず、彼らは街に潜むナチを探し出さなければならない。そのため、ソ連の諜報機関と治安部隊は一斉逮捕に踏み切った。ドイツのシンパは一掃された。

ドイツが会談期間中になんらかの行動を計画しているという――ウクライナにいるスパイが嗅ぎ出

した情報にもとづく――うわさが広がり始めると、緊迫感が増した。

ヴァルタニアンが述懐するように、彼は「一日、一四時間から一六時間[1]」、愛用の自転車で街中を駆け回り、怪しい人物を尾行し、手がかりをつかみ、情報を共有した。

イギリス側も同様にしていた。両者は常に協力し合っていたわけではないが、会談が間近に迫るなか、ヴァルタニアンたちはビッグニュースを受け取った。イギリス情報部が、ドイツのスパイにしてテヘランの親ドイツ組織メリユンの首謀者、フランツ・マイヤーを捕らえた。

ソ連の他の隊員と同じく、ヴァルタニアンはイギリス人がマイヤーを捕まえたと聞いてくやしがった。「おれたちが捕まえようと思ってたのに！」

いずれにせよ、彼らはほかにもやることがたくさんあった。市内やその周辺にパラシュートで謎のドイツ人が送り込まれているといううわさが絶えなかった。加えて、ソ連の一斉逮捕が成果をあげていた。正確な数字はわからないが、ロシア人は大量検挙を開始してから、およそ二〇〇人から三〇〇人のナチス協力者を逮捕していた。

しかし、今では、捜査対象を最も重要な集団に絞っている。

無線機をもった六人組。ナチスの工作員六人。

情報は錯綜したが、ヴァルタニアンによると、工作員グループはテヘランからおよそ一〇〇キロ離れた「クムの近く」にパラシュート降下した。グループは「六人の無線通信士」で構成されているが、彼らは「武器も携帯[2]」していた。

幸いにも、ＮＫＶＤは着地に気づき、彼らを「追ってテヘランまで来ると」、親ドイツ派の協力者が「彼らのために隠れ家を用意していた」

ナチスの工作員たちが隠れ家に入ったとき、ＮＫＶＤは決めた。彼らを拘束せずに、そのまま泳がせて見張る。正しい選択だ。今後、軽騎兵隊が敵の動きを逐一追う。

「見張っているうちに、彼らがベルリンと無線で連絡を取っていることがわかった」とヴァルタニアンは説明する。それだけでなく「我々は彼らの通信の録音にも成功した」

「その無線通信を解読し、ドイツ側がテロを実行する第二班の降下を準備していることを知った」

これは重要な情報だ。ソ連の解読によると、この六人の無線通信士は単なる先遣隊――斥候隊――に過ぎず、別のチームがあとからやってくる。

次に何が起こるか、彼らの予測は？

「三巨頭の暗殺または拉致」

もちろん、それは連合国の最悪の想定が現実になるということだ――そして無線通信の解読から、ＮＫＶＤは新たに重要な情報を得た。

「第二班はスコルツェニー自らが率いることになっていた[3]」と後年ヴァルタニアンは、ＳＳ特殊部隊の指揮官でムッソリーニ救出劇の主役の名を出している。

さて、ＮＫＶＤは方針を決めなければならない。ドイツの工作員の監視を続けることもできる。作戦を継続させ、実働隊の到着を見計らって全員まとめて捕らえるか殺害する。あるいは、ただちに隠れ家を襲撃して先遣隊を拘束し、作戦そのものをつぶす。

どちらにしても、ぐずぐずしてはいられない。連合国の会談はすでに始まっている。

あと一二時間で、ナチスの特殊部隊から別のチームがやってくる――そしてソ連側の情報によれば、それを率いるのは「ヨーロッパで最も危険な男」だ。

62

一九四三年一一月二九日

チャーチルの風邪はまだ治らない。

そして、会談の二日目の朝、彼は苛立っている。一日目は彼の思い通りには進まなかった。他の首脳はふたりとも彼の意見を聞き入れない。

彼はいつものように、ローズヴェルトとふたりだけで腹蔵なく話したかった。この二年間、彼らは力を合わせてあらゆる困難に立ち向かってきた。それが、この肝心なときに、ふたりのあいだには距離ができている。

この朝、チャーチルはスターリンを交えた午後の会談の前に、ローズヴェルトと意見を調整したいと思い、再び彼をランチに誘った。

ローズヴェルトはスターリンに知られたらまずいと思い、今度もそれを断った。スターリンに対してチャーチルと何か共謀していると思われたら最悪だ。

勘の鋭いチャーチルはローズヴェルトの思いを察するが、それでもわだかまりは残る。

ローズヴェルトの駐ソ連大使アヴェレル・ハリマンがその旨を伝えたとき、チャーチルは「次の誘いの拒絶と合わせて承知した」と不快感を露わにした。しかし、チャーチルにはほかにも言いたいことがあった。「ひとつ、言わせてもらいます。明日の夕食会は私が主催します。私には優先権がひとつか、ふたつあると思います。まず、年齢でもアルファベット順でも私が一番上です。二番目に、三国で私は最長の政権を代表しています。三番目に、明日は私の誕生日です[1]」
日程が決まった。明日。一一月三〇日。三巨頭が顔をそろえる最後の晩。
誕生日パーティー。
最高のお別れ会になるだろう。

63

一本の剣。
正確に言うと、長さ九〇センチの両刃の剣。イングランドのシェフィールドで鍛えられ、宝石を埋め込んである。[1]
テヘラン会談二日目、ソ連大使館の広い会議場において、ナチスの侵攻からスターリングラードを守り抜いた勇敢な市民を讃え、イギリス国王ジョージ六世に代わって首相がソ連首相に記念の剣を贈る。剣には英語とロシア語で文字が刻まれている。

鋼のように強い心を持つスターリングラードの市民へ
イギリス国民の敬意の証として
ジョージ六世より贈る[2]

チャーチルは少人数の吹奏楽隊の演奏をバックに、まもなく「スターリングラードの剣」と呼ばれるようになるその剣をソ連の指導者に献げる。スターリンは感動して剣を捧げ持ち、鞘にキスをする。この夢のような光景は、あやうくケチがつくところだった。スターリンがほかの人にも剣を見せようと傾けた瞬間、剣が鞘から滑り出た。スターリンのそばにいたクリメント・ヴォロシーロフ将軍がとっさに手を伸ばし、剣が床に落ちる前に受け止めた。

贈呈式が終わると、三巨頭は大使館の正面玄関に移動する。そこでは米英ソの戦争報道カメラマンが待機していた。

階段をのぼりきった玄関ポーチで、贈呈式と撮影のために正装した三人の首脳は並んで椅子に座った。

このときの写真は長く記憶されることになる。戦争の最中に、連合国首脳三人が初めて会った。数日のうちに、会談は公式に発表され、これらの写真が世界中に配信されるだろう。どの写真でもウィンストン・チャーチルがしかめ面をしているのは、これから厳しい午後になると覚悟しているからかもしれない。ローズヴェルトとスターリンは今日もまた議論の中心になると誰もが知っている議題、すなわちオーヴァーロード作戦について新たに協定を結んでいる。

チャーチルと彼のチームは戦うつもりだ。以前と同じく地中海東方で作戦を重ねて行うことは非常に重要であり、海峡横断作戦の日程を今決める必要はなく、場合によっては七月まで延期すべきと主張する。

スターリンはひとつも納得しない。間髪を容れず彼は言う。「オーヴァーロードこそ、最も重要な作戦であり、この作戦から注意をそらすようなことは一切すべきではない[3]」

ローズヴェルトは賛同する。

1943 年 11 月 29 日、イランのテヘランにあるソヴィエト大使館の屋外で写真におさまる連合国首脳のヨシフ・スターリンとフランクリン・ローズヴェルトとウィンストン・チャーチル、いわゆる三巨頭。（Courtesy of History / Bridgeman Images）

そこからやり取りは続き、ローズヴェルトとスターリンは来春決行として、日程を具体的に示すことにこだわる。ふたりのうち、スターリンのほうが盛んに話す。会議の議事録には次のように記されている。

スターリン元帥――オーヴァーロード作戦を五月中に開始するよう求める。それが一日か、一五日か、二〇日になってもかまわないので、とにかく決行日を定めることが重要だ。

首相――イギリス政府はできるだけ早くオーヴァーロード作戦を開始したいと願っているが、その作戦のたかが一、二か月の遅延を避けるために、地中海の大きな可能性を逃すことは望まない。

スターリン元帥――地中海での作戦は重要だが、それらは本質的には牽制でしかない。[4]

こうしたやり取りが延々と続く。ローズヴェルトが口をはさむのはソ連の主張を支持するためであり、チャーチルの意見を擁護するためではない。

チャーチルと彼のチームは戦い続ける。何時間も、彼らはこの問題に様々な角度からアプローチする。誰もが苛立っている。議論は熱を帯びる。

セッションが終わりに近づき、スターリンは一線を越えて個人攻撃におよぶ。身を乗り出して彼は言った。「チャーチル氏に軽率な質問をすることをお許しいただきたい。つまり、イギリス人は本当にオーヴァーロード作戦を信じているのですか、それともロシア人の気休めにそう言っているだけなのですか？」[5]

チャーチルの誠意が疑われた。

首相は明らかに憤慨した。

ローズヴェルトは収拾がつかなくなると見て、ディナーのために一時中断しようと提案した。彼らがそうしても空気には緊張感が漂っていた。

彼らが再び集まったとき——ソ連主催のカクテルとディナー——チャーチルはまだ不機嫌だった。彼は議論に負けつつあり、酒が充分行き渡っても、部屋の空気はぴりぴりしていた。ディナーのあいだ、首脳たちはオーヴァーロード以外の話題に切り替えた。しかし、ハリマンがのちに回想するように、それらの話題でも「スターリンは容赦なくチャーチルに嫌みを言い続けた」[6]

ソ連の指導者の、一見穏やかだが辛辣な言葉は常に首相に向けられていたようだ。ハリマンによれば、「その晩、（スターリンは）首相がドイツ人にひそかに好意を抱いていると、何度か露骨にほのめかした」[7]

険悪なムードは、戦後ドイツの扱いが話題になると最高潮に達する。スターリンは、ドイツが敗戦国となっても連合国が厳しい抑圧政策をとらない限り「一五年か二〇年のうちに必ず復活するだろう」と述べる。ロシア人ならではのユーモアで、スターリンはひとつの対策として「五万人か、できれば一〇万人のドイツ軍将校を抹殺」すべきと提案した。[8][9]

チャーチルにはスターリンの「あざけるような笑み」が見えなかったのかもしれない。スターリンは冗談を言っただけだが、いずれにしてもチャーチルはもう我慢できなかった。

「イギリス議会と国民は大量処刑を断じて認めない！」チャーチルはスターリンに向かって怒鳴った。

「ソ連はこの点について思い違いをしないように」[10]

「五万人は銃殺しなければ」[11]スターリンは軽く手を振りながら冗談を続ける。

「そんな汚名で私自身と国の名誉を傷つけられるより、今すぐここで庭に連れ出されて銃殺されるほうがましだ」[12]とチャーチルは吠えた。

この応酬に驚いたローズヴェルトは緊張を和らげようとする。「五万人を銃殺するのではなく、四万九〇〇〇人までにしておきましょう」と精一杯のユーモアを披露した。

大統領の軽口も役に立たない。チャーチルは嫌みを言われ、袋だたきに遭うのにうんざりしていた。数分後、彼は大股で部屋を出て、裏庭に向かった。

葉巻を吹かしながら庭でひとり立っていてもまだ腹の虫が治まらない――ぼんやりと夜の闇を眺めていると肩に手が置かれた。

スターリンだった。

彼とモロトフが、チャーチルにぜんぶ冗談ですよと言いに来たのだ。彼らはその償いをしたがっていた。

チャーチルは冷静になり、彼らは一緒に部屋に戻った。それでもチャーチルはドイツに甘いと言われたことにまだ腹を立てていた。ディナーの部屋に戻ると、彼はソ連代表のふたりに言った。「そちらの前線に行きたい。七〇になろうとするこの私がね！」[13]

それから数時間、ウォッカがたくさん振る舞われた。やがて出席者はひとり、またひとりと部屋へ戻っていった。

ウィンストン・チャーチルにとって、この二日間はつらかった。最も親しい仲間が彼に反対する側についているし、彼の誠実さが疑われ、ひどいことになった。

ありがたいことに明日は誕生日だ。

それだけでも状況はよくなるはずだ。

64

ＮＫＶＤはナチスの工作員を照準にとらえていた。

合わせて六人が隠れ家を拠点に活動し、無線機を使って暗号化した通信文をベルリンに送っていた。この緊迫した数日間に関するヴァルタニアンの記述は、ＮＫＶＤがナチスの通信を傍受し、解読していた様子について、現在入手可能な数少ない情報を提供している。

ソ連がすでに米英に伝えたように、ナチスは「三巨頭の暗殺または拉致」を目論んでいた。潜入したドイツ人六名は先遣隊であり、本物の特殊部隊は「スコルツェニーに率いられて」これから来ることになっていた。

ソ連にとっては、ここが分かれ道だ。どちらかを選ぶ時だ。

ＮＫＶＤは無線機を持ったこの六人の監視を続け、彼らに作戦を継続させることができるし、あるいは、これから何が来るかわかっているので、作戦を中止に追い込み、謎の多いリーダーを含めてチーム全員を拘束するか、殺害することもできる。

「スコルツェニーを捕まえてみたいという誘惑に駆られた」とヴァルタニアンはのちに認めている。そうすれば英雄になれるからだ。

ただし、武装したナチス特殊部隊の到着を待つことは、非常に大きな危険をはらんでいた。「三巨頭はすでにテヘランにいたため、我々は危ない橋を渡ることができなかった」とヴァルタニアンはのちに説明している。もしスコルツェニー隊が連合国の首脳に危害を与えることに成功したら、あるいはそれに失敗したとしても、巻き添えで連合国の兵士が犠牲になれば、その責めは敵の到着を許したＮＫＶＤが全面的に負うことになる。

選択肢のひとつは、ナチスの隠れ家を急襲して工作員を殺害すること――もしくは彼らをソ連の監獄に放り込むこと――だが、それはあまり役に立たない。そのシナリオでは、ソ連はスコルツェニー隊の到着と行動を追跡する手段を失う。

その代わり、彼らはもっと巧妙な方法を思いついた。一一月二八日か二九日に――ヴァルタニアンによると、会談の最初の二日間のいつか――ＮＫＶＤは隠れ家に突入し、ナチスの工作員六人を逮捕するのだ。

「無線通信士にドジを踏んだと報告する機会をあえて与えた」[1]とヴァルタニアンはのちに説明している。

これは賢い手だ。隠れ家を急襲したあと、ソ連はドイツ人に強制して、自分たちが捕まったこと、作戦が敵に知られたことをベルリンに無線で連絡させた。

ベルリンのSDは目論見が発覚したという報告を受けたら、作戦中止を命じるだろう。またはそう願いたい。

ただひとつ、ドイツ側が報告を信じるか否かが問題だった。

65

一九四三年一一月三〇日

ウィンストン・チャーチルの誕生日。テヘランはもう三日続けて晴れている。

全体的に、ローズヴェルトは自分の大きな計画がうまくいっていると感じていた。スターリンの信頼をある程度得られたし、力を合わせてチャーチルに最大限の圧力をかけることができた。

しかし、昨夜の夕食会では、チャーチルが苛立ちを爆発させる寸前だった。大統領は彼に言葉をかけたかったが、そばにいたロシア人に彼とこっそり話しているのを見られたくはなかった。すぐにスターリンに報告が行き、振り出しに戻る恐れがある。

その代わり、夕食後、ローズヴェルトは腹心の友でチャーチルに好感を持たれているハリー・ホプキンズを彼のもとへ送り、誰はばかることなく話をさせた。

ホプキンズがチャーチルに何を話したか正確な文言は記録されていないが、穏やかな口調で次のように話した。チャーチルは「フランス侵攻を遅らせるという負け戦をしており、それに関してチャーチルができることはもうない」、だから「潔く負けを認める」べきだ。

ありがたいことに、澄み切った空に明るい太陽が昇ると、チャーチルは負けを認めることにしたようだ。

ローズヴェルトの通訳チャールズ・ボーレンの回想によると、「ホプキンズの訪問が効いたのか、何かほかのことが効いたのかわからないが、どうやらチャーチルはその晩に腹をくくったらしい」[1]。

翌日、昼前には首相は完全に受け入れていた。彼は海峡横断攻撃の決行日に合意する。

これで誰もが本格的に仕事に取りかかれる。米英の参謀は作戦の詳細を詰めるために、様々な組み合わせで小会議を行う。

いっぽう、大統領と首相は昼食会にスターリンを誘う。その席でローズヴェルトは、連合参謀本部がオーヴァーロード作戦の計画を練り、これについてアメリカとイギリスは完全合意に達したと発表する。

大統領はスターリンのために報告書の冒頭を読み上げる。「我々は五月中にオーヴァーロード作戦を発動する。この作戦に利用可能な上陸用舟艇の数に応じて、可能な限り大規模の支援作戦をフランス南部で行う」

ついに海峡横断攻撃が確定する。

実施は五月中と定められ、地中海作戦に左右されないことが約束される。

ランチに同席していたハリマン大使は、このときのソ連首相の反応をのちに語っている。「二年間、この言葉を待っていたスターリンはとてもうれしそうだった[2]」

このときから首脳会談は、それまでなかった活気がみなぎる。ようやく全員がまとまった。

午後四時、主な会議場の全員が出席する会議で、ローズヴェルトは五月にオーヴァーロード作戦を開始すると繰り返す。スターリンの求めに応じ、一週間以内に作戦の最高司令官を決めることも約束する。
意外にも、興奮を露わにしているのはチャーチルだ。喉の痛みも消え、すっかり機嫌が直っている。彼は全員に向かって言う。「決まった以上、このオーヴァーロード作戦は圧倒的な力で決行する必要があります[3]」

チャーチルはソ連首相スターリンをまっすぐ見つめ、この壮大な作戦を準備するにあたって「スターリン元帥と緊密な連絡を取り合うことが重要です」と述べる。言い換えると、ドイツを攻撃するには連携が欠かせない――そして、チャーチルが続けて説明したように「野獣を追い詰める環を縮めていくと、至るところが炎に包まれる！[4]」

スターリンは心から同意し、協力すると述べる。彼はヒトラーが「対オーヴァーロード作戦のために東部戦線から部隊を移動」させるに違いないと考えている。そうなれば「赤軍はドイツ軍を釘付けにして西部への移動を阻止するために、オーヴァーロード作戦と同時に大規模攻勢を仕掛ける」と約束する。[5]

今や彼らは団結し、アイデアが次々と出てくる。ソ連首相は自軍の作戦を敵の目から隠すためにとったソ連軍の戦略を紹介する。偽の軍事行動でドイツの将軍たちを誤った方向へ誘導したのだ。

ローズヴェルトとチャーチルは「我々の合同攻撃の本当の時期と場所について、敵を混乱させ、欺くための囮計画」に賛成する。

このときチャーチルが即興で話したことは、多くの名言のひとつとして記憶されている。欺瞞工作は本物の作戦と同時に進められるだろう――なぜなら、「真実は嘘のボディーガードで守らねばならないからだ[6]」

雰囲気はこれ以上ないほど昨日と様変わりしている。この件では二日間どころか二年間、緊迫した状態が続いていたが、今は全員が足並みをそろえて進んでいる。

雰囲気は非常に明るく、首脳たちは早めに会議を終える。オーヴァーロード以外にも多くの議論すべき問題がたくさんあったが、それは明日の最後の日中の会議で取り上げればいい。

今は、お祝いをするときだ。

66

チャーチルが自分の誕生日パーティーを主催すると言った瞬間から、彼のスタッフは昼夜を問わず多忙をきわめた。メニュー、銀器、音楽、酒――すべてが完璧でなければならない。

これまでの夕食会とは違い、今度はイギリス大使館で開かれる。現在通行禁止にしている細い通りを隔ててソ連大使館からわずか数百メートルだ。正面玄関は急な階段の上にあるため、チャーチルはスタッフに言って、ローズヴェルトの車椅子を通すための傾斜路をつけさせた。

加えて、警備担当はもっと忙しい。マイク・ライリーが率いるアメリカのシークレットサービスのチームが、敷地内と建物内部を徹底的に調べる。爆弾や爆発物が仕掛けられていないか、敵の活動を示す痕跡はないか、庭の植え込みのなか、あらゆる家具のなかをくまなく探す。

何も見つからない。

アメリカ人チームが仕事を終えて帰ると、代わってソ連の警備チームが入り、同じことをする。

ディナーの時間が近づくと、首相は外に出て上機嫌で到着する客を出迎える。アメリカのシークレットサービス――ほとんどがクルーカットの若者――が一列にずらりと並んでいるのを見て、チャーチルは大統領がもうすぐ到着するとわかっていながら、これから合唱でもするのかねと冗談を言う。[1]午後八時三〇分になる少し前、ローズヴェルトが到着する。息子のエリオットが車椅子を押している。

首脳ふたりは挨拶を交わす。この三日間、ローズヴェルトはスターリンと同じ立場をとるため、チャーチルには他人行儀に振る舞ってイギリスに圧力をかけ続けた。もう駆け引きは終わりだ。ローズヴェルトは特別な誕生日プレゼントを用意している。ハリマン大使に言って一二世紀のペルシアの壺を見つけてもらった。

「末永く続く友情を願って」[2]とローズヴェルトは言い、友人に骨董品の器を手渡す。

数分後のスターリンの登場はこれほどスムーズではない。

彼とモロトフが正面の階段をのぼり切ったところで、若いイギリス人スタッフはスターリンがケープをまとっていることに気づく。若者はそれを脱がすのに手を貸そうと無邪気に歩み寄る。その瞬間、ホールに待機していたNKVDのエージェントが飛び出す。ひとりが若者を捕まえ、もうひとりがその脇腹に拳銃を突きつけ、ふたりは彼をホールへ乱暴に引きずっていく。[3]

一悶着のあと、様々な客は晩餐の席が用意された大広間へ向かう。挨拶を交わし、席に着く。三人の連合国指導者は上席に並んで座る。誕生日の主催者が真ん中だ。

チャーチルはディナーではスピーチをせず、ロシアの伝統に従って何度も乾杯することにした。したがって、客たちが食事を始めると、何度も乾杯が行われ、ウォッカ、ウイスキー、ワインのグラスが干される。

ローズヴェルトがまず、儀式に則ってイギリスのジョージ六世のために乾杯する。

次にチャーチルが大統領のために乾杯する。彼は感情を込めて、ローズヴェルトが「弱者や貧しき人々を守るという大義のために、そして民主主義的な文明を支える偉大な理念を推進するために人生を献げた人だ」と述べる[4]。

次に彼はソ連軍を指揮するスターリンのために乾杯する。ロシアの伝統で彼を「スターリン大帝[5]」と呼ぼうとチャーチルは言い、少しの笑いをとった。

代わって今度はスターリンがグラスを掲げる。しかし、彼はチャーチルの賞賛について、「自分ではなくソ連の国民に与えられるべき」と言う[6]。

ローズヴェルトが再びグラスを掲げ、首相に誕生日おめでとうと言い、「この戦争で、共通の努力をするうちに、ふたりのあいだに友情が育まれたことは喜びである」と語る[7]。

乾杯のたびに温かい拍手が送られる。誰もが皆、真摯な気持ちでそうしているように見えた。ボーレンはのちに、その夜は「戦争中、英米ソの協力関係が最高潮に達したときだと思った[8]」と述懐している。

乾杯は多くの者が代わる代わる音頭を取り、ディナーのあいだじゅう続く。

やがて皿が片付けられると、給仕がチャーチルの前に巨大なバースデーケーキを置く。V字形にロウソクが六九本立っている。チャーチルは数回に分けて吹き消す。

しかし、パーティーのあいだじゅう、明らかに楽しんでいない人物がひとりいる。マイク・ライリーだ。その晩ずっと、彼は壁際に立って部屋の至るところに目を光らせていた。

三日間、ライリーは常に大統領の安全に気を配り、神経を尖らせていた。彼にとってのテヘラン会談はナチスの工作員の潜入と暗殺計画の知らせで幕を開けた。当然、それ以来一時も心が安まる暇はなかった。

ディナーがお開きになる頃、ローズヴェルトがもう一度乾杯しようと呼びかける。

彼はグラスを掲げ、アメリカ合衆国、イギリス、ソヴィエト連邦の三国の国民に乾杯する。部屋を見渡し、彼は述べる。「我々の習慣や考え方、生き方は異なっています。我々はそれぞれに国民の望みや考えを汲んで、物事の計画をそれぞれに進めます。しかし、我々はここテヘランで国の考え方の違いを超えて協力し、ひとつにまとまり、それぞれの国と世界の共通の利益のために団結して前進できることを証明しました[9]」

その晩で最大の拍手喝采が起こる。集まった客はカクテルを手に席を立って思い思いに動きまわる。笑顔と笑い声のなか、三つの国から来た訪問者はしばらく歓談していた。

やがて楽団の演奏の音が高まると、今や正式に六九歳になったチャーチルが踊り出しそうな素振りを見せる。誰かが止める間もなく、彼は短い足を蹴り上げ、ホーンパイプと呼ばれるスコットランドの伝統舞踊を、彼なりに踊り始める。

疲れ切っていたマイク・ライリーも目に留めた。この話を後年、世界に伝えたのは彼だけだ。しかし今のところ、彼は楽しむどころではない。彼の神経は緊張ですり切れている。もしライリーがほんの少し先の未来を見ることができたなら、何もかもが無事に終わることを知るだろう。

午前二時頃には、招待客は全員、それぞれの宿舎に無事に戻っている。

暗殺を企てる者がこの街のどこにいようが、今夜の祝宴ではそれを果たせない。今から三六時間以内に、連合国の三首脳は何事もなくこの街を出て行く。

もちろん、ライリーはそうなることをまだ知らない。だから、このパーティーの会場で彼は到底くつろぐことなどできない。

しかし、部屋にはほかにも心からくつろげない人物がいた。アメリカ合衆国大統領、フランクリン・ローズヴェルト。

この首脳会談は誰よりもローズヴェルトが願ったことだ。一年以上、彼はなんとしてもそれを実現しようと、ありとあらゆる困難を乗り越えてきた。不可能だと思うことが何度もあった。

だが、それが叶った。

ここテヘランで連合国の三首脳が集まり、世界にそれを披露した――数日中に、三人の集合写真が世界に配信され、連合国の勝利への確信を高めるだろう。

写真だけではない。三つの国を代表する連合国首脳がそれぞれの違いをいったん脇へ置き、この恐ろしい戦争を終わらせ、戦争を始めた独裁的なナチス・ドイツを倒すための作戦計画を立てる。

しかし、現時点で、戦争はまだ世界中に荒廃をもたらしている。戦禍は続き、終わる兆しもない。連合国にとって、まだ長い道のりがあり、この先には暗く困難な日々が待ち受けている。

それでも今夜、この部屋では希望に満ちた喜びを味わえる。

三巨頭会談というローズヴェルトの壮大な構想は実現した。

連合国首脳は暗殺を回避した。

そして、ウィンストン・チャーチルが踊っている。

第5部

余波

67

一九四三年一二月一七日、ワシントンDC

ローズヴェルト大統領は一か月以上、国を離れていた。

午後四時一五分、ホワイトハウス西棟に詰めかけた報道陣を前に演壇に上がる。

ワシントンDCに着いたのは今朝の九時一五分。つまり帰国してまだ七時間しか経っていない。テヘラン会談は二週間前に終わった。テヘランのあと、彼とチャーチルはカイロに戻ってさらに会談し、その後、大統領は地中海戦域に展開する米軍部隊をいくつか視察してから帰国の途についた。

今回の外遊について、ホワイトハウス記者団に語るのはこれが初めてだ。彼は最初に「戦争の遂行という観点からだけでなく、戦争に勝ったあとも今の世代が生きている限り二度と戦争をしてはならないという一般的な観点からも、あらゆる点で成功だったと思う」と手短に語った。[1]

ある記者がヨシフ・スターリンの「個人的な印象」を訊ねると、ローズヴェルトは同様に簡潔に答えた。「彼に会えたことは予想をはるかに超えてよかった。多くの有意義な話ができた」[2]

答えはあらかじめ用意されたようなありきたりなもので、記者たちは大統領が疲れているのだと思った。それもそのはず――彼は三つの大陸の一〇か国を歴訪したのだから。記者会見のあいだ大統領の傍らに控えていたマイク・ライリーは、カイロとテヘランを訪問した「陸路、海路、空路」[3]の旅は合計二万八〇〇〇キロにおよんだとのちに計算している。

ローズヴェルトが、今回の旅について記者たちがすでに知っていること以外はあまり語らないため、記者たちは早々に次の話題に移り、国内問題について質問する。

　そのとき、ふいに面白いことを思い出したかのように大統領の目がきらりと光る。彼はテヘランのアメリカ公使館に入ったときのことを話し始める。

「その夜遅く、スターリン元帥からドイツの陰謀の情報が寄せられたと連絡があった」

　ドイツの陰謀？　記者たちは一斉にメモをとる。

「シークレットサービスなどみんな、慌てた」大統領が説明する。続けて、スターリンから「ロシア大使館に移ってくれと熱心に頼まれた。敷地内にいくつか別館があるので、そこに滞在すればいいと。そうすれば彼もチャーチル氏も私も、互いに会うために街中を移動せずに済むからだ」と語った。

　ホワイトハウスの記者団にとってこれは初耳だ。

「当然、テヘランのような街にはドイツのスパイがうようよいるからね」ローズヴェルトは続ける。少し間を置き、かすかに笑みを浮かべる。「移動中の私たちをまとめて片付けたら、彼らにとっては大漁だ[4]」

　これは笑いを誘った。記者たちはこの件についてあまり多くを訊ねることもなく、ローズヴェルトは他の話題に移った。

　翌日、〈ニューヨーク・タイムズ〉は「スターリン、大統領を狙った陰謀をあばく」の見出しで記事を載せた。それには「〔ワシントン、一二月一七日〕ローズヴェルト大統領は、テヘランで彼の命を狙った陰謀があるとロシア側から聞き、そのためにアメリカ公使館からソ連大使館に宿舎を移したことを、本日公表した[5]」とあった。大統領が記者団に話したこと以外の新情報はなく、後追い記事もなかった。

　ローズヴェルトがテヘランについてあまり語らなかったのは、帰国したときには三巨頭会談のニュースがすでに世界中で報道されていたからかもしれない。

　インパクトに関して言えば、首脳会談はローズヴェルトの期待通りの成果をあげた。世界が驚愕し、大きく報道された。これ以上ないという絶好のタイミングで開かれ、夏と秋の軍事的勝利を締めくくる理想的なイベントになり、連合国側に勢いがあることを示した。首脳三人が並んだ象徴的な写真は、戦時協力を活気づけるだろう。

ローズヴェルトは会談で生まれた協調の精神により、連合国の戦争努力だけでなく戦勝後の世界平和についても大いに楽観的な見通しをもった。一二月一日、テヘランを発つ直前、三首脳は「三大国宣言」に署名し、数日後に報道機関に公表した。

この宣言は、連合国が「世界の圧倒的大多数の人民が承認し、何世代にもわたって戦争の惨禍と恐怖を排除するような平和を築く」と約束している。戦争が終結した暁には「我々は、我らの国民同様、圧政や奴隷制、抑圧、不寛容の一掃に邁進する国民が住む、大小すべての国々の協力と積極的参加を希求する」と誓う。

この崇高な心構えに加え、三巨頭の宣言は「我々はドイツ軍の殲滅計画に合意した。そして、我々の攻撃は容赦ないものであり、これからも激化するものである」と述べている。首脳たちは「ここで我らが相互理解を達成したことで、我らの勝利が保証される」[6]と宣言した。

報道ではこの勝利の約束が強調された。会談から二日後の一二月二日、アメリカの主な新聞は「ローズヴェルト大統領、ウィンストン・チャーチル首相、ヨシフ・スターリン首相は、ドイツを完全に倒し、世界に惨禍をもたらす戦争を二度とさせないようにするための方策を考えている」[7]と伝えていた。

首脳たちの公式声明は具体的な軍事作戦に触れていないが、報道機関は調査を開始し、テヘランではローズヴェルト、チャーチル、スターリンが連合国待望の作戦、すなわち西ヨーロッパのドイツ軍に対する英米合同の海峡横断攻撃に合意し、それが一九四四年の春に予定されていると伝えた。

ローズヴェルトが会談に求めたことは、三巨頭が直接会うという華々しく象徴的な意味に加え、前々から望んでいた通り、一九四四年の軍事作戦を確定することだった。紆余曲折はあったが、ついにこの目標は達成された。

ローズヴェルトとチャーチルはスターリンに約束した。この約束から世界との約束が生まれた。

さて、ここからが難しい。これを実行せねばならない。

68

一九四四年春

この二年間、彼らはこの件について協議し、議論し、分析し、改訂し、改名し、延期を繰り返してきた。

オーヴァーロード作戦。海峡横断攻撃。

ローズヴェルトが一二月中旬に帰国したときには、作戦計画はすでに急ピッチで進められていた。連合国の三首脳がテヘランで協議したとおり、作戦の肝は欺瞞である。戦略立案者は、指揮系統をはじめ航空機および海軍の動き、幽霊部隊、無線通信をも含む一連の複雑で緻密な囮作戦を計画した。これらの欺瞞作戦は大事業になったため、独自のコードネームが与えられた。ボディーガード作戦——テヘランでのチャーチルの言葉、「真実は嘘のボディーガードで守らねばならない」に由来する。

本物の作戦については、オーヴァーロード作戦の最高司令官を任されたアメリカ軍のドワイト・

D・アイゼンハワー将軍が水陸両用作戦の上陸地点をいくつか検討していた。最終的にフランス北部の港町シェルブール東方のノルマンディー地方に広がる吹きさらしの海岸が選ばれる。

計画は複雑で準備に多大な時間を要する。これは戦争の歴史で最大規模の合同作戦となる。第一波だけでも艦船五三〇〇隻、戦車一五〇〇輛、航空機一万二〇〇〇機、兵士一五万名[1]からなる大部隊だ。最初の上陸だけでこの数である。後続の上陸作戦に加わる総勢一〇〇万名の兵士が準備をしていた。

指揮を執るのはアメリカ人だが、オーヴァーロード作戦は米英両軍の合同作戦である。あるときチャーチル首相は、イギリス軍将校が部隊を率いて作戦に参加するとき、自分も一緒に行くと言い出した。彼は上陸用舟艇に乗りたがった。

アイゼンハワーがうまく説得してそれをやめさせた。

主に天候の影響で、作戦は五月中に開始するという合意の期日から数週間遅れた。期待と不安がますます高まり、連合国の軍隊だけでなく、世界中が固唾を呑んで待つ。

ナチス指導部は米英軍がやってくることを察知している。春のいつか、西ヨーロッパのおそらくフランスを攻撃するだろうと。しかし、それが正確にいつ、どこになるかがわからない。

ヒトラーは以前から、連合国軍の上陸地点はドイツ軍が兵力を集結させているパドカレー半島になるだろうと予想していた。しかし、エルヴィン・ロンメル元帥が配備したドイツの防衛線、「大西洋の壁」は柔軟性があり、ドイツ軍の強力な装甲師団と歩兵師団は海岸線を自在に移動して敵がどこに上陸しようが迎撃できる。

六月初めには緊張が耐えがたいほど高まっていた。

そして六月六日未明、フランス北部にいたドイツ兵が連合国軍の空挺兵を何人か目撃する。

ついに。

侵攻が始まる。

69

一九四四年六月六日

「この戦争を決する日の夜が明けた[1]」とナチス宣伝大臣ヨーゼフ・ゲッベルスは、第一報が届いたその日の早朝、日記に書いている。

連合国軍の上陸地点はドイツの予想とは違っていた。そのため、ドイツ軍の指揮官たちは敵を迎え撃つために急遽、歩兵師団をノルマンディー海岸へ移動させる。

モスクワ、ワシントンDC、ロンドン、そして世界中の各都市には、待望の侵攻が始まったという緊迫した未確認の情報が届き始める。皆、待つ以外に為す術がない。

侵攻に先立ち、連合参謀本部は約八〇キロに及ぶノルマンディー海岸を五つの隣接した区域に分けた。それぞれに「ユタ」、「オマハ」、「ゴールド」、「ジュノー」、「ソード」のコードネームが付された。

夜明けとともに、最初の上陸用舟艇がノルマンディー海岸に近づく。いちばん西側のユタに上陸した米軍部隊は、敵の抵抗をほとんど受けない。同様にゴールドとソードでも、イギリスとカナダの部隊は大量の犠牲者を出すことなく上陸を果たす。

しかし、ユタの東側にあるオマハでは不運が重なった。

ここでは海峡の嵐に煽られた波が予想よりはるかに高かった。上陸用舟艇は砂州に阻まれ、海岸に充分近づけない。敵の砲弾が雨のように船に降り注ぎ、混乱を巻き起こす。最初に上陸する試みが失敗すると、パニックを起こした兵士たちは船から転げ落ち、冷たい海で溺れた。戦車も陸に着く前に上陸用舟艇から何台か滑り落ち、乗員もろとも海底に沈んだ。

助かった兵士たちは、気がつくと冷たい水に首まで浸かっていた。水中で重さ九キロの装備を担ぎ、ライフルを頭上に掲げたまま一歩ずつ海岸に近づく。米兵の第一陣が海岸にたどり着くと、彼らはたちまち崖の上や砂丘に陣取ったドイツ軍の機関銃と砲弾に狙い撃ちにされる。多くの兵士、特に戦闘経験のない兵士たちは恐慌状態に陥る。とっさに地面に伏せ、殺戮の恐怖で動けなくなる者もいた。「怖くて泣いている兵士、失禁している兵士がいた」ある若い兵卒がのちに振り返っている。「私はほかの兵士たちと地面に伏せ、恐怖で身動きできなかった……あるとき、何かが私の腕に当たった。弾が当たったのだと思った。それは誰かの手だった。きれいに切断された手だった」[2]

オマハ上陸をめぐる数時間の攻防で、八〇〇名の米兵が戦死した。しかし、海岸沿いに死体が積み上がるいっぽう、舟艇と兵士は続々とやってきた。

正午までには、彼らは海岸堡を築いていた——そして、午後には部隊の一部が崖に到達する。ノルマンディー海岸の戦死者は長い一日と夜を通して増え続ける。日が暮れるまでにアメリカ軍は、およそ二四〇〇名の戦死者を出していたが、三万四〇〇〇名の兵士が上陸を果たした。

どの海岸にもそれぞれの物語がある。しかし六月七日の真夜中には、合計一五万人の兵士がノルマンディー海岸に上陸し、連合国軍は五つの区域すべてに海岸堡を築いた。

最初の二四時間で、アメリカ、イギリス、カナダの戦死者は合わせておよそ一万人に達し[3]、ドイツ軍も同等の戦死者を出した。これらの数は壮絶な東部戦線と比べれば少ない。しかし戦略的には、上陸の影響は絶大だった。米英軍は西ヨーロッパに侵攻するための堅固な足がかりを得たのだ。

ノルマンディー上陸の初日が後年、追悼の日となるように、その後の内陸部での戦いも同様に熾烈を極めた。そこで連合国軍は、ドイツ軍の誉れ高い装甲師団に遭遇する。しかし、数と航空戦力に勝る連合国軍は進撃を続けた。

六月末には、三週間の戦闘を経て英米の部隊はフランス北部に足場を確保する。そこから彼らは移動を開始し、ゆっくりとではあるが着実にベルリンを目指してフランスの地方を突き進む。

ヒトラーと指揮官たちは、迫るアメリカとイギリスの地上部隊を迎え撃つために、できれば全軍をフランス北部へ差し向けたいところだ。

だが、それはできない。数千キロ離れたところで、東部戦線沿いの強大なソ連軍が動き出したからだ。彼らは反対方向から着実にドイツに迫っている。

戦争の残りの期間、ナチスの地上軍は分割される。このあともまだ悲惨な日々は続き、凄まじい戦闘がある。

しかし、連合国にとって、終わりは見えていた。

70

一九四五年四月三〇日、ドイツ、ベルリン

拳銃一丁と青酸カリ一錠。

アドルフ・ヒトラーは、ベルリンの総統官邸の中庭の下に設けられた総統地下壕にそれを持ってきていた。地上の街並みはアメリカの爆撃とソヴィエトの砲撃で瓦礫と化していた。五か月前の一九四四年一一月、赤軍が東プロイセンに迫ると、彼は「狼の巣」から退避した。今、彼は地下壕の書斎の小さなソファに座っている。彼の隣には長年愛人関係にあったエヴァ・ブラウンがいる。昨日の夜遅く、ふたりは地下でささやかな式を挙げ、ついに結婚した[1]。ナチスの規制に従い、ふたりは純粋なアーリア人であることを結婚の誓いのなかで確認した。

式から数時間後、ヒトラーは秘書に最後の声明を口述筆記させる。それには帝国を率いる後継者が指名された。また、最後の長談義も含まれる。「何世紀過ぎようとも、国際ユダヤ人に対する憎しみが絶えることはない[2]」と彼は断言した。

今、彼とその花嫁はこの小さなソファに座っている。閉じたドアの外では制服姿の兵士が見張りに立っている。午後三時一五分頃、示し合わせたとおり、ブラウンが青酸カリのカプセルを口に含み、かみ砕く――ヒトラーは拳銃の銃口を右のこめかみにあて引き金を引く。

総統は死んだ。

チャーチルの言に従えば、ヒトラーは「人間の胸をむしばんだ最も激しい憎悪の在処であり、表出[3]」だった。

しかし、それはヒトラーだけではない。

体制全体がそうだった。それは数十年前に始まり、悪化し、成長した憎悪に満ちたイデオロギーだった。最初、それはひとつの政党を掌握し、次に国中に広がった。

ひとりの男を憎むのは簡単だ――しかし、ヒトラーのおぞましい決断のひとつひとつは、大きくて強力な政治的、文化的ムーブメントのなかで無数の支援者や協力者によって支えられたのだ。

ヒトラーの死からまもなく、総統の遺体の処理に駆けつけた者のひとりが、ナチスの宣伝大臣ヨーゼフ・ゲッベルスだ。ゲッベルスと他数名は、ヒトラーとブラウンの遺体を地下壕の上の官邸中庭に運び出し、ガソリンを使って荼毘に付す。

翌日の夜、ゲッベルスも自死する。その晩、ゲッベルスの妻マグダは親衛隊の医師に指示して四歳から一二歳の自分の子供六人に青酸カリのカプセルを飲ませ、そのあと自ら命を絶った。[4]

それからの数日、数週間で、アメリカ軍とソ連軍がベルリンを制圧する。ナチスは終わりだ。連合国はドイツの全領土とかつての枢軸の領土をくまなく捜索し、まだ捕まっていないか死んでいないナチス高官を見つけ、逮捕する。

第三帝国の上層部を形成していた数千人の役人や軍将校の所在を突き止め、本人と特定して捕らえるのは気が遠くなるような大仕事だ。

この時期に、連合国が逮捕した人物のなかに、ナチスのSD国外諜報局局長、ヴァルター・シェレンベルクがいた。一九四五年六月、ベルリン陥落からほぼ二か月後、イギリス当局がデンマークで彼を捕らえる。彼はそこで自ら逮捕される機会を探っていた。

その数か月前、シェレンベルクはSS全国指導者ハインリヒ・ヒムラーと共謀し、連合国と和平交渉を結ぶ道はないかとヒトラーに隠れて画策していた。交渉の切り札として、シェレンベルクは強制収容所から数千人のユダヤ人を解放する用意があると持ちかけるつもりだった。

そうすることで、ドイツ政府の一部を救済し、連合国のベルリン破壊を阻止できるかもしれないと、シェレンベルクはヒムラーを説得した。

この最後の悪あがきは失敗する。SSの創設者で死の収容所の主な考案者でもあり、ヒトラーの後継者と見なされるヒムラーと、連合国が誠意を持って交渉することなどあり得ない。期待するのもばかばかしい。ローズヴェルトが一九四三年初頭のカサブランカ会談で約束したように、連合国の方針は無条件降伏である。連合国はヒムラーとも、シェレンベルクとも、他のどのナチス高官とも交渉を行わない。

狡猾で知られるシェレンベルクは逮捕されたとき、連合国の味方という立場を取ろうとした。彼は戦争計画に加わっていないと主張し、ナチス首脳部が行った残虐行為に直接の責任はないと訴えた。しかし、党の内情に精通している彼は、連合国側に提供する情報を充分持っていた。

ある意味、この姿勢が彼を救った。連合国の情報機関のファイルには、シェレンベルクをほめそやす記述が見られる。「ハンサムで完璧な身だしなみ……よく手入れされた手……穏やかな声、非常によくしゃべる」[5]

イギリス当局は彼がSDの国外諜報局の責任者だったと知ると、さらに徹底的に尋問するために、ロンドンへの移送を要望した。彼が「間違いなく、最も重要な情報を握る立場にいた」[6]からだ。

それからの二年間、連合国はシェレンベルクの尋問を続け、結局、比較的軽度のいくつかの犯罪で彼を告発する。

最終的に、彼はニュルンベルク裁判で証言する。彼は他人を犯罪に結びつける情報は積極的に提供したが、自身の関与を認めないように慎重に証言した。多くの元同僚や上官とは違い、彼は死刑を免れる。一九四九年一一月四日、シェレンベルクは禁錮六年の刑に処せられた。刑期を二年務めたあと、彼は病気のために釈放される。彼は晩年の二年をスイスとイタリアで暮らし、そこで長い回想録を書き始め、自身の生涯とナチ党での役割について記す。彼は一九五二年三月三一日、四二歳で没する。

ベルリン陥落後まもなく、連合国の大捜査網にかかったもうひとりのナチス高官は、ムッソリーニ救出で名を馳せた武装SSのオットー・スコルツェニー中佐である。

戦争の最後の年、スコルツェニーはヒトラーお気に入りの軍人となり、次第に栄誉ある指揮を任されるようになる。西ヨーロッパでドイツ軍を率い、赤軍が東欧を進撃してベルリンに迫る際の数々の戦いでも指揮を執った。

シェレンベルクとは違い、スコルツェニーは連合国と和平を結ぶことは考えなかった。彼は根っからの軍人でナチスの兵士だ。一九四五年四月初め、連合国軍が迫るなか、彼は雪におおわれたオーストリアの山に数十個の特殊部隊を空輸するという危険な賭に出る。そこで連合国の占領軍に対して、三〇〇〇人規模の準軍事作戦を指揮するのだ。[7]

スコルツェニーと部下の一部はオーストリアにたどり着くが、物資補給もできなかった。ヒトラーの自殺とベルリン陥落後、状況はますます絶望的に見えた。ナチスの多くの高官や将校と同じく、彼にも決断のときが来た。

彼は飛行機で数名と共に山岳地帯へ行き、そこから中立国へ逃れる手はずを整える。しかし、その道を選ぶということは「故国、家族、同僚など、あらゆること、あらゆる人々に別れを告げることを意味する[8]」と思い至った。

ヒトラーやゲッベルス、他のナチス上層部が選んだ厳しい道もある。スコルツェニーはそれも考えたが、やめた。「自殺については、多くの者がそれが唯一の道だと考えていたが、私は部下のそばにいて、彼らと運命を共にするのが自分の義務だと思った。私は何も悪いことはしていないし、かつての敵に対して何も恐れることはなかった[9]」

彼と残った特殊部隊の兵士たちはオーストリアの山を下りた。そして現地のアメリカ軍司令官と連絡を取ったあと、スコルツェニーは五月一六日に投降する。

最初、アメリカ当局は自分たちの目の前にいるのが誰かを知らない。捕虜となった敵の将校として通常の扱いをする――彼の正体に気づくまでは。その途端、スコルツェニーは「十数丁の機関銃の銃口を向けられ、通訳に拳銃を差し出せと言われ、その通りにした……それから私は武器を持っていないか調べられ、素っ裸にされた[10]」とのちに語っている。現地の指揮官は彼をハイレベルの尋問のために他所へ送り出す。

それからの二年間、アメリカとイギリスの当局はスコルツェニーを町から町へ、拘置所から拘置所へ移送した。彼は数十回尋問を受けた。独房に監禁され、睡眠を奪われるなどの苛酷な処遇に耐えたこともある。

彼の最も有名な行為――ムッソリーニ救出――は、厳密には戦争犯罪ではないが、彼は連合国軍の捕虜を殺害した容疑を含め、戦争の他の局面の複数の行いにより、訴追される。

最終的に、ニュルンベルク裁判は彼の案件をすべて無罪にしたが、連合国の「非ナチ化」計画[11]の一環として長期拘留されることになった。また、彼はデンマークとチェコスロヴァキアでの戦時中の行いのために、これらの国々で訴追されると予想された。

一九四八年、彼は連合国の捕虜収容所から脱走する。これは三人のドイツ人の友人が、アメリカ軍将校に変装して彼の釈放を偽装するという巧妙な企てだった。スコルツェニーは犯罪では告発されなかったため、以後、国際当局は彼の追跡に資源を使わなかった。

その後、彼は戦後の人生に乗り出し、ヨーロッパと南アメリカを渡り歩いた。戦争で得た伝説的な名声を売りにして、彼は各国の政府や団体と特殊作戦のエキスパートとして契約した。また、彼は様々な右翼の民兵組織や活動と提携した。ある時点で、彼は秘密の業務と特殊部隊の専門性を提供する闇の企業〈パラディン・グループ〉を設立する。

歴史の驚くべき皮肉だが、生粋のナチ、しかもアドルフ・ヒトラーのお気に入りの軍人であったスコルツェニーは、一時期イスラエルの諜報機関、モサドと契約して活動していた。

シェレンベルクと同じく、スコルツェニーも戦中戦後の人生を振り返った回想録を書いている。彼はそこで真の愛国者、ドイツの兵士として自身を描いている――ひたすら祖国に奉じただけの人間だと。史上最悪の残虐行為を行った体制のために戦ったことについては後悔を表明していない。

しかし、最後にスコルツェニーがシェレンベルクと共通する点がひとつあった。ふたりは連合国に拘束されているあいだにどれだけ厳しく追及されても、一九四三年一一月のテヘラン会談でローズヴェルトとスターリンとチャーチルを暗殺する計画に関してはひとことも話さなかったし、質問されてもいないようだ。

首脳会談のあとの世界を変える出来事のなかで、この話はすべて忘れ去られたかに見える。

しかし、だからといって完全に消えたわけではない。

71

テヘランでの三巨頭会談のあと——そして終戦直後の数年間に——一九四三年一一月の暗殺計画については、公に語られることも書かれることもあまりなかった。

しかし、その裏では計画の細部を疑問視し、本当にそんな陰謀があったのかと疑う声もあった。ローズヴェルトが一二月一七日に開いた記者会見——もし陰謀が成功していたら、「彼らにとっては大漁だ」と漏らしたあの会見——の直後、この発言は不適切だと表明する人物が少なくともひとり、テヘランにいた。

この地域を担当するイギリス情報部の責任者、ジョー・スペンサーは、大統領が未確認の情報を大衆に広めるのは無責任だと感じた。スペンサーは、この陰謀の証拠をひとつも目にしていないので、この話は信用できないと述べた。また、テヘランには「ドイツのスパイがうようよいる」というローズヴェルトの発言も不愉快だった。なぜなら、スペンサーのチームは、テヘランからドイツのスパイをひとり残らずではないとしても、ほぼ一掃したと自負していたからだ。

当然、スペンサーは公の場で合衆国大統領に喧嘩をふっかける気はなかったが——特にオーヴァーロード作戦を数か月後に控えた時期——この地域のイギリス軍に内部メモを送った。

このメモは若干皮肉っぽい調子で書かれている。「三首脳の暗殺が成功していたら『大漁』だっただろうというローズヴェルト氏には同感だが、我々が知る限り、新聞やラジオが何を報道しようがそれは真実ではないと指摘せざるを得ない」。スペンサーは諜報専門家の流儀にしたがって、マスコミが記事を流したことを批判し、「このような不注意な報道や放送は有害である」[1]と非難した。

スペンサーはテヘラン会談の前と会期中、この地域のイギリスの諜報活動を指揮しており、したがって彼の意見を無視するわけにはいかない。とはいえ、スペンサーがイランにいるナチスの動きをすべて把握していなかったことも事実だ。それどころか、彼は知り得なかった。

当時、イランの治安と諜報はイギリスとソ連のあいだで分担され、イギリスが国の南半分を、ソ連が北半分を受け持っていた。テヘランは両国共同で担った。ナチスの暗殺計画の情報はすべてソ連側——NKVD——からもたらされたため、ソ連が追跡していたドイツのスパイについてイギリス情報部は知らなかったかもしれないし、その可能性は大いにあり得る。

さらに、ソ連の諜報機関は——そしてロシアの諜報機関は今でも——世界で最も秘密主義であることで知られている。アメリカやイギリスの機関と違って、NKVDとその後継機関はめったに記録を公開しないし、他国の政府と共有しない。戦争中、ソ連とイギリスは同盟国だったとはいえ、その関係は対立と不信感に満ちていた。

また、スペンサーのコメントは自分の利害を表している。イランで敵の動きを把握する責任者である彼は、ソ連が、パラシュート降下した三八名のドイツ人に気づいて、アメリカ人たちを街の反対側に移動させるほどの危険な陰謀を暴いたと聞いたら、ばつが悪くなるだろう。確かに、他国の諜報機関に先を越され、三巨頭に警告されては、スペンサーの立場がない。彼が陰謀を否定するのは自分の体面を立て、組織の評判に傷をつけないための方策かもしれない。

しかし、内々に陰謀説にケチをつけたのはスペンサーだけではない。ローズヴェルトの駐ソ連大使アヴェレル・ハリマンは、ソ連外相モロトフの話にもとづき、暗殺計画について最初に大統領に報告した人物だが、実際に何があったのか、拭いきれない疑問を抱いたまま会議場をあとにした。

首脳会談後まもなく、ハリマンはモロトフと会い、本当のところ、暗殺計画はどれほど深刻なものだったのか率直に訊いてみることにした。「私はモロトフに、本当に計画があったのかと訊いた」とハリマンはのちに振り返る。「情報が寄せられたので、万が一の場合に備えたのだと彼は言った。件の計画があったとは彼は言わなかった」[2]

このやり取りのあと、ハリマンはナチスの陰謀が本当にあったのかどうか確信がもてなくなった。しかし、ハリマンの疑念——そしてモロトフの曖昧な態度——は、会談の出席者で、陰謀が実際にあったと信じる他の人々によって打ち消された。

チャーチルは後日、三巨頭を殺害する企てがあると信じたと断言している。この確信と一致し、さらに強く信じた人物が、会談中、チャーチルの身辺警護を任されていた護衛官ウォルター・H・トンプソンだ。トンプソンはのちに、ドイツ兵が少なくとも六〇名、テヘラン市内か近郊にパラシュート降下し、捕らえられた者の多くが銃や爆発物で武装していた、と会談が始まる前の晩、現場でNKVDのエージェントから直接聞いたと主張している。[3]

となれば、ローズヴェルトの警護責任者マイク・ライリーの話に戻らざるを得ない。当時テヘランにいたアメリカ人のなかで、ソ連からもたらされた陰謀の話を彼ほど詳しく完全に聞いていた人物はほかにいない。

ライリーの職務は、大統領への信憑性のある脅威を突き止めること、そしてそれらを単なるうわさや偽情報と区別することだった。彼は平時有事を問わず、この経験が豊富で、NKVDの報告は完全に本物だと判断した。だからこそ、大統領を説得し、偽の車列を用意し、ソ連大使館へ移動させたのだ。ライリーは何年も経過してから回想録を書いたときも、暗殺計画があると訴えたNKVDの話を疑っていない。

戦後から数年間、暗殺計画の中身と詳細を確実に知っていた唯一のグループ――具体的には、それを立案したナチス――が決してそれを認めないために、当初から陰謀にまとわりついていた疑念がさらに深まった。

一九四〇年代末には、ニュルンベルクの検察官は戦争犯罪で元ナチス高官を告発し、有罪にするよう積極的に動いていた。裁判は最終的に合計三七人の元ナチス高官に死刑を宣告し、さらに多くを長期刑に処した。

元ナチス高官やドイツ軍将校が、連合国首脳の暗殺計画に関与したと告白するのは自殺行為に等しいし、そのような計画の秘密情報を暴露したりするだけでも自身の身を危うくする。

そのため、当然のことながら、ドイツ側からは証言も文書も一切出てこないし、陰謀があったのか、なかったのか、どちらの証明もできない。たとえば、ヴァルター・シェレンベルクは国外諜報局の局長で、会談の前年からイランでの秘密作戦を指揮し、テヘランで暗殺計画があるとしたら必ず関与しているに違いないが、彼のような立場なら誰でも、この件について完全に沈黙を貫き、証拠をひとつ残らず廃棄しているはずだ。

それでも、ドイツ側の確たる証拠がなく、当時ソ連がそれ以上の確実な情報の提供を拒否したため、いくつかの疑問が根強く残った。

暗殺計画があったことに懐疑的な見方――主にイギリス人が主張――が有力になった。

しかし、最強の懐疑論者でさえ、ある単純な事実を無視することはできない。もし本当に三巨頭を暗殺する企てがなかったのなら、ソ連がそれをでっち上げる理由は何だろう？　あるいは、別の訊き方をしよう――彼らは会談が始まる前日の深夜になって、なぜ急いでアメリカ側に知らせ、ローズヴェルトに随行員ともども、街の反対側に移るように勧めたのか？

その答えは、この一件にまた新たな謎を加えることになる。

72

彼はまだほんの若造だ。

一九四三年一一月、三巨頭会談当時、セルゴ・ベリヤは一九歳になったばかりだった。彼は父と一緒にテヘランに来た。父のラヴレンチー・ベリヤはＮＫＶＤの悪名高き長官で、会談にはスターリンに随行してやってきた。

何年もあとのセルゴの話によると、テヘランで、初日の朝、彼はスターリンに呼ばれた。セルゴは英語を話し、読むことができたので、スターリンから特別な仕事を与えられた。毎朝、前の晩に密かに録音された英語をロシア語に翻訳するのだとスターリンに命じられた。

その録音の音源は何か？　ソ連大使館の敷地内にあるアメリカ人用の別館に仕掛けられた隠しマイクが拾った音声だ。

要するに、ソ連側はローズヴェルトの宿舎を盗聴していた。

「きみに道徳的に危うい微妙な仕事を委ねる。ローズヴェルトがチャーチルや他のイギリス人、彼自身の周辺の人間と話した録音を聴くのだ」若きセルゴはスターリンに言われたことをのちに回想する。なぜそんなことを？「今は第二戦線の問題が決まるときだ。チャーチルが反対していることは知っている。アメリカ人がこの件で我々の意見に賛成することが重要だ」[1]とスターリンは説明した。セルゴは命令に従い、毎朝六時、大統領が前夜側近に話した内容の録音を急いで聴き、翻訳した。午前八時きっかりに、彼は翻訳文をスターリンに手渡した。

セルゴの盗聴の話はこれまで立証されておらず、おそらく立証できない。だが、あり得る。スターリンは敵も味方も盗聴することで有名だ[2]。

時が経つにつれ、もしセルゴの話が本当だとしたら、ローズヴェルトはこのような重要なイベントで、外国の指導者に内輪の会話を盗み聞きされるような、騙されやすい人間だという人も出てきた。しかし、ほかの人が主張するように、ローズヴェルトたちはスターリンのやり口を見越していて、ソ連大使館内の部屋はどこも盗聴されているという想定で、あえてスターリンに聞かせたいことだけを話した可能性もある。そうだとしたら、彼らは部屋に仕掛けられた盗聴器をソ連を操る道具として利用したのだ。

もしこれが真実なら、テヘラン首脳会談では、会議場で起こっていたこととは別に、その裏で何層にも重なった複雑な駆け引きが行われていたことになる。

いずれにしても、スターリンがローズヴェルトの部屋を盗聴していれば、それは実際に何が起こったかを懐疑的に見る材料になる。理屈は単純だ。ソ連はローズヴェルトの会話を盗聴するためにナチスの陰謀をでっち上げる。元イギリス諜報部員ケネス・ストロングが言うには「ロシア人たちは欲しいものを手に入れたと私は今も考えている。彼らは陰謀を利用して、テヘランのソ連大使館の敷地内にある別館に移るようローズヴェルトを説得した。そこに盗聴器が仕掛けられていたのは間違いない[3]」

この見解に対抗して、戦後しばらく、ロシア人ジャーナリストや研究者の一部が、別の角度からこの疑惑の調査に取り組んだ。彼らはおおむねＮＫＶＤの当初の主張を額面通りに受け入れ、それから調査結果と推測を織り交ぜて細部を埋めていった。

時が流れ、様々な説が登場し、ほとんどは興味深いものではあったが検証不可能だった。ある時点で、ＣＩＡはテヘランでの陰謀について戦後ソ連が唱えた説に関する簡単な調査記録をあえて公開した。ＣＩＡとしては、陰謀説はある種のプロパガンダであり、アメリカは歴史のナラティブを形成しようとするいかなるソ連の試みにも警戒すべきであると結論づけている[4]。

さらに時が流れ、暗殺の陰謀説の歴史は冷戦の影響を受ける。西側とソ連の対立が深まったこの時代、アメリカとイギリスは、ソ連を窮地を救った英雄にするわけにはいかなかった。暗殺計画はローズヴェルトを騙して操るための捏造でなければならなかった。

いっぽう、ソ連にはまったく別の狙いがあった。西側の民主国家に不当に悪者に仕立てられたと思い、そのような批判に対抗して祖国を讃える必要があった。彼らのストーリーの枠組みでは、連合国首脳の暗殺というナチスの企てを未然に防いだのはソ連の諜報機関であり、だからこそ西側世界はソ連に感謝しなければならない。

陰謀に対するこの見解の相違は、戦争の記憶に関する東西の緊張の高まりを反映している。ソ連が米英に憎しみを募らせていったのは、ナチス・ドイツに勝つためにソ連が果たした大きな役割を米英が過小評価している、あるいは単に忘れていると感じたからだ[5]。この点についてソ連の批評家は、西側の戦争の描き方を指摘できる。ハリウッド映画やニュース映像、ラジオ番組だけでなく、学校で使われる歴史の教科書までもが、アメリカとイギリスがヒトラーと勇敢に戦って世界を救う姿を描くいっぽう、ソ連はほとんど登場しない。[6]

この不満は深いところから発していた。いかなる基準に照らしても、ナチス・ドイツとの戦争において、ソ連が連合国のどの国よりも多くの戦いを担ったことは間違いない。ある統計によると、ドイツの全戦死者のおよそ四分の三はソ連軍と戦って死んだ。アメリカからの軍事援助は確かに役に立ったが、それでも戦場ではナチスの軍団に対する戦闘のほとんどを担ったのはソ連の兵士だった。

戦争の死者数となると、さらに偏っている。太平洋戦域全体や他のすべての戦域を含め、この戦争および戦争関連で、アメリカの死者数は推定で四一万九〇〇〇人、イギリスの死者数は四五万一〇〇〇人である。これらの数は確かに多いが、同時期、ソ連が戦争で失った命は少なくとも二四〇〇万人にのぼる――アメリカとイギリスを合わせた数より二五倍以上多い。犠牲の大きさという点では比較にならない。

それぞれの国が大戦争の記憶と向き合うなか、テヘランの陰謀の描き方に興味深い新しい視点が加わる。

一九六〇年代、第二次世界大戦中のスパイ物語への需要が高まると、この陰謀をもっと刺激的に、フィクションを交えて語るものが現れた。この時期、ナチスの計画立案者が暗殺任務に特別な名前をつけていたという話が出てきた――「走り幅跳び《ロング・ジャンプ》作戦」である。報道や一般向けの文献ではこれが陰謀の正式名称となり、それは今日も変わらないが、この名称が当時、ドイツかその他の国の機関が実際に用いていたという証拠はない。

ムッソリーニ救出で名を馳せたオットー・スコルツェニーが表に出てきたのはこの頃だ。彼はこの件で取材を申し入れてきたジャーナリストに話をした。彼の名前は陰謀に紐付けられて繰り返し言及され、彼は誤解を解きたかったのだ。また、当時発売間近だった自身の回想録で陰謀のうわさを取り上げている。

スコルツェニーは真っ先に、ナチス時代の競争相手に全責任を負わせた。「私が見たところ、ヴァルター・シェレンベルクはドイツの敵である『ビッグ・スリー』を狙う計画に非常に乗り気だった」[7]と主張した。

しかし、陰謀とは距離を置きたいのか、スコルツェニーは意外なことを打ち明けた。一九四三年一一月初旬、彼とシェレンベルクは、テヘランで三巨頭を暗殺できるかどうか協議するために、「狼の巣」でヒトラーと会ったという。

いずれにしても、スコルツェニーはそのような作戦に関わるのはご免だと思ったと述べた。当時、テヘランに関する入手可能な情報を検討した結果、「この計画は非現実的だ[8]」と判断し、参加を辞退した。

長い年月を経た今になって、スコルツェニーがヒトラーとの会合をでっち上げる理由は見当たらない。しかし、陰謀には一切関わっていないとする彼の主張は決め手に欠ける。元ナチスの戦犯はまだ訴追される恐れがあり、スコルツェニーはなんとしても新たな容疑は避けたいと思っただろう。

したがって、彼が否定した理由は、くすぶっていた自身への嫌疑を振り払い、故人に責任を転嫁するためだったのかもしれない。それに、彼はヴァルター・シェレンベルクが大嫌いだった。

一九六七年、スコルツェニーが興味深いコメントを出したあと、ラズロ・アヴァスという名のフランス系ハンガリー人のジャーナリストが、たき火に新たな薪をくべるように、テヘランの暗殺計画について一冊の本を出した。『ロング・ジャンプ（The Long Jump）[9]』と題されたアヴァスの本は、興味深い登場人物と意外な展開が詰まっていた。アヴァスは本の下調べのために、この陰謀に関わった元ナチスのスパイをはじめ、陰謀を直接知っている人物、数人にインタビューしたと主張している。

ひとつ大きな問題があった。アヴァスがインタビューしたと主張する人々の多くは、ほかに記録がない。したがって、彼らの証言を検証することはできない――それどころか、存在そのものが確認できないのだ。

またアヴァスの本は歴史的に不正確な記述が散見され、これが全体の信用度を落としている。にもかかわらず、一部の作家やジャーナリストは、アヴァスがインタビューした人々は本物ととらえ、この陰謀について書くとき、立証された実在の人物と本物の証拠にアヴァスの本からの引用を織り交ぜた[10]。

これらはすべて大きな混乱をもたらした。冷戦期の終わりには、テヘランで三巨頭を殺害する計画の話はこれまで以上に不確かなものとなっていた。実際に何が起こったのか、明らかになる日は来るのだろうか？

そもそもの発端は、陰謀があるとソ連側が言い出したことだった。したがって、二一世紀が始まり、ロシアから決定的な言葉が出てくるのは妥当かもしれない。

73

二〇〇三年一一月一八日、ロシア、モスクワ

突然のことだった。

二〇〇三年、テヘラン会談から六〇年、〈クレムリン・インターナショナル・ニュース〉がロシアの対外情報部の元メンバーをそろえた特別な記者会見を開き、その模様を放映する。

この企画の意図は、テヘラン会談を記念するとともに、『テヘラン43』というユーリィ・クズネッツという作家のロシア語の書籍を宣伝するためだ。同書はナチスの三巨頭暗殺計画に関し、新たに機密解除された情報も含むという触れ込みだった。

最初のほうで発言した人物のひとりが、NKVDの後継機関、KGBの元副議長ヴァディム・キルピチェンコである。

「『ロング・ジャンプ』があったのか、なかったのか、いつまで経っても議論が尽きない」彼はこのへんで決着をつけようと言わんばかりに述べる。「断言する。三大国の首脳を暗殺する企てがあった……暗殺の準備がされており、この点は間違いない」

このような発言が続き、登壇者たちは世界史の流れを変えたかもしれない暗殺計画について、この新刊本が新たな世代にその全真相を伝えるだろうと約束する。

残念ながら、同書がその約束を果たしているとは到底言えなかった。会談の準備にソ連が何をしたか興味深い新事実をいくつか紹介しているものの、ナチスの暗殺計画については、すでに知られていることを繰り返すばかりだ。宣伝に謳われていた、新たに機密解除された情報が紹介されることもなかった。

しかし、そんなことは重要ではない。なぜなら、この一種異様な記者会見の主役は書籍ではなく、最初は黙っていた登壇者のひとりだからだ。ついに司会者が彼を紹介する。

七九歳。ロシアの諜報機関に長く勤めたエージェント。

名をゲヴォルク・ヴァルタニアンといった。

ヴァルタニアンはテヘラン会談の会期中、NKVDのエージェントとして現地にいたと語る。当時一九歳。そして最も重要なのは、自転車を乗り回していたあの「軽騎兵」のひとりであること。

「多くの人がそんな（暗殺の）企てなどなかったという」と彼は記者会見で述べる。「それは嘘だ。

暗殺計画は実際にあった。我々は会談中の警備を担当し、何が起こっているかを把握していた」

続いてヴァルタニアンは、一九四三年の夏から秋にかけて、テヘランでナチスを探し出して逮捕した軽騎兵隊および自身の華々しい活動について語る。[1]

さらに彼は、よく言われているように、ナチスが地下水道を通ってソ連大使館に侵入する計画を立てていたこと、一一月三〇日のチャーチルの誕生日の夜に暗殺者が襲撃を試みるだろうとソ連側が予想していたことは真実であると断言した。また彼は、NKVDがドイツのパラシュート兵をクムから追跡してテヘランの隠れ家を突き止め、彼らの無線通信を盗聴し、その結果、オットー・スコルツェニーが率いる予定だった第二班の出発を阻止したという話を生々しく語った。

ヴァルタニアンは記者会見で最も記憶に残る人物となり、彼の話はロシア国内外でさらに大きく報道された。その後の数か月、彼は一九四三年の陰謀を未然に防いだ功績に加え、ソヴィエト時代から現在まで、生涯ロシアに奉仕したとして栄誉と賞賛を受ける。

ほかにも彼に注目した人物がいた。ウィンストン・チャーチルの孫娘シリア・サンズである。記者会見から四年後の二〇〇七年、サンズはヴァルタニアンに会うために、ドキュメンタリー番組の取材班と一緒にロシアを訪問する。彼女は祖父の命を救ってくれたお礼を彼に直接言いたかったのだ。この話も国際的にある程度注目を集めた。

二〇一二年、ゲヴォルク・ヴァルタニアンは八七歳でモスクワで死去した。ロシアの大統領ウラジーミル・プーチンは葬儀に出席し、ヴァルタニアンの寡婦で元スパイのゴアにお悔やみを述べた。

これですべて終わったように思えた。ナチスの陰謀を直接知っていた元情報部員がその詳細を明かし、さらに重要なことに、陰謀は実際にあったと証言した。これで一件落着だ。

ところがそうはならなかった。

さらに調べてみると、ヴァルタニアンの話には穴があった。確かに軽騎兵の描写や、会談に先立つ数か月、数週間のテヘランでのナチスの活動に関する彼の説明には真実味がある。しかし、地下水道を通って侵入する計画やチャーチルの誕生日を狙った点など、他の詳細はあり得なくはないが立証できない。

しかも、ヴァルタニアンが何度も語った話――文字の記録はなく、すべて口頭――は内容がたびたび変わり、ときには矛盾する。たとえば、会談の前にオットー・スコルツェニーが下見のために自らテヘランを訪れたなど、到底あり得ない話も含まれている。

おそらく最も注目すべき点は、ナチスの隠れ家にいた六人の無線通信士のひとり、ヴェルナー・ロックシュトロー伍長のことをはっきり覚えていると彼が言ったことだ。

これはあり得ない。なぜならロックシュトローは、三巨頭が会談に合意する以前の一九四三年八月に、イギリス情報部が捕らえたフランツ作戦の無線通信士のひとりだからだ[2]。

ヴァルタニアンは高齢で、多少の記憶違いはあるだろう。フランツ作戦と暗殺作戦を混同したのかもしれない。彼は両方のグループの監視に関わり、両方とも無線通信機を操作する工作員が六人いた。もし彼が作戦を混同したとしたら、どの話がどちらに該当するのか。それに、いくつかの事実が間違っていたとしたら、彼の話のほかの部分を信用できるだろうか。

ヴァルタニアンの話は三巨頭暗殺計画のストーリーに魅力を加えはしたが、矛盾する点を考えると、決定的とは言えない。

ある意味、複雑なストーリーの最も適切な、現実味のある結末と言える。私たちの最終的な理解は、生涯ロシアのスパイだった七九歳のあいまいな記憶に頼っているのだ。

それでもまだ疑問が生じる。私たちはこの陰謀を最終的にどう、とらえたらいいのだろう。さらに重要なのは、歴史を変えたかもしれない事件に私たちはどれほど近づけたのだろう。

歴史研究者たちも彼らなりの意見を持っている。

74

一九四三年のテヘラン暗殺計画について調べた研究者や作家は、おおむねふたつの陣営に分かれる傾向にある。ソ連側のでっち上げに違いないと疑う人々、そして、ラズロ・アヴァスらによって宣伝され、大衆文化に浸透した刺激的なストーリーを信じる人々[1]。

最終的に、私たちはこの陣営のあいだに中道の見方があると考えた。ストーリーから既知の事実を抜き出し、経験にもとづく推測と混ぜ、そしてこれが最も重要なのだが、基本的な常識を加える。

ひとつ確実に言えることは、一九四三年の秋、ドイツが戦争の潮目を変えようと必死になっていたことだ。その年、ドイツ軍は戦場で続けざまに無残な敗北を喫していた。ドイツ国防軍は依然として強力だったが、連合国軍が強くなるのにつれ、徐々に弱くなっていった。この時期にナチス・ドイツが得た唯一の真の「勝利」は、九月前半のスコルツェニーによるムッソリーニ救出だった。しかしこの救出がいかに見事であろうが、戦局には影響ない。

このような局面で、ナチス指導部がテヘラン会談中に三巨頭を襲撃する機会を見送るとは思えない。失敗の損失はわずか――数十名を失う程度――だが、成功の見返りは莫大である。世界の舞台でローズヴェルト、スターリン、チャーチルを暗殺すれば、あるいはそのひとりでも殺害すれば、それだけで世界が動揺し、連合国は大打撃を被り、一夜にして想像もつかない形で戦争の形勢が変わっていただろう。

それに、ナチスの諜報機関は、首脳会談がイランのテヘランで開催されると知った以上、秘密の暗殺計画に着手せずにはいられなかっただろう。ヴァルター・シェレンベルクが率いるＳＤ国外諜報局は偶然にも、すでに特殊部隊をパラシュート降下で送り込める基盤をイランに築いており、テヘランにはそのような作戦を支援する現地のナチスのスパイがいて、協力者の組織も存在した（と彼らは思い込んでいた）。

では、首脳会談期間中、スターリンがローズヴェルトの盗聴を望んだのはなぜだろう？　スターリンに命令されたと言うセルゴ・ベリヤの話は真実味があるし――特に疑う理由はない――また、大統領がテヘランのソ連大使館に滞在していたあいだ、ソ連がずっと盗聴していた可能性はある。

もしそうだとして、ローズヴェルトを盗聴器のある部屋に誘い込むためにソ連が暗殺計画をでっち上げたという証拠になるのだろうか？

答えはノーだ。なぜなら、簡単に言えば、ふたつの真実が同時に成り立つからだ。

ひとつには、ＮＫＶＤは真剣にナチスの三巨頭暗殺計画を心配し、昼日中に三人の首脳が街中を何度も行き来せずに済むように、ローズヴェルトがソ連大使館に移るのが望ましいと考えたかもしれない。同時に、スターリンはローズヴェルトをソ連大使館に移らせる案が持ち上がると――そしてすぐにそれが決まると――大統領を盗聴する絶好の機会だと気づいたかもしれない。

ひとつの真実がもうひとつを否定することにはならない。それどころか、首脳会談に臨むにあたってソ連が準備してきた対策を踏まえると、両方とも筋が通る。

さらに、考慮に入れるべき重要な点が別にある。一九四三年秋、スターリンがなによりも切望したのはただひとつ――米英が海峡を越えて西ヨーロッパで進撃を開始すること。同盟国がこの点を理解しているのかどうか、疑う根拠が彼にはあった。しかしソ連にとって国の命運がかかっている状況を考えると、果たしてスターリンは海峡横断攻撃が主要議題となるまさにその会談の前夜に、アメリカ人にあからさまな嘘をつき、ローズヴェルトを巧妙にだますことで己の信用を失い、同盟国から孤立する危険を冒すだろうか。

つまり、ソ連が嘘をついている――そして大統領に恥をかかせる欺瞞を働いている――とアメリカ側が知ったら、首脳会談は始まる前に終わっていたかもしれない。スターリンはその大切な機会を失ってまで、ローズヴェルトを盗聴するという些細な利益を得ようとするだろうか？

スターリンは抜け目がない人物だ。もしソ連が、この肝心なときに同盟国相手に手の込んだペテンを働いたら、少ない見返りのために非常に大きなリスクを冒すことになる。

なによりも、もし陰謀がソ連の捏造だとしたら、その後何週間、何か月、何年にもわたってそれを真実であると繰り返し主張し続けなければならなくなる。陰謀がそのような捏造であるためには、ソヴィエトとロシアの歴代の政府とその情報機関――ＮＫＶＤからＫＧＢ、現在の情報機関――が何十年にもわたり、陰謀が真実でないと知りながら、これに加担し、進んで口裏を合わせる必要がある。

つまり、事が起こってから六〇年経った二〇〇三年、はるか昔のスターリン政府とは完全に無関係で直接的な結びつきがないポスト・ソヴィエト時代の組織であるロシアの対外情報部が、相も変わらず芝居を打ち、半世紀前に語られたことが嘘と知りながら、それに基づく記者会見を開き、大々的なメディア・キャンペーンを行っていたことになる。

別の言い方をすれば、暗殺計画がソ連の捏造であると信じることは、ロシアの情報部員が何世代にもわたって六〇年間、共謀してきたと信じることを意味する。つまり、彼らは皆、自分たちが忠誠心を持たない昔の指導者がついた嘘を隠蔽していることになる。なぜ、そんな手間をかける必要があるだろう。この仮説はばかばかしく思える。

すでに述べたように、ＳＤが機密文書をすべて廃棄したため、ドイツ側の文書記録の欠落はほとんどなんの立証にも反証にもならない。

しかし、ナチスが戦争行為として暗殺を積極的に採用していたことは間違いない。シェレンベルク自身がのちに、ヒトラーは一九四四年、モスクワでスターリンを暗殺する計画を立てていたと明かしている。たとえば、ハインリヒ・ヒムラーのようなナチス高官の使者が、外交上の極秘の用件があると嘘をついてクレムリンに入り――スターリンの部屋に通された途端――護衛に撃ち殺される前に、隠し持っていた拳銃で「鋼鉄の男」を撃つのだ。

ヒトラー自らが思いついたとされる後者の企ての存在は、総統や上層部が、連合国首脳の殺害に関しては道義的になんのためらいも抵抗もなかったことを示している。この戦争では暗殺はフェアな手段であり、双方がそれをやっていた。

これらのすべてを踏まえ、入手可能な証拠と常識から、会談の前夜、ソ連の情報部がアメリカ側に伝えたことに偽りはないという結論が導き出されると私たちは考えている。NKVDはテヘラン近辺にパラシュートで降下したナチスの工作員を確かに追っていたし、三巨頭の命は確かに狙われていたのだ。

しかし他の説とは違い、大衆文化に描かれたこの陰謀のセンセーショナルな部分の多くは信じがたいか、検証不可能であり、ストーリーの一部の側面は今後もあいまいなまま残ると私たちは考えている。もし研究者がロシア情報部の完全な公文書にアクセスを許されることがあれば、いつでも新証拠が見つかる可能性はあるが、それでもいくつかの詳細は不明のままだろう。

ヴァルタニアンが証言したように、ナチスの特殊部隊は本当に地下水道を通ってソ連大使館に忍び込むつもりだったのだろうか。その可能性はあるが、今となっては確認する術がない。ナチスは本当にチャーチルの誕生日の夜に襲うつもりだったのだろうか。これもあり得なくはないが、確かなことはわからない。

最後に、スコルツェニーの問題がある。ムッソリーニ救出の前後、一九四三年の夏から秋にかけて、イランでの作戦のために訓練と準備を彼が指揮していたことはわかっている。しかし、三巨頭暗殺計画を指揮していたのは彼だったのだろうか、そして、ヴァルタニアンがのちに主張するように、一九四三年一一月三〇日の夜、暗殺班を率いるために、イランに向かう飛行機に乗る予定だったのだろうか？　それとも、スコルツェニーは一一月初め、三巨頭暗殺の可能性を話し合うためにヒトラーとシェレンベルクと会ったが、関与を辞退したと語る彼の話のほうを信じるべきだろうか。

結局のところ、その答えは元ソ連のスパイを信じるか、元ナチを信じるかにかかってくる。

研究者は細部についていくらでも議論を続けられるが、陰謀について最も懐疑的な説と最も扇情的な説が一致する結論がひとつある。最終的に暗殺計画が頓挫した主因はひとりの人間にあった。

皮肉なことに、計画の存在さえ知らなかったフランツ・マイヤーである。

ナチスがテヘラン会談の会期中、三巨頭を暗殺するには、現地の情報と現場の支援が欠かせない――これはマイヤーと彼の地下組織から得られるはずだった。

イギリス情報部が一九四三年八月にマイヤーの存在に気づき、逮捕すると、テヘランでのナチスの活動は著しく損なわれた。暗殺計画があったとしても実行できなかっただろう。

もちろん、ナチスの情報部は当時、この事実を知らなかった。彼らがマイヤーの逮捕を知るのはかなり遅れた。ＳＤはテヘラン在住の部下〔マイヤー〕がまだ活動していると思い込んでいたため、困難な作戦とはいえ実行可能と判断したのかもしれない。

さて、ここで疑問が浮かぶ。フランツ・マイヤーはどうなったのか。

スコルツェニーやシェレンベルク同様、彼は逮捕されたあと、尋問部屋という非常に居心地の悪い場所で長い時間を過ごした。彼を拘束していたイギリス当局によると、マイヤーは「最初、相当な忍耐力で尋問に抵抗した」[2]が、まもなく圧力に屈し、フランツ作戦の他のメンバーの所在を含め、洗いざらい白状した。

一九四三年後半、イギリス当局はマイヤーをテヘランからエジプトのカイロに移し、彼は捕虜として収容されたままそこで終戦を迎えた。[3] あるとき、ドイツは捕虜交換の候補に彼の名を挙げたが、それは実現しなかった。[4]

戦後、マイヤーは引き続き連合国側に拘留されていたが、戦時中と同じく、戦いが終わっても、才覚を発揮した。一九四六年、彼はエジプトの連合国の収容所から脱走し、スイスに逃れた。スイス当局は彼を不法入国の罪で逮捕し、連合国が管轄する占領下ドイツに移送した──彼はそこでもすぐに脱走した。[5]

それからマイヤーは長いあいだ各地を転々とし、オーストリア、スイス、イタリア、スペイン、ポルトガル、レバノン、エジプト、シリアで暮らした。

世界中にある人脈を使って、ドイツのハンブルクに拠点を置いた貿易会社を経営し、成功した。彼の会社は中東の政府のために働く元ＳＳ将校を勧誘するなど、政治的活動の隠れ蓑だった可能性がある。[6]

それ以後のマイヤーの生活についてはほとんどわからないし、彼がいつ、どこで死んだのかもわからない。

しかし、マイヤーの初期の尋問記録から、拘留中に興味深いやり取りがあったことがわかる。逮捕されてまもなく、彼はかつてドイツの上官に願い出たように、テヘランの恋人、リリ・サンジャリとの結婚の許可をイギリス当局に求めている。

彼は囚われの身となってもまだ、彼女のことを想っていた。イギリス当局がこの風変わりな要求を聞き入れると彼が本気で期待していたのかどうかはわからない。いずれにしても、それは拒否され、フランツ・マイヤーはおそらく二度とリリ・サンジャリに会えなかった。

リリについては、ずっと首都にいたことはわかっているが、それ以外は不明だ。マイヤーを逮捕したあと、イギリス当局はすっかり彼女に興味をなくした。戦後、彼女は一般市民の生活に戻ったと思われる。

ドイツ人が来ては去り、連合国が来ては去った――だが、リリ・サンジャリはずっとテヘランで暮らしていた。

75

一九四五年四月一二日

大統領は終わりまで見届けられなかった。

連合国軍がフランスを突き抜ける進撃を開始すると、一部の軍参謀はヨーロッパの終戦は近いと考えた。ドイツの戦況は明らかに絶望的だった。ドイツ国防軍は圧倒され、戦闘能力が著しく衰えていた。世界最大規模の非常に強力な軍の部隊が両側から迫っていた。

この期に及んでヒトラーが降伏を拒んだことは、戦争における数え切れない悲劇のひとつである。双方の軍は戦いに次ぐ戦いを強いられ、関わった国すべてで無駄に命が失われていった。

戦争が終わりに近づいても、罪もない人々の苦しみは止まなかった。それどころか民間人の死者は増えていった。

連合国はノルマンディー上陸に先立ち、ドイツ軍が利用するフランス内陸部の橋や道路、工場、他の攻撃目標を空から爆撃した。空襲は成功したが、それに伴い四万人以上の民間人が犠牲になった[1]。ソ連軍は東欧から西へ向かって進撃を続けながら、ドイツの協力者と疑った住民や集団に残虐な仕返しをした。こうした地域では広範囲の報復的暴力という悪循環が続き、たいてい罪もない民間人が殺害された[2]。

地球の反対側では、連合国の海軍が太平洋の島々に籠もって抵抗する日本軍を破り、一島ずつ攻め落としながら、着実に日本に向かって太平洋を進んでいった。軍人の死者数は膨大であったが、この地域での戦闘で双方の戦火にさらされ、戦争関連の飢餓に見舞われた民間人と現地住民の死者数も同様に膨大だった。もとからその土地に住んでいた人々は、自分たちとはまったく関係のない戦争に巻き込まれて滅ぼされた。

一九四四年夏の時点で、最終的には連合国が勝つだろうとわかっていても、そこに至るまでには長く、血まみれの道が続いていることは明らかだった。

いっぽう、アメリカでは選挙シーズンが到来し、ローズヴェルト大統領は決断を迫られる。彼は四期目の出馬を望んでいなかった。率直に言って、彼は疲れ切っていた。このところ体調がすぐれない。家族や友人の多くは彼の身を案じ、お願いだから出馬しないでと言った。

しない、と彼は約束した――ただし、ヨーロッパで戦争が終わっていたなら。

しかし夏が終わっても、ヨーロッパの戦争は終わらない。まだ長引いている。日本の戦局はドイツ同様に絶望的だが、太平洋戦争も延々と長引いている。ドイツも日本も敗北がすでに時間の問題となっても、苦痛を長引かせ、自軍のおおぜいの兵士を確実な死へ送り出している。

ローズヴェルトは悩んだ末、国と世界がまだ自分を必要としていると覚悟を決めた。ここでやめるわけにはいかない。

「不本意ではありますが、よき兵士として……私はこの任務を受け入れ、果たす所存です」。民主党全国委員長に宛てた七月一一日付けの手紙には疲労感がにじみ出ている[3]。

ローズヴェルトには国内問題で多くの敵対者がいたが、戦争に関しては国民のほとんどが彼を支持していた。彼の知識、指導力、世界各国との人脈といった面で彼の代わりが務まる人物はいなかった。大統領予備選挙が行われているあいだ、ソ連軍は徐々に西へ進撃して占領下ポーランドに入り、ナチスの軍をドイツへ押し戻した。

一九四四年七月二二日の夜、一握りの赤軍兵士がルブリン地区に入る――そして、一見して兵舎の並びに見えたところへ近づいていき、それが何かを知って戦慄する。

彼らが見つけたのは、ソ連軍が迫るなか、数日前に親衛隊（ＳＳ）によって放棄されたマイダネク強制収容所だった。

収容所は今はほぼ無人になっていたが、想像を絶する蛮行のあとが残されていた――ほんの八か月前、ＳＳが収穫祭作戦で一万八〇〇〇人のユダヤ人の囚人を殺害し、埋めたジグザグの溝もそのひとつだ。

マイダネクは、連合国軍が今後発見し、解放することになるナチスの死の収容所の一番目だった。このあと続々と多くの収容所が解放される。研究者やジャーナリスト、検死の専門家が収容所を調査するにつれ、ナチスのユダヤ人絶滅計画の吐き気を催す圧倒的規模と恐ろしさが明らかになる。

アメリカでは、ローズヴェルトが選挙人得票数四三二対九九で圧勝し、再選を果たす。国民はまだ大統領を支持しているが、彼は長い選挙戦で疲弊した――これがさらに彼の健康を害した。

選挙戦が終わると、彼の体重は八・六キロも減っていた。主治医のブルーエンはほぼ毎日彼につきっきりで体重や食事、血圧、呼吸、脈拍などをモニターする。

誰もが彼の変わりように目を留める――顔色が悪く、面やつれして、目の下にくまができていた。まだ戦争が続いている一九四五年一月二〇日、極寒の大統領就任式の日、彼は四回目の宣誓を行う。

通常のパレードは行わず、代わりにホワイトハウスの南の柱廊玄関でスピーチする。
「私たちは孤立していては平穏に生きられないこと、我々の幸福は遠くの国々の幸福にかかっていることを学びました。我々は世界市民であることを学びました。我々は『友人を得る唯一の方法は友人になること』だと学びました」[4]

スピーチを終えて部屋に入った大統領は今にも倒れそうだった。「もう死ぬんじゃないかと思った」[5]と友人のひとりがのちに語っている。

彼を突き動かしていたのは、来るべき平和のための理念だった。この長きにわたった悲惨な戦争のあと――そしてファシズムに対する勝利を前に――戦後の恒久平和という己の理想を実現したいと切望していた。

この強い思いが、最後にもう一度、ローズヴェルト、チャーチル、スターリンの三者会談につながる。

前回と同じく、会談を切望したのはローズヴェルトで、今回は一九四五年初頭に開催することになった。

ローズヴェルトの健康不安にもかかわらず、スターリンは自分に会いに来させるために、今度もふたりに世界を半周する長旅を求めた。皮肉にも、彼は自分が遠方に赴くことができない理由として自身の健康問題をあげた。

ローズヴェルトはスターリンの求めに応じ、チャーチルにもそうするよう促した。今度もまた、直接会談は極めて重要であり、その機会を逃してはならないと考えたからだ。

チャーチルと事前に協議を行うため、彼はまず船で地中海のマルタ島へ行き、そこから一緒にスターリンが待つ黒海のリゾート地、ヤルタに飛んだ。

二月四日、三人の首脳は再会する。その時点でヨーロッパでの開戦から五年半が過ぎていた。世界で五〇〇〇万人以上の命が奪われていた。

三人ともテヘラン会談から年を取っていたが、ローズヴェルトが最も老けていた。ヤルタ会談のあいだじゅう、顔色が悪く、側近が押す車椅子に乗って移動するときは厚地の肩掛けをまとっていた。それでも、彼は精力的に議論した。やがて議題は戦後ヨーロッパの複雑な問題に移る。ヨーロッパの大部分は六年近くにおよんだ破壊と飢餓、大量殺戮で荒廃していた。

この問題に数日で答えを出すのは難しい。会談では部分的な合意に至っただけだ。しかし、今度もまた象徴的な意味は絶大だった。三巨頭が再びそろい、並んでいる。そして今回、彼らはこれを戦争会談と呼ばず、平和会談と呼んだ。

帰国したローズヴェルトは疲れ切って、衰弱していた。

帰国後、彼は予定通り議会の上下両院合同会議で演説するが、大統領になって初めて、彼は演壇に立つのではなく、座って演説した。[6]

彼は満場総立ちの拍手喝采を受けた。

一九四五年三月三〇日、ローズヴェルトは家族と親しい側近を伴って世界でいちばん好きな場所、ジョージア州のウォーム・スプリングスへ向かう。

昔、彼はここの屋外の温泉でポリオの治療に励んだ。彼はその地に広くて快適な屋外施設をつくり、ポリオ患者の療養センターを開設していた。

彼の訪問は毎回、そこで病気と闘っている患者の励みになった。患者たちは彼から力をもらっていた。そして、彼は患者たちから力をもらっていた。

今回、彼は活力と健康を取り戻すために長く滞在する予定だ。

しかし、二、三日経っても一向によくならない。

いつものように、マイク・ライリーが彼に付き添う。いつも通り、ライリーは大統領を車椅子から車に移すが、そのとき彼は異変に気づく。普段なら、彼を抱えても軽いと感じる。ところが、もうそうではない。

「ずっしりと非常に重く感じた」[7]と彼はのちに述べている。

このとき、連合国軍はすでにドイツに攻め入り、複数の方向からあらゆる部隊がベルリンを目指していた。包囲の環が日に日に狭まっている。勝利は目前だ。

ヒトラーは戦いをやめない。降伏するのではなく、少年や一〇代の若者で構成されたヒトラー青年団に、崩壊寸前のドイツ軍に加わってベルリンを死守せよと命じる。

これは望みのない大義、自殺行為に等しい使命だ。連合国軍の戦車や兵士が、最後のナチスの軍団を倒すために燃え盛る首都に襲いかかり、わずか一二歳の少年も含め、ドイツのおおぜいの若者が大虐殺の現場で命を落とす。

四月一二日、ウォーム・スプリングスに滞在中のローズヴェルトは、休息と快復を期待してその日を迎える。暖かい日だったが彼は寒気を感じ、肩にかけるケープをもってきてくれと頼む。また、頭痛がして首筋が痛むと訴えたが、マッサージをしてもらうと軽減したようだった。

昼食前、彼は肖像画制作のために座っている。画家のエリザベス・シューマトフは彼の顔色がよくなっていると思う。彼はデスク代わりのカードテーブルを前に椅子に座り、シューマトフが描くあいだ、新聞を読んだり、手紙を書いたりした。

午後一時頃、彼は腕時計に目をやる。「あと一五分で終わりにしよう」と彼は言う。

そして突然、彼の頭ががくんと前に折れ、彼はうなじに手をやった。「頭の後ろがものすごく痛いんだ」[8]と言って床に倒れる。

数分後、彼は上の階に運ばれている。親しい友人や家族が彼のベッドを囲み、そのときがくるのが怖くて息を潜めている。彼は意識を失い、それは二度と戻らなかった。

午後三時三五分、医師がフランクリン・デラノ・ローズヴェルト大統領の死を告げる。

国中のラジオ局やテレビ局が放送中の番組を中断して訃報を伝える。

発表から数分と経たず、訃報はロンドンに届く。

ウィンストン・チャーチルは「実際に殴られたような衝撃だった」とのちに述べている。長いあいだ、彼はローズヴェルトと共にヨーロッパの戦勝を祝う日を夢見ていた。彼は「嘘偽りのない深い喪失感に打ちのめされた[9]」

嘆き悲しんだのは国の首脳だけではない。

翌朝、雨のドイツ南部の敵前線の後方で、アメリカ人捕虜の小さな集団が丈高い草が生えた野原の脇のぬかるんだ道を歩いていた。ナチスの看守が彼らを収容所から別の収容所へ移動させているところだった。あとひと月足らずで、ベルリンは陥落し、ヒトラーは死ぬ。だが、この兵士たちはまだそれを知らない。彼らにしてみれば、自分たちこそ、いつ看守に殺されるかわからない。

その日の早朝、ドイツ人の看守がニュースを聞き、一部の捕虜にローズヴェルト大統領が死んだことを伝える。

正午、ドイツ人が捕虜の集団に小休止を命じると、捕虜の将校のひとりがラッパ手の腕を引いて、草に覆われた小高い丘に登り、仲間の兵士たちに語りかける。

「ローズヴェルト大統領が昨日、四月一二日に死去されたそうだ」

将校の合図に従ってラッパ手が葬送ラッパを吹き始める。

「その音色は美しく澄み切っていた」若い兵卒がのちに振り返る。「それまで聴いたなかで、いちばん悲しい響きだった」

まもなくラッパ手が吹き終わる。

「私たちは頭を垂れて黙禱した。すると兵士のあいだから人目もはばからず啜り泣く声が聞こえた」

先の兵卒が振り返る。「そのあと、私たちはまた歩き出した[10]」同じ朝、ジョージアでは、大統領の遺族が彼の亡骸をワシントンDCへ帰すためにぎりぎりまで立ち働いている。

ウォーム・スプリングス療養センターでは、ローズヴェルトが帰るときに、ほかの滞在者――多くはポリオに罹った子供たち――がセンターのゲートに近い本館前に集まり、彼を見送ることが毎回恒例になっていた。

今日、彼らはまた集まり、今度は永遠の別れを告げる。車椅子や補装具を頼りに集まった患者たちが、国旗で覆われた棺を載せて無蓋の霊柩車がゆっくりと通り過ぎるのを見送る。「子供の患者が泣きじゃくっていた」大統領の秘書グレース・タリーがのちに振り返る。「大人もむせび泣いていた[11]」

近くのフォート・ベニングから兵士や音楽隊員が何人か派遣され、急ごしらえのささやかな葬列に加わる。棺が通り過ぎるとき、ローズヴェルトのお気に入りの演奏者のひとり、グラハム・W・ジャクソンという名の一等兵曹が前に進み出てアコーディオンで「家路」を奏でる。彼の頰も涙で濡れている[12]。

数時間後、棺を載せた大統領専用列車がワシントンDCに到着する。ここにも葬列ができていたが、今度はささやかではない。ナショナル・モールに集まった五〇万人の群衆。その多くは追悼のために全国各地から来ていた。

彼は戦争中の最悪の日々に国を導いてきた。ついに平和が訪れようとしている今、大統領フランクリン・デラノ・ローズヴェルトは永久《とわ》の眠りについた。

謝辞

ブラッドより

本書は予想をはるかに超えて私たちに深くかかわるものになった。まず、私と考え方が非常に似ているジョシュ・メンシュに感謝したい。一冊の本を共同で執筆するとき、アイデアを共有することは役に立つが、同じ世界観や価値観を持っていると、いっそうやりやすい。ジョシュと私は一緒に仕事を始めてかれこれ一〇年近くになるが、これは私の第一印象が完全に正しかったことを意味している。彼は私が出会ったなかで誰よりも親切で思いやりのある人だ。そして、最も緻密な研究者、作家であり、彼が出典や情報源を突き止めた史実の一つひとつがこれらのページに詰め込まれている。私たちが毎回本を書くたびに、何か新しいことが持ち上がるが、今回はホロコーストのユダヤ人から、餓死させられ抹殺された民間人まで、戦争の犠牲者を決して物語から省いてはならないと考える彼の強い気持ちだった。ユダヤ人作家である私は、子供の頃からホロコーストを知っていたが、深く調べるうちにナチスの悪行を助長し可能にした純粋に官僚的なプロセスを含め、この大量殺戮に改めて向き合い、私たちはふたりとも謙虚な気持ちになった。なぜこんなことが起こったのか、と私たちは今も問う。残念ながら、答えはこうだ。いとも容易いから。だから、ジョシュ、過去と現在の両方で何が重要かをいつも見抜いてくれたきみに感謝している。きみとメアリーを友人と呼べることを光栄に思う。きみがいなければこの本は存在し得なかった。

また、次の方々に深く感謝したい。私自身の歴史を発見し、再定義し、構築してくれた私のファースト・レディ、コリ。私のビッグ・スリーであり、生き甲斐でもあるジョナス、ライラ、テオ。彼らは親に対して共同戦線を張っているが、私はこれからも常にそうあって欲しいと願っている。この謝辞は私の職業人生でただひとりの非常に重要な人物、友人でエージェントのジル・ニーリムが亡くなったあとに書いている。いくら言葉を尽くしても足りない――あなたのことが大好きでした。あなたがいなくなってとても寂しい。友人でエージェントのジェニファー・ルドルフ・ウォルシュはこのノンフィクションの世界を築いてくれた。そしてWMEのジェイ・マンデルが見事にそれを運営してくれた。ホープ・デネカンプ、ルーシー・クレランド、そしてニーリム・アンド・ウィリアムズ・エージェンシーの友人全員に特別に感謝する。

また、誰よりも私の歴史に詳しい姉バリ、そしていつも私たちを気遣ってくれるボビー、アミ、アダム、ギルダ、ウィルにも感謝する。

私のシークレットサービスは私の人生を掌握している。ノア・カトラー、イーサン・クライン、デイル・フラム、マット・カトラー、クリス・ウェイス、ジャッド・ウィニックは私が道を誤らないように常に見張っていてくれるし、そのおかげで、どのページもよくなっている。また、クリス・エリオポロス、ケイティ・グリーン、マリー・グルンベック、ニック・マレル、スタシ・シェクター、リズ・ソベル、カリン・スタンフル、パンジー&ロブ・プライス、ジェイソン・シェリー、ジム・デイ、デニス・イエーガー、カトリラ・ナイト、マリア・ベヌシオにも感謝する。

調査と歴史関連のサポートについては、ジェフ・アレグザンダーが私たちの連合前線にいてくれたことが非常にありがたかった。彼の鋭い視点と専門性は本書全体に織り込まれている。ジェフ、最後まで私たちを導いてくれてありがとう。優秀な調査員で私たちの秘密兵器、ベンジャミン・ディールとギャレット・マクドナルドにも特別に謝意を表する。

何年も前にジョシュと私を引き合わせてくれたヒストリー・チャンネルの〈ロスト・ヒストリー〉

〈ヒストリー〉〈レフト／ライト〉のファミリーに大きな愛を捧げる。ナンシー・ドゥバック、ポール・カバナ、マイク・スティラー、ケン・ドラッカーマン、マイク・メザロス、メアリー・ロバートソン（ジョシュの家族でもある！）、リー・ホワイト、そして最初にイエスと言ってくれたロブ・ワイスバッハ。

また、フラットアイアン社とマクミラン社の皆さんに感謝したい。私たちのリーダーで友人のドン・ワイスバーグ、ジョン・イエジッド、クリステン・ボナノ、マレーナ・ビットナー、アイリーン・ボイル、ナンシー・トリパック、ヴィンセント・スタンリー、エミリー・ウォルターズ、ドナ・ノッツエル、ジエレミー・ピンク、キース・ハイズ、アストラ・ベルジンスカス、マラティ・チャバリ、リー・ジョージ、ジェン・コンザレス、ジョナサン・ホーリングスワース、ローラ・ペンノック、ブラッド・ウッド、ジャネット・ズワート、ジャスミン・ファウスティノ、ローレン・ビットリッチ、そして毎日、前線で戦っている営業部門の皆さん。いくら言っても足りない。この本が読者のあなたの手元にあるのは彼らのおかげだ。不屈のルイス・グリリーにも特別に感謝したい。彼は列車を走らせ続け、列車を背負って私たちを終着駅まで運んでくれた。私たちは毎日のように彼に救われた。特に終わりに近づくほど助けられた。ありがとう、ルイス！　最後に私たちの真の最高司令官であるボブ・ミラーに感謝したい。私たちの他の著書でも述べたが、指揮を執るとは、責任者になることではない——指揮下の責任者の面倒を見ることだ。ボブ、あなたはいつも私たちの面倒を見てくれた。あなたの友情と情熱がこのシリーズを結実させた。私の人生のこの章はあなたのおかげだ。この借りは永遠に返せない。私たちを信じてくれてありがとう、ボブ。

ジョシュより

まず、ブラッド・メルツァーに感謝したい。ブラッドとはこれまで一〇年、一緒に仕事をしてきた。私たちが語った物語は数世紀におよぶ。ブラッド、きみとの共同執筆はすばらしい旅路だったし、きみが仕事と人生に注ぐ情熱には学ぶことばかりだ。最高の協力者で友人でいてくれて本当にありがとう。いつものように、メアリーと私からきみとコリと素敵な家族への愛を受け取ってほしい。

ブラッドと私はフラットアイアン・ブックスのボブ・ミラーにとても感謝している。ボブのサポートと激励、信頼は始まりから私たちを動かす力の源だった。また、私たちの仕事を結実させてくれたフラットアイアンの優秀なスタッフ全員に感謝したい。その筆頭が、最初から最後まで本書のほとんどに貢献してくれたルイス・グリリーだ。ルイス、あなたがいなければこれを成し遂げられなかった！　ほかにも、ナンシー・トリパック、マレーナ・ビットナー、キャサリン・トゥーロ、そして営業チーム、マーケティング・チーム、オーディオブック・チームその他の、多くの優秀な人々に感謝したい。ジャスミン・ファウスティノとローレン・ビットリッチにも特別に感謝したい。ふたりの仕事は以前の書籍でも非常に重要だった。

フレッチャー・アンド・カンパニーのエージェント、リサ・グルブカにも深く感謝している。困難でストレスの多い日々に、リサは私が求めていた指針と知恵を与えてくれた。リサ、様々なかたちで辛抱強くはげましてくれてありがとう。

この途方もなく複雑なストーリーを解き明かすことは、調査を担当してくれたベンジャミン・ディールとギャレット・マクドナルドのふたりがいなければできなかった。ベン、この仕事の初期の段階で矛盾する情報の深い森を進むのを助けてくれたことに感謝したい。そして、ギャレット、最後の段階でのあなたの卓越した貢献、まとめ、道案内に感謝したい。このストーリーは私たちの共同制作だ。

また、すばらしい編集者ジェフ・アレグザンダーにも感謝する。彼の確かな手腕のおかげでより良い本に仕上がった。ロシア語から英語へのすばらしい翻訳を提供してくれたジェームズ・フリーマンにも感謝する。これらの聡明で献身的な人々と一緒に仕事ができたことは、このプロジェクトの最大の喜びだった。

歴史ノンフィクションの著者として、私たちは歴史の文献資料を公開や学術利用のために保存している組織に頼り切っている。このプロジェクトではマリスト・カレッジのフランクリン・デラノ・ローズヴェルト大統領図書館、米国ホロコースト記念博物館、国立第二次世界大戦博物館、ニューヨーク公共図書館をはじめとする多くの図書館に感謝する。

また、私の拡大家族にも感謝したい。この本の執筆はたまたま私たちにとってつらい時期と重なり、この本はそのつらい時期の記憶と永遠に結びつくだろう。喪失感にもかかわらず、私たちは決して忘れられない仲間意識と寛大さを互いに見いだした。それに伴い、グレッグ・パトノード、パメラ・メンシュ、エリザベス・メンシュ、ジョナサン・メンシュ、ヤコブ・メンシュ、ジョセフ・メンシュ、ジェームズ・フリーマン、リビー・メンシュ、クレア・メンシュに感謝したい。また、アンナ・アクント、ジョン・アクント、ロンドン・アクント、ミラ・アクント、オーガスト・アクント、リン・ジエームズ、デーナ・ジェームズにも感謝したい。

最も深い感謝の気持ちは、毎日新たな笑いと喜びをもたらしてくれる私の子供たち、マルコムとマクシーンに献げる。きみたちのおかげで私は世界でいちばん誇らしい父親だ。最後に、試練のときも勝利のときも常に私の拠り所であり続けた人がいる。妻のメアリー・ロバートソンだ。私のいちばんの親友で伴侶でいてくれてありがとう。永遠に愛している。

Basic Books, 2009); and Norman M. Naimark, *The Russians in Germany: A History of the Soviet Zone of Occupation, 1945–1949* (Cambridge, MA: Belknap Press, 1997), esp. chapter 2.

[3] 1944年7月11日、ローズヴェルトからロバート・ハネガンへの手紙：American Presidency Project, accessed November 1, 2021, https://www.presidency.ucsb.edu/node/210899.

[4] 1945年1月20日（土）、ローズヴェルト「4回目の大統領就任の宣誓」：Yale Law School, *The Avalon Project: Documents in Law, History and Diplomacy*, accessed November 28, 2021, https://avalon.law.yale.edu/20th_century/froos4.asp.

[5] ジョン・ガンサーの言葉：Smith, *FDR*, 629.

[6] Ibid., 632.

[7] Reilly, *Reilly of the White House*, 227.

[8] Elizabeth Shoumatoff, *FDR's Unfinished Portrait: A Memoir* (Pittsburgh: University of Pittsburgh Press, 1990), 174–75.

[9] Winston Churchill, *Second World War, vol. 6, Triumph and Tragedy* (Boston: Houghton Mifflin Co., 1953), 471.

[10] 元兵卒ビル・リヴィングストンの回想：Bill Livingstone, "My Six Month Furlough," *World War II Magazine*, October, 2021, accessed November 2, 2021, https://www.historynet.com/he-jumped-out-of-a-burning-b-17-and-into-the-hands-of-the-germans/.

[11] Tully, *F.D.R., My Boss*, 369.

[12] Ibid. 演奏するジャクソンを写真家エド・クラークが撮った有名な写真は次のサイトで見られる：accessed November 10, 2021, https://www.life.com/history/mourning-fdr-in-a-classic-photo-the-face-of-a-nations-loss/.

針に対する全般的な反発がこの傾向に伴って起こった。参照：John Bodnar, *The "Good War" in American Memory* (Baltimore, MD: Johns Hopkins University Press, 2010); Debra Ramsay, *American Media and the Memory of World War II* (New York: Routledge, 2015); Gennady Ustian, "Depicting Americans through the lens of Russian Cinema," *Russia Beyond,* March 4, 2017, accessed February 2, 2022, https://www.rbth.com/arts/movies/2017/03/04/depicting-americans-through-the-lens-of-russian-cinema_712646; and Vladislav M. Zubok, *A Failed Empire: The Soviet Union in the Cold War from Stalin to Gorbachev* (Chapel Hill: University of North Carolina Press, 2009), esp. chapters 1 and 2.

[7] Skorzeny, *My Commando Operations,* 204.

[8] Ibid.

[9] Laslo Havas, *The Long Jump: The 1943 Plot to Assassinate the Big Three,* trans. Kathleen Szasz (London: Neville Spearman, 1967). 版によっては *Hitler's Plot to Kill the Big Three* など、別のタイトルになっている。

[10] アヴァスの本に登場する人物や資料を利用した、この陰謀に関する最近の丁寧な解説は次を参照：Blum, *Night of the Assassins*.

73

[1] 2003年11月18日、〈クレムリン・インターナショナル・ニュース・ブロードキャスト〉、「ロシア海外情報部の元部員の記者会見」。

[2] 本文で示したように、ヴァルタニアンは1943年8月の出来事のことを語っていた可能性がある。具体的には、フランツ作戦のメンバーの追跡と逮捕だ。この逮捕のあと、暗殺計画は中止になったと彼は言うが、ソ連側は戦争が終わるまでそのことを知らなかった。参照：Dolgopolov, *Vartanian*, esp. chapter 2. ロシアの新聞 Gudok に最初に掲載されたキルピチェンコの別のインタビューによってさらに裏付けられている。キルピチェンコはいつものソ連版の話を語り、ロックシュトローを含む六人のドイツ人特殊部隊員と、ソ連の情報機関に保存されているロックシュトローの日記が陰謀を裏付けていると主張する。このインタビューはロシアの海外情報部のウェブサイトで閲覧可能：V. Loshkul, "Novoe o 'Tegerane-43,'" *Gudok,* November 28, 2003, accessed November 17, 2021, http://svr.gov.ru/smi/2003/11/gudok20031128.htm.

74

[1] 陰謀の存在に関して懐疑的な見方の例は次を参照：O'Sullivan, *Espionage and Counterintelligence,* 170–94. ラズロ・アヴァスがインタビューしたと主張する人々を登場させた派手な話は次を参照：Blum, *Night of the Assassins*.

[2] O'Sullivan, *Nazi Secret Warfare,* 124.

[3] Ibid., 121.

[4] Ibid., 124.

[5] Ibid., 248.

[6] Ibid., 248–49.

75

[1] 1944年の連合国軍の空襲によるフランスの民間人の死者数については、議論の的になっている。フランスの作家で歴史学者のアンリ・アムルーは5万人以上と推定している。内訳については次を参照：Henri Amouroux, *La Grande histoire des Francçais sous l'Occupation, vols. 7–8* (Paris: Robert Laffont, 1985–88).

[2] ソ連占領区域における蛮行については次を参照：Mikkel Dack, "Crimes Committed by Soviet Soldiers Against German Civilians, 1944–1945: A Historiographical Analysis," *Journal of Military and Strategic Studies* 10, no. 4 (Summer 2008): 1–33; Giles MacDonogh, *After the Reich: The Brutal History of the Allied Occupation* (New York:

Biddiscombe, *The Denazification of Germany: A History, 1945–1948* (London: Tempus Publishing, 2006); and Frederick Taylor, *Exorcising Hitler: The Occupation and Denazification of Germany* (New York: Bloomsbury, 2011).

71

[1] "Defence Security Office, C.I.C.I. Persia, Counter-intelligence Summary No. 16, December 20, 1943," Security Service, KV 2/1480.

[2] アヴェレル・ハリマンの発言。次に引用：Adrian O'Sullivan, *Espionage and Counterintelligence in Occupied Persia (Iran): The Success of the Allied Secret Services, 1941–45* (New York: Palgrave Macmillan, 2015), 182. 次も参照：Harriman and Abel, *Special Envoy,* 264–65.

[3] ウォルター・トンプソンの回想録を参照：Walter H. Thompson, *Assignment: Churchill* (Toronto: McLeod, 1955), esp. 283; and *Beside the Bulldog: The Intimate Memoirs of Churchill's Bodyguard* (London: Apollo, 2003).

72

[1] Sergo Beria, *Beria, My Father: Inside Stalin's Kremlin,* ed. Françoise Thom, trans. Brian Pearce (London: Duckworth, 2001), 93.

[2] テヘランに関するセルゴの話は Ibid., 92–95。セルゴはまた、ヤルタ会談でも同じ事をスターリンに命じられたと証言している：Ibid., 103–6。別のソヴィエトのエージェント、当時 23 歳のゾーヤ・ザルビナも、テヘランとヤルタでローズヴェルト一行の情報収集を命じられたと証言している。彼女はテヘランのローズヴェルトの宿舎の用意をした。参照：Inez Cope Jeffery, *Inside Russia: The Life and Times of Zoya Zarubina: Former Soviet Intelligence Officer and Interpreter During the Stalin Years* (Austin, TX: Eakin Press, 1999), 1–25. スターリンと諜報活動について詳しくは次を参照：Hiroaki Kuromiya and Andrzej Peplonski, "Stalin, Espionage, and Counterespionage," in *Stalin and Europe: Imitation and Domination, 1928–1953*, eds. Timothy Snyder and Ray Brandon (New York: Oxford University Press, 2014), 73–91.

[3] ケネス・ストロングの発言：O'Sullivan, *Espionage and Counterintelligence,* 183.

[4] CIA はこれらのファイルを保存しており、オンラインで閲覧可能：accessed October 15, 2021, https://www.cia.gov/readingroom/document/5197c264993294098d50e0b7.

[5] 第 2 次世界大戦のソ連の記憶については次を参照：Jonathan Brunstedt, *The Soviet Myth of World War II: Patriotic Memory and the Russian Question in the USSR* (New York: Cambridge University Press, 2021), esp. chapter 5; and David L. Hoffman, *The Memory of the Second World War in Soviet and Post-Soviet Russia* (New York: Routledge, 2021). 対立する戦争の記憶については次を参照：Henry L. Roediger III et al., "Competing National Memories of World War II," *Proceedings of the National Academy of Sciences,* accessed February 2, 2022, https://www.pnas.org/content/116/34/16678.

[6] 文化的には、終戦直後のソヴィエトの戦争映画はアメリカ人を味方として受け入れていた。とはいえ、もとは無自覚にソ連を傷つけていたが、やがてソ連が想像よりはるかに優れた国だと気づくアメリカ人としてだ。最初の明白な反米戦争映画は 1949 年に製作された『*Encounter at the Elbe*（エルベ川の出会い）』で、アメリカ人の CIA エージェントがナチスと共謀する様子が描かれる。西側の連合国のうち特にアメリカでは、戦争の記憶は、いかにして「我々は戦争に勝ったか」を強調し、ソ連の役割を軽視する民主主義的なナラティブを促進した。冷戦期には、ソ連と同盟を組んだローズヴェルトの方

録（ボーレン議事録）」：*Conferences at Cairo and Tehran*, 577.

[4] Ibid., 576.

[5] Ibid., 577.

[6] Ibid., 578.

66

[1] Eubank, *Summit at Teheran*, 342.

[2] Ibid.

[3] Ibid., 343.

[4] 「11 月 30 日（火）、三国夕食会議、議事録（ベティガー議事録）」：*Conferences at Cairo and Tehran*, 583.

[5] Harriman and Abel, *Special Envoy*, 276.

[6] 「11 月 30 日（火）、三国夕食会議、議事録（ベティガー議事録）」：*Conferences at Cairo and Tehran*, 583.

[7] Ibid.

[8] Bohlen, *Witness to History*, 149.

[9] Ibid., 150.

67

[1] 1943 年 12 月 17 日、ローズヴェルトの記者会見：Executive Office of the President, accessed November 2, 2021, http://www.fdrlibrary.marist.edu/_resources/images/pc/pc0155.pdf.

[2] Ibid.

[3] Reilly, *Reilly of the White House*, 188.

[4] 1943 年 12 月 17 日、ローズヴェルトの記者会見。

[5] 1943 年 12 月 18 日の〈ニューヨーク・タイムズ〉の 3 面。

[6] 「テヘラン宣言」：*Conferences at Cairo and Tehran*, 641.

[7] 1943 年 12 月 2 日、（ペンシルベニア州ブラッドフォードの）〈イブニング・スター〉の見出し、1 面。

68

[1] 数字は次の文献から；Hastings, *Inferno*, 516.

69

[1] 1944 年 6 月 6 日のヨーゼフ・ゲッベルスの日記より。次から引用：Nigel Hamilton, *War and Peace : FDR's Final Odyssey, D-Day to Yalta, 1943–1945* (New York : Houghton Mifflin Harcourt, 2019), 265.

[2] Hastings, *Inferno*, 517.

[3] たとえば、次を参照：Sam Edwards, *Allies in Memory : World War II and the Politics of American Commemoration in Europe, c. 1941–2001* (Cambridge : Cambridge University Press, 2015), 85.

70

[1] Evans, *Third Reich at War*, 725.

[2] ヒトラー最後の政治宣言のドイツ語版全文は次を参照：*Trial of the Major War Criminals Before the International Military Tribunal : Nuremberg, 14 November 1945—1 October 1946*, vol. 41, Document Streicher-9 (Nuremberg : International Military Tribunal, 1947) : 547–54.

[3] Winston Churchill, *Second World War, vol. 1, The Gathering Storm* (Boston : Houghton Mifflin Co., 1948), 10.

[4] Evans, *Third Reich at War*, 727.

[5] 「1945 年 4 月 10 日、SS、SD、RSHA/MIL AMT に関する覚書」：Security Service, KV 2/94–1, 60.

[6] 「フランツ・マイヤーの尋問記録」：Security Service, KV 2/94–1, 9.

[7] Stuart Smith, *Otto Skorzeny : The Devil's Disciple* (New York : Bloomsbury USA, 2018), 231–32.

[8] スコルツェニーの言葉：Ibid., 238.

[9] Skorzeny, *Skorzeny's Special Missions*, 196.

[10] Skorzeny, *My Commando Operations*, 437.

[11] 「非ナチ化」についてさらに詳しくは、次を参照：Andrew H. Beattie, *Allied Internment Camps in Occupied Germany : Extrajudicial Detention in the Name of Denazification, 1945–1950* (New York : Cambridge University Press, 2019) ; Perry

[2] John L. Bates, "The 'Eureka' Conference: A Busy Time in Teheran," *Military Review* 66, no.10 (October 1986): 78.
[3] Reilly, *Reilly of the White House*, 179–80.
[4] Charles E. Bohlen, *Witness to History, 1929–1969* (New York: W.W. Norton & Co., 1973), 139.
[5] Bates, "'Eureka' Conference," 78–80.
[6] 「11月28日（日）、第1回本会議、議事録（ボーレン議事録）」: *Conferences at Cairo and Tehran*, 487.
[7] 「11月28日（日）、第1回本会議、議事録（連合参謀本部議事録）」: Ibid., 497.

60

[1] 「11月28日（日）、第1回本会議、議事録（ボーレン議事録）」: *Conferences at Cairo and Tehran*, 489.
[2] 「11月28日（日）、第1回本会議、議事録（連合参謀本部議事録）」: Ibid., 499.
[3] Ibid.
[4] 「11月28日（日）、第1回本会議、議事録（ボーレン議事録）」: Ibid., 490.
[5] 「11月28日（日）、第1回本会議、議事録（連合参謀本部議事録）」: Ibid., 501.
[6] Ibid.
[7] 「11月28日（日）、第1回本会議、議事録（ボーレン議事録）」: Ibid., 492.
[8] 「11月28日（日）、第1回本会議、議事録（連合参謀本部議事録）」: Ibid., 505.
[9] Bohlen, *Witness to History*, 140.
[10] ヨシフ・スターリンの言葉：Simon Sebag Montefiore, *Stalin: The Court of the Red Tsar* (New York: Random House, 2003), 467.（サイモン・セバーグ・モンテフィオーリ『スターリン：赤い皇帝と廷臣たち』〈上下〉染谷徹訳、白水社、2010年）

61

[1] Plutenko and Vartanian, "Tehran-43."
[2] Dolgopolov, *Vartanian*, 36.
[3] Iurii Plutenko and Gevork Vartanian, "Tehran-43: Wrecking the Plan to Kill Stalin, Roosevelt and Churchill," *RIA Novosti*, October 16, 2007, accessed November 12, 2021, https://web.archive.org/web/20120629234011/http://en.rian.ru/analysis/20071016/84122320.html.

62

[1] チャーチルの発言に関するアヴェレル・ハリマンの回想は次の文献にある：Robert E. Sherwood, *The White House Papers of Harry L. Hopkins, vol.2* (London: Eyre & Spottiswoode, 1949), 779.

63

[1] 1943年12月7日、〈ニューヨーク・タイムズ〉、26面、「スターリングラードの剣」。
[2] Ibid.
[3] 「11月28日（日）、第1回本会議、議事録（ボーレン議事録）」: *Conferences at Cairo and Tehran*, 537.
[4] Ibid., 538.
[5] Ibid., 539.
[6] Harriman and Abel, *Special Envoy*, 273.
[7] Ibid.
[8] 「11月29日（月）、三国夕食会議、議事録（ボーレン議事録）」: *Conferences at Cairo and Tehran*, 553–54.
[9] Bohlen, *Witness to History*, 147.
[10] Harriman and Abel, *Special Envoy*, 274.
[11] Churchill, *Second World War*, 5: 330.
[12] Ibid.
[13] チャーチルの発言：Eubank, *Summit at Teheran*, 316.

64

[1] Plutenko and Vartanian, "Tehran-43."

65

[1] Bohlen, *Witness to History*, 148.
[2] Harriman and Abel, *Special Envoy*, 274.
[3] 「11月30日（火）、第3回本会議、議事

［4］ Sudoplatov et al., *Special Tasks,* 130.（スドプラトフ他『KGB 衝撃の秘密工作』）

51

［1］ ライリーの移動については彼の回想録に書かれている：Reilly, *Reilly of the White House*, 163–66.

［2］ Ibid., 164.

［3］ Ibid., 172. ライリーは面談した NKVD の長官を「アルティコフ将軍」としているが、フリーの研究者ゲイリー・カーンは、この時の相手は NKVD の輸送課長で会談当時テヘランにいたドミトリ・アルカディエフ将軍であろうと述べている。参照：Kern, "How 'Uncle Joe' Bugged FDR."

［4］ ライリーが回想録に記している「4 マイル」は誤り：Ibid., 174.

［5］ ライリーの活動で本書で触れなかった話に、イラクのバスラからテヘランまでの旅客鉄道の下見がある。ローズヴェルトの主治医はライリーに、大統領の身体の負担を考えて山を越える高高度の空路ではなく、列車移動を勧めた。ライリーは鉄道を下見した後、空路のほうが安全だと判断した。詳細は次を参照：Ibid., 174–75.

52

［1］ Reilly, *Reilly of the White House,* 175.

53

［1］ Plutenko and Vartanian, "Tegeran-43."

54

［1］ Churchill, *Second World War,* 5 : 302.

55

［1］ Reilly, *Reilly of the White House,* 177. ライリーの回想録では、この会話の相手がアルカディエフ／アルティコフ将軍だったのか、それとも他の NKVD 将校だったのかは判然としない。ライリーは話者を「NKVD チーフ」と記しており、その前にライリーにドイツの空挺兵の話をしたのはアルカディエフであることから、最新情報をライリーに伝えたのはアルカディエフだったと思われる。

［2］ Ibid., 177.

56

［1］ 時間と場所は次の文献に記されている：Harriman and Abel, *Special Envoy,* 263.

［2］ Ibid., 263–64.

57

［1］ "The President's Log at Tehran," in *Conferences at Cairo and Tehran,* 460.

［2］ 現在入手可能な記録から、その朝ローズヴェルトと同じ部屋にいたのは誰か、隣の部屋で誰が話していたのか、ローズヴェルトに話をした人々はこっそりと話したのか、他の人の前で話したのか、これらについては特定、断定はできない。この部分は次の文献をもとに、できるだけ詳しく記した：Harriman and Abel, *Special Envoy,* 263–64; and Reilly, *Reilly of the White House,* 177–78, および、"President's Log at Tehran" in *Conferences at Cairo and Tehran,* 462–63.

［3］ ハリマンからローズヴェルトへ："President's Log at Tehran," 463.

［4］ Ibid.

［5］ Ibid.

［6］ Ibid.

［7］ Harriman and Abel, *Special Envoy,* 264.

［8］ Reilly, *Reilly of the White House,* 177–78.

［9］ Ibid.

58

［1］ Reilly, *Reilly of the White House,* 178.

［2］ 同乗者は次に示されている：Cairo/Tehran in "President's Log at Tehran," 487.

［3］ Reilly, *Reilly of the White House,* 179.

59

［1］ Reilly, *Reilly of the White House,* 179.

45

[1] 収穫祭作戦の数字と情報については次を参照：Yitzhak Arad, *The Operation Reinhard Death Camps : Belzec, Sobibor, Treblinka : Revised and Expanded Edition* (Bloomington : Indiana University Press, 2018), chapter 46 ; and Stefan Klemp, *"Aktion Erntefest" : Mit Musik in den Tod : Rekonstruction eines Massenmords* (Münster : Geschichtsort Villa ten Hompel, 2013).

[2] Goebbels, *Goebbels Diaries*, 86.

[3] ハインリヒ・ヒムラーの言葉：Kershaw, *Hitler*, 876–77.（カーショー『ヒトラー（下）1936–1945 天罰』）

[4] 1943 年 10 月、「モスクワ宣言」：https://avalon.law.yale.edu/wwii/moscow.asp.

46

[1] 1943 年 10 月 20 日のイスタンブールからプラハへの通信：Security Service, KV 2/1478, 2.

47

[1] 1943 年 11 月 8 日、ローズヴェルトからスターリンへ：*Conferences at Cairo and Tehran*, 72.

[2] 1943 年 11 月 10 日、スターリンからローズヴェルトへ：Ibid., 78.

[3] 1943 年 10 月 27 日、チャーチルからローズヴェルトへ：Ibid., 47–48.

[4] Ibid.

[5] 1943 年 11 月 10 日、ヘンリー・スティムソンからハリー・ホプキンズへ：Ibid., 176.

[6] Eubank, *Summit at Teheran*, 139.

48

[1] 従者の本名はエリエサ・バズナ（Elyesa Bazna）。バズナ、別名「キケロ」は回想録をものし、自身のスパイ行為について詳説している：Elyesa Bazna, *I Was Cicero* (New York : Harper and Row, 1962).（エリザ・バズナ「わが名はキケロ」香山清訳、『世界ノンフィクション全集 42』所収、筑摩書房、1963 年）

[2] Schellenberg, *Hitler's Secret Service*, 333–34.（シェレンベルク『秘密機関長の手記』）

49

[1] Kit Bonner, "The Ill-Fated U.S.S. William D. Porter," *Retired Officer Magazine*, March 1994, accessed November 9, 2021, https://web.archive.org/web/20080612075327/http://www.ussiowa.org/general/html/willie_d.htm.

[2] Eubank, *Summit at Teheran*, 141.

50

[1] Pavel Sudoplatov, Anatoli Sudoplatov, Jerrold L. Schecter, and Leona P. Schecter, *Special Tasks : The Memoirs of an Unwanted Witness—A Soviet Spymaster* (Boston : Little, Brown, 1994), 131.（パヴェル・スドプラトフ、アナトーリー・スドプラトフ、ジェロルド・シェクター、レオナ・シェクター『KGB 衝撃の秘密工作』〈上下〉木村明夫監訳、ほるぷ出版、1994 年）

[2] この話を取り上げたロシア語の文献には「フォン・オルテル von Ortel」が Oster や von Ostel となっているものがある。参照：Slava Katamidze, *Loyal Comrades, Ruthless Killers : The Secret Services of the USSR, 1920's to the Present* (New York : Brown Reference Group, 2003), 105（スラヴァ・カタミーゼ『ソ連のスパイたち：KGB と情報機関 1917–1991 年』伊藤綺訳、原書房、2009 年）、および Sudoplatov et al., *Special Tasks*, 130（スドプラトフ他『KGB 衝撃の秘密工作』）. 英語の文献ではたいてい「von Ortel」となっている。参照：Blum, *Night of the Assassins*, 145 ; and Nigel West, *Encyclopedia of Political Assassinations* (Lanham, MD : Rowman & Littlefield, 2017), 144.

[3] Katamidze, *Loyal Comrades, Ruthless Killers*, 105.（カタミーゼ『ソ連のスパイたち』）

［2］1943年9月10日、アレグザンダー・C・カークからローズヴェルトへ：*Conferences at Cairo and Tehran*, 25.
［3］1943年9月10日、チャーチルからスターリンへ：*Stalin's Correspondence*, 161.
［4］1943年9月12日、スターリンからローズヴェルトとチャーチルへ：Ibid., 94.
［5］1943年9月27日、チャーチルからスターリンへ：*Stalin's Correspondence*, 165.
［6］1943年10月1日、チャーチルからスターリンへ：*Stalin's Correspondence*, 165–66.
［7］1943年10月3日、スターリンからチャーチルへ：*Stalin's Correspondence*, 170–71.

39
［1］Skorzeny, *Skorzeny's Special Missions*, 190.
［2］Ibid., 191.
［3］Ibid., 191–95.
［4］Skorzeny, *My Commando Operations*, 268.
［5］離陸の詳細は次の文献から：Skorzeny, *Skorzeny's Special Missions*, 202–3.

40
［1］ヒトラーがスコルツェニーに言ったこと：Skorzeny, *Skorzeny's Special Missions*, 202–3.
［2］詳細は：Ibid., 211.
［3］Goebbels, *Goebbels Diaries*, 450–53.
［4］たとえば、次を参照："Mussolini's Rescuers Flee Internment Camp," *Ottawa Journal*, September 30, 1948.

41
［1］"Gevork Vartanyan," *The Telegraph*, January 11, 2012, accessed September 16, 2021, https://www.telegraph.co.uk/news/obituaries/9008287/Gevork-Vartanyan.html.
［2］通信文はイギリスの諜報機関のファイルに保管されている。参照：Security Service, KV 2/1478-3, 6.

42
［1］「フランツ・マイヤー逮捕の経緯」：Security Service, KV 2/1478.
［2］Ibid.
［3］Ibid.
［4］Ibid.

43
［1］日ソ中立条約についてさらに知りたければ：Boris Slavinsky, *The Japanese-Soviet Neutrality Pact: A Diplomatic History, 1941–1945*, trans. Geoffrey Jukes (New York: Routledge, 2003). 条約の全文については："Soviet-Japanese Neutrality Pact," April 13, 1941, accessed January 25, 2022, https://avalon.law.yale.edu/wwii/s1.asp.
［2］1943年10月14日、ローズヴェルトからスターリンへ：Butler, *My Dear Mr. Stalin*, 172–73.
［3］Winston Churchill, *The Second World War, vol. 5, Closing the Ring* (London: Cassell & Co., Ltd., 1952), 273.
［4］1943年10月19日、スターリンからローズヴェルトへ：Butler, *My Dear Mr. Stalin*, 174.
［5］1943年10月21日、ローズヴェルトからスターリンへ：Ibid., 178.
［6］1943年10月29日、チャーチルからローズヴェルトへ：*Conferences at Cairo and Tehran*, 35.
［7］1943年10月21日、コーデル・ハルからローズヴェルトへ：Ibid., 35.
［8］1943年10月26日、コーデル・ハルからローズヴェルトへ：Ibid., 46.
［9］1943年10月26日、コーデル・ハルからローズヴェルトへ：Ibid., 58.
［10］1943年10月29日、チャーチルからローズヴェルトへ：Ibid., 50.

44
［1］Reilly, *Reilly of the White House*, 160–63.

[8] Ibid., 103–4.
[9] Ibid., 109.

34

[1] Skorzeny, *Skorzeny's Special Missions,* 110–11.
[2] Skorzeny, *My Commando Operations,* 230.
[3] Skorzeny, *Skorzeny's Special Missions,* 113.
[4] Skorzeny, *My Commando Operations,* 229–30.
[5] Skorzeny, *Skorzeny's Special Missions,* 115.
[6] Skorzeny, *My Commando Operations,* 230.
[7] Skorzeny, *Skorzeny's Special Missions,* 115.

35

[1] Security Service, KV 2/1478–4, 2.
[2] O'Sullivan, *Nazi Secret Warfare,* 118.

36

[1] チャーチルがヘイスティングス・イスメイ将軍に宛てたメモ（日付なし）。戦後、このメモのコピーがCIAの書類保管庫で見つかる。1952年、当時CIA長官代理だったアレン・ダレスがチャーチルのメモを局内の同僚に次の言葉を添付して転送した。「参考までに面白いものを送るよ……我々もプロジェクトに名前をつけるときは、賢いコメントを考えよう」。ダレスが送ったものとチャーチルの元のメモは両方とも次のサイトにある：https://www.cia.gov/readingroom/docs/CIA-RDP80M01009A000701010051-5.pdf.
[2] 1943年8月18日、ローズヴェルトとチャーチルからスターリンへ：*Conferences at Cairo and Tehran,* 20–21.
[3] 1943年8月24日、スターリンからローズヴェルトとチャーチルへ：Ibid., 22.
[4] 1943年8月26日、ローズヴェルトからチャーチルへ：Ibid., 23.
[5] 1943年8月25日、ローズヴェルトとチャーチルからスターリンへ：ソ連外務省、*Correspondence Between Stalin, Roosevelt, Truman, Churchill and Attless During World War II* (Honolulu: University Press of the Pacific, 2001), 150–51.
[6] この演説の大部分はオーストラリアの新聞に掲載された：*The Morning Bulletin*. "Broadcast by Churchill from Quebec: 'Drive On Until We Have Finished the Job,'" *Morning Bulletin,* September 2, 1943, 1, 4. 次のサイトで閲覧可能：https://trove.nla.gov.au/newspaper/article/56288916/5448880. 次のサイトでも聴くことができる：the International Churchill Society website, https://winstonchurchill.org/resources/speeches/1941-1945-war-leader/broadcast-from-quebec/.
[7] 1943年9月4日、ローズヴェルトからスターリンへ：*Conferences at Cairo and Tehran,* 23.
[8] 1943年9月8日、スターリンからローズヴェルトへ：Ibid., 24.

37

[1] Skorzeny, *Skorzeny's Special Missions,* 120.
[2] Ibid., 134.
[3] Skorzeny, *My Commando Operations,* 254. スコルツェニーはホテルの標高を2212メートルと書いているが、これは7257フィートに相当する。
[4] 偵察飛行の日付は次の文献より："Operation Eiche: The Rescue of Benito Mussolini," *Veritas* 11, no.1 (2015): 35.
[5] 原稿からの直接の引用：Otto Skorzeny, "My Rescue of Mussolini, 12 September 1943," Mataxis Collection, USASOC History Office Classified Files, Fort Bragg, NC.
[6] "Operation Eiche," 37.
[7] Skorzeny, *Skorzeny's Special Missions,* 189.
[8] Ibid.
[9] Ibid., 191.

38

[1] 1943年9月11日、ローズヴェルトからスターリンへ：*Stalin's Correspondence,* 92–93.

House, 1957), 70–71.

[2] 1943年6月19日、チャーチルからスターリンへ：Butler, *My Dear Mr. Stalin*, 141–42.

[3] 1943年6月24日、スターリンからチャーチルへ：*Correspondence, vol.2*, 74–76.

[4] 1943年6月27日、チャーチルからスターリンへ：Ibid., 140–41.

[5] たとえば、次を参照：Eubank, *Summit at Teheran*, 96.

30

[1] Harriman and Abel, *Special Envoy*, 216–17.

[2] Ibid., 213.

[3] 1943年6月25日、チャーチルからローズヴェルトへ：*Conferences at Cairo and Tehran*, 10–11.

[4] 1943年6月28日、ローズヴェルトからチャーチルへ：Ibid., 11.

31

[1] Schellenberg, *Hitler's Secret Service*, 354.（シェレンベルク『秘密機関長の手記』）

[2] Kahn, *Hitler's Spies*, 55.

[3] Ibid., 181.

[4] Joseph Goebbels, *The Goebbels Diaries: 1942–1943*, trans. Louis P. Lochner (Garden City, NY: Doubleday & Company, 1948), 333.

[5] Ibid., 381.

[6] Schellenberg, *Hitler's Secret Service*, 359.（シェレンベルク『秘密機関長の手記』）

[7] この夜の模様は次の文献に描かれている：Howard Blum, *Night of the Assassins*, chapter 14.

[8] Ibid.

32

[1] 1943年6月16日、ローズヴェルトからスターリンへ：Butler, *My Dear Mr. Stalin*, 141.

[2] 1943年6月22日、ローズヴェルトからスターリンへ：Ibid., 144.

[3] ソ連のT-34戦車長、ヴァシリー・ブリュコフ（Vasilii Bryukhov）の言葉、次に引用：Lloyd Clark, "The Largest Tank Battle in History Began 75 Years Ago Today—Here's How it Changed WWII," *Military Times*, July 5, 2018, accessed October 8, 2021, https://www.militarytimes.com/veterans/military-history/2018/07/05/the-largest-tank-battle-in-history-began-75-years-ago-today-heres-how-it-changed-wwii/.

[4] これらの数字には「ツィタデレ作戦」「クルスクの戦い」、その後のソ連の反攻の戦死者も含まれる。詳しくは次を参照：Karl-Heinz Frieser, *Die Ostfront 1943/44: Der Krieg im Osten und an den Nebenfronten* (München: Deutsche Verlags-Anstalt, 2011), 153–54, 197–201; and Krivosheev, *Soviet Casualties*, 124–32.

[5] 1943年7月15日、ローズヴェルトからスターリンへ：*Conferences at Cairo and Tehran*, 16.

[6] 数値は次から引用：Butler, *My Dear Mr. Stalin*, 149.

[7] 1943年8月5日、ローズヴェルトからスターリンへ：Ibid., 149.

[8] 1943年8月8日、スターリンからローズヴェルトへ：*Conferences at Cairo and Tehran*, 18.

33

[1] Skorzeny, *My Commando Operations*, 91.

[2] Ibid., 203.

[3] ベルトルト・シュルツェ＝ホルトス（Berthold Shulze-Holthus）のイランでの活動については次を参照：O'Sullivan, *Nazi Secret Warfare*, chapter 10; アントン作戦については：Ibid., chapter 13.

[4] Otto Skorzeny, *Skorzeny's Special Missions: The Memoirs of Hitler's Most Daring Commando* (Minneapolis: Zenith Press, 2011), 82.

[5] Ibid., 101.

[6] Ibid., 101–2.

[7] Ibid., 102.

23

［1］Reinhard R. Doerries, *Hitler's Intelligence Chief: Walter Schellenberg* (New York: Enigma Books, 2009). ベルリンのベルカール通りに現存するこの建物には現在、アレグザンダー・ベーアの生涯と死を記念する銘板が掲げられている。

［2］Schellenberg, *Hitler's Secret Service*, 214, 218.（シェレンベルク『秘密機関長の手記』）

［3］Otto Skorzeny, *My Commando Operations: The Memoirs of Hitler's Most Daring Commando*, trans. David Johnston (Atglen, PA: Schiffer Publishing, 1995), 91.

24

［1］1943年5月5日、ローズヴェルトからスターリンへ：*Foreign Relations of the United States: Diplomatic Papers: The Conferences at Cairo and Tehran, 1943* (Washington, D.C.: United States Government Printing Office, 1961), 3–4.

［2］Elizabeth Kimball MacLean, *Joseph E. Davies: Envoy to the Soviets* (Westport, CT; Praeger, 1992), 100.

［3］1943年5月5日、ローズヴェルトからスターリンへ：*Conferences at Cairo and Tehran*, 4.

25

［1］Gordon A. Harrison, *The European Theater of Operations: Cross-Channel Attack* (Washington, D.C.: U.S. Army Center of Military History, 1993), 12.

［2］ホワイトハウスでの会談での覚書：Sherwood, *Roosevelt and Hopkins*, 563.（シャーウッド『ルーズヴェルトとホプキンズ』）

［3］アメリカ国務省：United States Department of State, *Foreign Relations of The United States, The Conferences at Washington, 1941–1942*, accessed April 6, 2022, https://history.state.gov/historicaldocuments/frus1941-43/d115.

［4］W. Averell Harriman and Elie Abel, *Special Envoy to Churchill and Stalin, 1941–1946* (New York: Random House, 1975), 216.

［5］1943年5月19日、アメリカ下院議会でのチャーチルの演説：*Congressional Record*, vol. 89, pt. 4, 4621.

26

［1］Security Service, KV 2/1482–5, 76.

［2］Security Service, KV 2/1482–6, 40.

27

［1］Eubank, *Summit at Teheran*, 80–81.

［2］1943年5月5日、ローズヴェルトからスターリンへ：*Conferences at Cairo and Tehran*, 5.

［3］Eubank, *Summit at Teheran*, 82.

［4］1943年5月21日、デイヴィスからローズヴェルトへ：*Conferences at Cairo and Tehran*, 5.

［5］1943年5月26日、スターリンからローズヴェルトへ：Ibid., 6–7.

［6］Eubank, *Summit at Teheran*, 88.

［7］1943年6月2日、ローズヴェルトとチャーチルからスターリンへ：Butler, *My Dear Mr. Stalin*, 136–38.

28

［1］O'Sullivan, *Nazi Secret Warfare*, 176.

［2］Ibid., 119.

［3］Security Service, KV 2/1478–4, 34.

29

［1］1943年6月11日、スターリンからチャーチルとローズヴェルトへ：Ministry of Foreign Affairs of the U.S.S.R., *Correspondence between the Chairman of the Council of Ministers of the U.S.S.R. and the Presidents of the U.S.A. and the Prime Ministers of Great Britain during the Great Patriotic War of 1941–1945, vol. 2* (Moscow, U.S.S.R.: Foreign Languages Publishing

シルヴェニア大学の次のサイトにある：https://www.writing.upenn.edu/~afilreis/Holocaust/wansee-transcript.html, accessed August 12, 2021.

［2］ Ibid. 翻訳された文書にはページ番号が付されていない。

［3］ ヒトラーの言葉、引用元：Callum MacDonald, *The Killing of Reinhard Heydrich: The SS "Butcher of Prague"* (New York: Da Capo Press, 1989), 182.

18

［1］ O'Sullivan, *Nazi Secret Warfare*, 66.

［2］ Ibid., 217.

［3］ Ibid., 167–76.

［4］ Goodwin, *No Ordinary Time*, 401–2.（グッドウィン『フランクリン・ローズヴェルト』）「白い家」の誤解とそれに関するヴァルター・シェレンベルクの役割について詳しくは次を参照：Ladislas Farago, *The Game of the Foxes: The Untold Story of German Espionage in the United States and Great Britain During World War II* (New York: Bantam Books, 1973), 722–24.（ラディスラス・ファラゴー『ザ・スパイ：第二次大戦下の米英対日独諜報戦』〈上下〉中山善之訳、サンケイ新聞社出版局、1973年刊）

［5］ Schellenberg, *Hitler's Secret Service*, 328.（シェレンベルク『秘密機関長の手記』）

［6］ Ibid., 328.

［7］ Ibid., 330.

19

［1］ O'Sullivan, *Nazi Secret Warfare*, 176.

20

［1］ Reilly, *Reilly of the White House*, 7.

［2］ Ibid., 6.

［3］ Ibid., 15.

［4］ ローズヴェルトのカサブランカ訪問に先立ち、シークレットサービスが講じた事前対策については次に詳しく書かれている：Ibid., 142–47.

［5］ Ibid., 8.

［6］ 1943年5月21日の〈ニューヨーク・タイムズ〉の記事："Japanese Admiral Killed in Combat"（日本の提督、戦死）

［7］ 1943年5月21日に大統領府で行われた記者会見：FDR Library, Marist College, http://www.fdrlibrary.marist.edu/_resources/images/pc/pc0149.pdf.

21

［1］ O'Sullivan, *Nazi Secret Warfare*, 176.

22

［1］ ヴァルタニアンに関する最も詳しい伝記：Dolgopolov, *Vartanian.* ヴァルタニアンと彼のテヘランでの活動について英語で読める短めの紹介は次のサイト：Nikolai Dolgopolov, "How 'the Lion and the Bear' Were Saved," *Russia Beyond The Headlines*, November 29, 2007, accessed September 30, 2021, https://www.rbth.com/articles/2007/11/29/lion_and_bear.html; "Gevork Vartanyan," *The Telegraph*, January 11, 2012, accessed September 30, 2021, https://www.telegraph.co.uk/news/obituaries/9008287/Gevork-Vartanyan.html; and "Russian Spy Who 'Changed the Course of History,' Goar Vartanyan, Dies Aged 93," Reuters/ABC, November 28, 2019, accessed September 30, 2021, https://www.abc.net.au/news/2019-11-28/female-russian-spy-goar-vartanyan-dies-age-93/11745228.

［2］ Plutenko and Vartanian, "Tegeran-43."

［3］ Dolgopolov, *Vartanian*, 53–54.

［4］ 1943年春、イランへは無数のドイツ空挺兵が降下し、その夏、イギリス当局はイランとイラク北部における国籍不明の航空機の目撃情報が少なくとも34件あったと報告し、記録している：O'Sullivan, *Nazi Secret Warfare*.

14

[1] 数字はアメリカ合衆国ホロコースト記念博物館による："The SS," Holocaust Encyclopedia, accessed September 2, 2021, https://encyclopedia.ushmm.org/content/en/article/introduction-to-the-holocaust.

[2] ハインリヒ・ヒムラーの言葉、引用元：Anthony Read, *The Devil's Disciples: Hitler's Inner Circle* (New York: W.W. Norton & Co., 2003), 179.

[3] Walter Schellenberg, *Hitler's Secret Service,* trans. Louis Hagen (New York: Harper & Row, 1971), 29–30.（ヴァルター・シェレンベルク『秘密機関長の手記』大久保和郎訳、角川書店、1960 年）

[4] Leslie Alan Horvitz and Christopher Catherwood, *Encyclopedia of War Crimes and Genocide* (New York: Facts on File, 2006), 199.

[5] Schellenberg, *Hitler's Secret Service,* 30.（シェレンベルク『秘密機関長の手記』）

15

[1] アインザッツグルッペ（ン）の活動については次を参照：Christopher R. Browning, *Ordinary Men: Reserve Police Battalion 101 and the Final Solution in Poland* (New York: Harper Perennial, 2017)（クリストファー・R・ブラウニング『増補 普通の人びと：ホロコーストと第 101 警察予備大隊』谷喬夫訳、筑摩書房、2019 年）; Helmut Langerbein, *Hitler's Death Squads: The Logic of Mass Murder* (College Station: Texas A&M University Press, 2003); and Richard Rhodes, *Masters of Death: The SS-Einsatzgruppen and the Invention of the Holocaust* (New York: Vintage Press, 2003).

[2] ここで紹介された話は次に詳しく載っている：Richard J. Evans, *The Third Reich at War* (New York: Penguin Books, 2008), 229–30.

[3] Ibid., 230.

16

[1] 列車の詳細については次を参照：Edward G. Lengel, "Franklin D. Roosevelt's Train Ferdinand Magellan," White House Historical Association, accessed September 8, 2021, https://www.whitehousehistory.org/franklin-d-roosevelt-rsquo-s-train-ferdinand-magellan.

[2] ウィリアム・リグドンの言葉、引用元；Hamilton, *Commander in Chief,* 181–82.

[3] Ibid., 182.

[4] Ibid., 183.

[5] この地域にいたカトリックの宣教師ウェンデリン・ダンカー神父の日記より。引用：James M. Scott, "The Untold Story of the Vengeful Japanese Attack after the Doolittle Raid," *Smithsonian Magazine,* April 15, 2015, https://www. smithsonianmag.com/history/untold-story-vengeful-japanese-attack-doolittle-raid-180955001/.

[6] フレデリック・マクガイア師の日記より：Ibid.

[7] 蔣介石将軍がローズヴェルトに宛てた 1943 年 4 月 28 日付けの電文：Otto David Tolischus, *Through Japanese Eyes* (New York: Reynal & Hitchcock, 1945), 197.

[8] 連合国軍の軍事戦略に関するドゥーリトル空襲の重要性の議論には次の文献が含まれる：Robert B. Kane, "The Doolittle Raid—75 Years Later," *Air & Space Power Journal* 31, no. 1 (spring 2017): 72–80; and David G. Styles, "Towards a Place in History," *Air Power History* 50, no. 3 (fall 2003): 34–41.

[9] Winston Churchill, *The Second World War, vol. 4, The Hinge of Fate* (London: Cassell & Co., Ltd., 1951), 742.

17

[1] ヴァンゼー会議の出席者名簿を含め、議事録原本は戦後、アメリカ政府により接収され、翻訳され、ニュルンベルク裁判の証拠として提出された。「ヴァンゼー・プロトコル」と呼ばれる文書はペン

Columbia Guide to the Holocaust (New York: Columbia University Press, 2003), 421. ソヴィエトの戦死者数については次を参照：Chris Bellamy, *Absolute War: Soviet Russia in the Second World War* (New York: Vintage Press, 2008), 476; and G. F. Krivosheev, ed. *Soviet Casualties and Combat Losses in the Twentieth Century,* trans. Christine Barnard (Philadelphia, PA: Stackpole Books, 1997).

[6] 1941 年 9 月 29 日に、ヒトラーが北方軍集団に発した指令。引用元：Anna Reid, *Leningrad: Tragedy of a City Under Siege, 1941–44* (London: Bloomsbury, 2011), 135.

[7] レニングラードやその他の土地での人肉食については次を参照：Richard Overy, *Russia's War: A History of the Soviet War Effort, 1941–1945* (New York: Penguin, 1998), 107, 183; and Reid, *Leningrad,* 280, 286–92, 408.

[8] レニングラード包囲戦の民間人犠牲者については次を参照：Richard Bidlack, *The Leningrad Blockade, 1941–1944: A New Documentary History from the Soviet Archives,* trans. Marian Schwartz (New Haven, CT: Yale University Press), 特に第 1 章；David M. Glantz, *The Siege of Leningrad 1941–44: 900 Days of Terror* (Osceola, WI: Zenith Press, 2001), 179; and Reid, *Leningrad,* 3–4.

[9] Beevor, *Second World War,* 190.（ビーヴァー『第二次世界大戦』）

[10] スターリングラードの戦いについては次を参照：Antony Beevor, *Stalingrad: The Fateful Siege, 1942–1943* (New York: Penguin, 1999)（アントニー・ビーヴァー『スターリングラード：運命の攻囲戦 1942–1943』堀たほ子訳、朝日新聞社、2005 年）; and Jochen Hellbeck, *Stalingrad: The City That Defeated the Third Reich,* trans. Christopher Tauchen and Dominic Bonfiglio (New York: PublicAffairs, 2015).

[11] ヒトラーの言葉、引用元：Beevor, *Second World War,* 189.（ビーヴァー『第二次世界大戦』）

12

[1] O'Sullivan, *Nazi Secret Warfare,* 216–21.

[2] Ibid., 67.

[3] ヒトラーがアルベルト・シュペーアに語った言葉、引用元：Ashley Jackson, *Persian Gulf Command: A History of the Second World War in Iran and Iraq* (New Haven, CT: Yale University Press, 2018), 254.

[4] マイヤーがリリ・サンジャリを信用し、頼った件は：O'Sullivan, *Nazi Secret Warfare,* 111, 114.

[5] Ibid., 118–21.

13

[1] UP 通信社の配信ニュースを掲載した新聞は、たとえば 1943 年 1 月 27 日の *Richmond Times-Dispatch* など。The *Times-Dispatch* の見出しは典型的："Roosevelt Flies to Africa to Talk War with Churchill: Allied Leaders Map Full 1943 Campaign to Eliminate Axis."

[2] 1942 年 3 月 18 日、ローズヴェルトからチャーチルへ：Beevor, *Second World War,* 281.（ビーヴァー『第二次世界大戦』）

[3] Smith, *FDR,* 557.

[4] 1942 年 12 月 2 日、ローズヴェルトからスターリンへ：Susan Butler, ed., *My Dear Mr. Stalin: The Complete Correspondence of Franklin D. Roosevelt and Joseph V. Stalin* (New Haven, CT: Yale University Press, 2006), 42.

[5] 1942 年 12 月 6 日、スターリンからローズヴェルトへ：Ibid., 43.

[6] 1942 年 12 月 8 日、ローズヴェルトからスターリンへ：Ibid., 43.

[7] 1942 年 12 月 14 日、スターリンからロズヴェルトへ：Ibid., 44.

[8] 1942 年 12 月 21 日、ローズヴェルトからスターリンへ：Ibid., 45.

年1月24日のローズヴェルトとチャーチルの記者会見。全文は次に掲載：*The Public Papers and Addresses of Franklin D. Roosevelt: 1943, The Tide Turns* (New York: Harper & Brothers Publishers, 1950), 37–45.

[6] ジョン・L・マクリア海軍大佐の回想は次に引用有り：Nigel Hamilton, *Commander in Chief: FDR's Battle with Churchill, 1943* (New York: Houghton Mifflin Harcourt, 2016), 128–29.

[7] *The Tide Turns*, 37–45.

[8] Ibid.

[9] 下院議会で演説した最初の外国の首脳は1824年12月10日に登壇したラファイエット侯爵。上院議会ではハンガリーの亡命政治家コシュート・ラヨシュが1852年1月5日に外国人として初めて演説。上下両院合同会議で初めて演説した外国のリーダーは、1874年にワシントンDCを訪れたハワイのカラカウア王。チャーチルに先立つことほぼ10年前、フランスの駐米大使アンドレ・デ・ラブライユがラファイエット侯爵没後100年を記念して合同会議で演説した（1934年5月20日）。

[10] 全文はオンラインで閲覧可能：Winston Churchill, "Address to Joint Session of US Congress, 1941," America's National Churchill Museum, accessed September 10, 2021, https://www.nationalchurchillmuseum.org/churchill-address-to-congress.html.

[11] チャーチルがアロンゾ・フィールズに話したことは次に引用されている：Joseph E. Persico, *Roosevelt's Centurions: FDR and the Commanders He Led to Victory in World War II* (New York: Random House, 2013), 115.

[12] この話の出所はハリー・ホプキンズであると言われている。たとえば次を参照：Robin Renwick, *Fighting with Allies: America and Britain in Peace and War* (London: Biteback Publishing, 2017), chapter 5.

[13] *The Tide Turns*, 37–45.

11

[1] ナチスの「飢餓作戦」について詳しくは次を参照：Lizzie Collingham, *The Taste of War: World War II and the Battle for Food* (New York: Penguin Press, 2013),（リジー・コリンガム『戦争と飢餓』宇丹貴代実・黒輪篤嗣訳、河出書房新社、2012年）特に第9章；Alex J. Kay, "Germany's Staatssekretaäre, Mass Starvation and the Meeting of 2 May 1941," *Journal of Contemporary History* 41, no.4 (2006): 685–700; Alex J. Kay, "'The Purpose of the Russian Campaign Is the Decimation of the Slavic Population by Thirty Million': The Radicalization of German Food Policy in Early 1941," in *Nazi Policy on the Eastern Front, 1941: Total War, Genocide, and Radicalization*, eds. Alex J. Kay, Jeff Rutherford, and David Stahel (Rochester, NY: University of Rochester Press, 2012), 101–29; and Gesine Gerhard, "Food and Genocide: Nazi Agrarian Politics in the Occupied Territories of the Soviet Union," *Contemporary European History* 18, no.1 (February 2009): 45–65.

[2] アレクサンドル・トヴァルドフスキーの記述は次から引用：Beevor, *Second World War*, 196.（ビーヴァー『第二次世界大戦』）

[3] 悪名高きスローガン、「一歩も引くな！」は1942年7月28日に国防人民委員会指令第227号として発せられた。参照：Soviet Order No.227 in S. V. Stepashin and V. P. IKmpol'skii, *Organy Gosudarstvennoy Bezopasnosti SSSR v Velikoy Otechestvennoy Voyne: Sbornik documentov* (Moscow: Knigai biznes, 1995–2014), vol.3, bk. 2, doc. 1027, 76–80.

[4] Andrew N. Buchanan, *World War II in Global Perspective, 1931–1953: A Short History* (Hoboken: John Wiley & Sons, 2019), 74.

[5] 東部戦線の戦死者数については次を参照：Donald Niewyk and Francis Nicosia, *The*

ー『第二次世界大戦』）

[10] Hamilton, *Mantle of Command*, 88.

[11] Ibid.

[12] Ibid.

[13] リッベントロップの様子をイタリア外相ガレアッツォ・チャーノが表現した言葉：ibid.

[14] Kershaw, *Hitler*, 442–46.（カーショー『ヒトラー（下）1936–1945 天罰』）

[15] Klaus P. Fischer, *Hitler and America* (Philadelphia, PA : University of Pennsylvania Press, 2011), 10.

[16] ベニート・ムッソリーニの言葉：Hastings, *Inferno*, 193.

[17] 外相ヨアヒム・フォン・リッベントロップの言葉：Beevor, *Second World War*, 278.（ビーヴァー『第二次世界大戦』）

[18] Kershaw, *Hitler*, 446.（カーショー『ヒトラー（下）1936–1945 天罰』）

[19] 1941 年 12 月 11 日のアドルフ・ヒトラーの演説と対米宣戦布告については以下のサイトを参照：Jewish Virtual Library, https://www.jewishvirtuallibrary.org/hitler-s-speech-declaring-war-against-the-united-states.

[20] 個人的な敵意は、ヒトラーが統治の基盤とした独自の執念から生じた。参照：Kershaw, *Hitler*, xliii–xliv.（カーショー『ヒトラー（下）1936–1945 天罰』）

9

[1] O'Sullivan, *Nazi Secret Warfare*, 1.

[2] 連合国がイランに侵攻したのは 1941 年 8 月で、この章に登場するのはそれから 1 年数か月後のテヘラン。イラン侵攻については：ibid., 25–29.

[3] Security Service, KV 2/1479–3, 51, National Archives, United Kingdom.

[4] O'Sullivan, *Nazi Secret Warfare*, 3–4.

[5] Security Service, KV 2/1479–3, 51.

[6] David Kahn, *Hitler's Spies : German Military Intelligence in World War II* (New York : Macmillan, 1978), 6–7.

[7] Security Service, KV 2/1479–3, 51.

[8] Security Service, KV 2/1479–1, 48.

[9] Security Service, KV 2/1479–3, 51–52.

[10] Blum, *Night of the Assassins*, 72–74.

[11] O'Sullivan, *Nazi Secret Warfare*, 10–12.

[12] Ibid., 25–27.

[13] 武器貸与（レンドリース）法については：George C. Herring, Jr., *Aid to Russia, 1941–1946 : Strategy, Diplomacy, the Origins of the Cold War* (New York : Columbia University Press, 1973) ; Warren F. Kimball, *The Most Unsordid Act : Lend-Lease, 1939–1941* (Baltimore, MD : Johns Hopkins University Press, 1969) ; Vladimir Kotelnikov, *Lend-Lease and Soviet Aviation in the Second World War* (Warwick, UK : Helion and Company, 2018) ; and Albert L. Weeks, *Russia's Life-Saver : Lend-Lease Aid to the U.S.S.R. in World War II* (Lanham, MD : Lexington Books, 2004).

[14] 1942 年 6 月 28 日のフランツ・マイヤーの日記：Security Service, KV 2/1482–2, 8.

[15] 1942 年 9 月 11 日のフランツ・マイヤーの日記：Security Service, KV 2/1482–2.

[16] O'Sullivan, *Nazi Secret Warfare*, 132–33.

[17] Security Service, KV 2/1479–3, 51–56. メリユンの主なメンバーについては次を参照：KV 2/1479–2, 51–52.

[18] 1942 年 7 月 2 日のフランツ・マイヤーの日記：Security Service, KV 2/1482–2.

[19] Security Service, KV 2/1482–1, 14.

[20] O'Sullivan, *Nazi Secret Warfare*, 118–21.

[21] Security Service, KV 2/1482–4, 23.

10

[1] アンファ・ホテルおよびカサブランカ会談の開催地決定のプロセスについて詳しくは次を参照：Reilly, *Reilly of the White House*, 140–49.

[2] *New York Times*, January 27, 1943.

[3] Ibid.

[4] Ibid.

[5] モロッコのカサブランカにおける 1943

7

[1] Martin Gilbert, *Churchill : A Life* (London : Pimlico, 2000), 645–50.

[2] Ibid., 62.

[3] チャーチルの生涯については次の文献に詳しく書かれている：Paul Addison, *Churchill : The Unexpected Hero* (New York : Oxford University Press, 2005) ; Robert Blake and Wm. Roger Louis, *Churchill : A Major New Assessment of His Life in Peace and War* (New York : Oxford University Press, 1993) ; and Paul Johnson, *Churchill* (New York : Penguin, 2010).（ポール・ジョンソン『チャーチル：不屈のリーダーシップ』山岡洋一・高遠裕子訳、日経 BP 社、2013 年）

[4] Gilbert, *Churchill,* 480.

[5] Churchill radio broadcast January 20, 1940, https://winstonchurchill.org/resource/speeches/1940-the-finest-hour/the-war-situation-house-of-many-mansions/.

[6] Kershaw, *To Hell and Back,* 349.（カーショー『地獄の淵から』）

[7] Ibid.

[8] Winston Churchill, *The Second World War,* abridged edition (London : Bloomsbury, 2013), 220.（ウィンストン・チャーチル『第二次世界大戦』佐藤亮一訳、河出文庫）

[9] この演説の全文：Winston Churchill, "Blood, Toil, Tears and Sweat : First Speech as Prime Minister to the House of Commons, May 13, 1940," International Churchill Society, accessed September 10, 2021, https://winstonchurchill.org/resources/speeches/1940-the-finest-hour/blood-toil-tears-sweat/.

[10] Hastings, *Inferno,* 52–76.

[11] Ibid., 77–102.

[12] Winston Churchill, *The Second World War, vol. 3, The Grand Alliance* (New York : Houghton Mifflin Co., 1985), 478–80.

[13] Roll, *Hopkins Touch,* 161.

[14] 参照：Cita Stelzer, *Dinner with Churchill : Policy-Making at the Dinner Table* (New York : Pegasus Books, 2013).

[15] Churchill, *Second World War,* 3 : 538.

[16] Hastings, *Inferno,* chapter 6.

[17] Kershaw, *To Hell and Back,* 350–31.（カーショー『地獄の淵から』）

[18] Hastings, *Inferno,* chapter 6.

[19] Churchill, *Second World War,* 3 : 340–47.

[20] 1941 年 6 月 22 日、ラジオ放送を通じたチャーチルの独ソ戦に関するコメント。スピーチの全文は次のサイトにある：https://www.jewishvirtuallibrary.org/churchill-broadcast-on-the-soviet-german-war-june-1941.

[21] Hastings, *Inferno,* chapter 1.

[22] Ibid., chapter 6.

[23] Roll, *Hopkins Touch,* 161–62.

[24] Smith, *FDR,* chapter 23.

8

[1] Ian Kershaw, *Hitler, 1936–1945 : Nemesis* (London : W.W. Norton & Co., 2000), 395–98.（イアン・カーショー『ヒトラー（下）1936–1945 天罰』福永美和子訳、石田勇治監修、白水社、2016 年）

[2] Ibid., 442.

[3] Ibid., 395–98.

[4] Ibid., 694–95. 次も参照：Colin Schultz, "Meet the Woman Who Taste-Tested Hitler's Dinner," *Smithsonian Magazine,* April 29, 2013, https://www.smithsonianmag.com/smart-news/meet-the-woman-who-taste-tested-hitlers-dinner-44682990/.

[5] Kershaw, *To Hell and Back,* 350.（カーショー『地獄の淵から』）

[6] Beevor, *Second World War,* 230–46.（ビーヴァー『第二次世界大戦』）

[7] Kershaw, *To Hell and Back,* 352.（カーショー『地獄の淵から』）

[8] Kershaw, *Hitler,* 445–47.（カーショー『ヒトラー（下）1936–1945 天罰』）

[9] Beevor, *Second World War,* 278.（ビーヴァ

Tehran 43, 7–10; Reilly, *Reilly of the White House*, 178–88.
[2] ドイツ部隊のイラン降下までの飛行については次を参照：Adrian O'Sullivan, *Nazi Secret Warfare in Occupied Persia (Iran): The Failure of the German Intelligence Services, 1939–45* (New York: Palgrave Macmillan, 2014), 172–75.
[3] Iurii Plutenko and Gevork Vartanian, "Tegeran-43: 'My byli ne takie!....,'" *Zavtra* (October 31, 2007), accessed September 30, 2021, https://zavtra.ru/blogs/2007-10-3122.
[4] 一例として次を参照：O'Sullivan, *Nazi Secret Warfare*, 167.
[5] Ibid., 92, 173. 次も参照：Howard Blum, *Night of the Assassins: The Untold Story of Hitler's Plot to Kill FDR, Churchill, and Stalin* (New York: HarperCollins, 2020), 255–57.

5

[1] Toland, *Rising Sun*, 56.（トーランド『大日本帝国の興亡』）
[2] Ibid., 450–51.
[3] Ibid., 8.
[4] Ibid., 50–51.
[5] Ibid., 48.
[6] 松岡洋右の言葉：Thomas W. Burkman, *Japan and the League of Nations: Empire and World Order, 1914–1938* (Honolulu: University of Hawaii Press, 2008), 215.
[7] ローズヴェルトの反植民地主義的な考え方はたびたび盟友ウィンストン・チャーチルと対立した。次を参照：Toland, *Rising Sun*, 634–35（トーランド『大日本帝国の興亡』）
[8] Toland, *Rising Sun*, 63–64.（トーランド『大日本帝国の興亡』）
[9] 山下奉文将軍の発言：*Time* magazine, "Foreign News: Troubled Tokyo," June 30, 1941.
[10] Toland, *Rising Sun*, 85.（トーランド『大日本帝国の興亡』）
[11] ローズヴェルトが日本の駐米大使、野村吉三郎に伝えた言葉：Smith, *FDR*, 513.
[12] 1941年を通して、日本の対米戦略の理論がどう変わっていったかについては次に記されている：Toland, *Rising Sun*, 54–86.（トーランド『大日本帝国の興亡』）
[13] Ibid.
[14] 日本の総理大臣、東条英機の言葉：Max Hastings, *Inferno: The World at War, 1939–1945* (New York: Random House, 2011), 191.
[15] Smith, *FDR*, 532.

6

[1] "War! Oahu Bombed By Japanese Planes!," *Honolulu Star-Bulletin*, 1st Extra, December 7, 1941, 1. 次のサイトで閲覧可能：https://www.newspapers.com/clip/35778414/war-oahu-bombed-by-japanese-planes/.
[2] 参照：Michael E. Ruane, "'WAR!' How a Stunned Media Broke the Pearl Harbor News," *Washington Post*, December 6, 2011, accessed August 28, 2021, https://www.washingtonpost.com/local/war-how-a-stunned-media-broke-the-pearl-harbor-news/2011/12/06/gIQABzFtaO_story.html.
[3] Toland, *Rising Sun*, 230–35.（トーランド『大日本帝国の興亡』）
[4] Roll, *Hopkins Touch*, 164.
[5] Smith, *FDR*, chapter 10.
[6] Roll, *Hopkins Touch*, 164.
[7] 対日宣戦布告に至った1941年12月8日、上下両院合同会議でのフランクリン・デラノ・ローズヴェルト「屈辱の日」のスピーチ：SEN 77A-H1, Records of the United States Senate, Record Group 46, National Archives, https://www.archives.gov/historical-docs/day-of-infamy-speech.
[8] ロバート・E・シャーウッドの言葉：Hamilton, *Mantle of Command*, 77.
[9] Roll, *Hopkins Touch*, 164
[10] 1941年12月8日、CBSラジオのローウェル・トーマスの言葉：Lowell Thomas, *History as You Heard It* (New York: Doubleday, 1957), 182.

ショー『地獄の淵から』）

[9] 1932年のナチの小論文、出典：Joseph Goebbels and Mjölnir, *Die verfluchten Hakenkreuzler. Et was zum Nachdenken* (Munich : Verlag Frz. Eher, 1932).

[10] Ibid., 283–90.

[11] 1941年9月11日の「炉辺談話」：FDR Presidential Library and Museum, http://www.fdrlibrary.marist.edu/_resources/images/msf/msf01445.

[12] Kershaw, *To Hell and Back*, 316–25.（カーショー『地獄の淵から』）

[13] Dunn, *1940*, 58–70.

[14] 1940年10月30日、マサチューセッツ州ボストンでの選挙運動中の演説：Doris Kearns Goodwin, *No Ordinary Time : Franklin and Eleanor Roosevelt : The Home Front in World War II* (New York : Simon & Schuster, 1994), 187.（ドリス・カーンズ・グッドウィン『フランクリン・ローズヴェルト』〈上下〉砂村榮利子・山下淑美訳、中央公論新社、2014年）

[15] アメリカ国務省および国勢調査局による調査：*Fifteenth Census of the United States : 1930* (Washington, D.C. : Government Printing Office, 1933), 2 : 264.

[16] キリスト教戦線（the Christian Front）については次を参照：Stephen H. Norwood, "Marauding Youth and the Christian Front : Anti-Semitic Violence in Boston and New York During World War II," *American Jewish History* 91, no.2 (2003) : 233–67. ドイツ系アメリカ人協会（the German American Bund）については：Leland V. Bell, "The Failure of Nazism in America : The German American Bund, 1936–1941," *Political Science Quarterly* 85, no.4 (1970) : 585–99.

[17] Dunn, *1940*, 235.

[18] 1939年2月20日、ニューヨークのマディソン・スクエア・ガーデンでのJ・ウィーラー・ヒル（J. Wheeler-Hill）の演説。この夜の演説は次の冊子にまとめられ、ドイツ系アメリカ人協会によって配布された："Free America : The German American Bund at Madison Square Garden." ページ番号がついていないこの冊子は次のサイトで閲覧可能：https://ia804500.us.archive.org/2/items/FreeAmerica_0/FA_PDF_1.pdf.

[19] Bell, "Failure of Nazism in America," 594.

[20] Dunn, *1940*, 60–61.

[21] チャールズ・リンドバーグの発言：Max Wallace, *The American Axis : Henry Ford, Charles Lindbergh, and the Rise of the Third Reich* (New York : St. Martin's Press, 2003), 212.

[22] Dunn, *1940*, 72.

[23] たとえば、米国ユダヤ人会議（the American Jewish Congress）がドイツ製品の不買運動を行った。参照：Richard Breitman and Allan J. Lichtman, *FDR and the Jews* (Cambridge, MA : Harvard University Press, 2013), 57.

[24] Dunn, *1940*, 29.

[25] たとえば次を参照：Roy Schwartz, *Is Superman Circumcised ? : The Complete Jewish History of the World's Greatest Hero* (Jefferson, NC : McFarland, 2021).

[26] 参照：Joe Simon and Jack Kirby, *Captain America #1*. March, 1941. Reprinted in *Captain America : The Classic Years*, ed. Bob Harras (New York : Marvel Entertainment Inc., 1991). コミック本の歴史の詳細については次を参照：Jean-Paul Gabilliet, *Of Comics and Men : A Cultural History of American Comic Books*, trans. Bart Beaty and Nick Nguyen (Jackson : University Press of Mississippi, 2010).

[27] Dunn, *1940*, 57–70.

[28] Ibid., 288.

[29] Ibid., 286.

[30] 1941年4月28日、ギャラップ調査：Survey #234K, Question #8a.

4

[1] パラシュート降下については次を参照：Dolgopolov, *Vartanian*, 25–73 ; Kuznets,

[6] David L. Roll, *The Hopkins Touch: Harry Hopkins and the Forging of the Alliance to Defeat Hitler* (Oxford: Oxford University Press, 2013), 158–59.

[7] Ibid.

[8] Hamilton, *Mantle of Command*, 48–49.

[9] Roll, *Hopkins Touch*, 162.

[10] Grace Tully, *F.D.R., My Boss* (Chicago: People's Book Club, 1949), 255.

[11] 1970 年 12 月 15 日のグレース・タリーのインタビューの出典：James M. Scott, *Target Tokyo: Jimmy Doolittle and the Raid That Avenged Pearl Harbor* (New York: W.W. Norton & Co., 2015), 16.

[12] Eleanor Roosevelt, *This I Remember* (New York: Harper, 1949), 232.

[13] Hamilton, *Mantle of Command*, 53.

[14] Robert E. Sherwood, *Roosevelt and Hopkins: An Intimate History* (New York: Harper and Brothers, 1948), 430–31.（ロバート・シャーウッド『ルーズヴェルトとホプキンズ』村上光彦訳、未知谷、2015 年）

[15] ノックスの言葉：Smith, *FDR*, 536.

[16] 引用元：Roll, *Hopkins Touch*, 160.

[17] Tully, *F.D.R., My Boss*, 255.

[18] Roll, *Hopkins Touch*, 160–61.

[19] ローズヴェルトは真珠湾攻撃が大統領任期中の最悪の日とは言わなかったが、この説は歴史家や学者のあいだで広く受け入れられている。たとえば、次を参照：Paul M. Sparrow, "Day of Infamy," https://fdr.blogs.archives.gov/2016/12/02/day-of-infamy/. これも参照：Hamilton, *Mantle of Command*, 45.

[20] Tully, *F.D.R., My Boss*, 254–55.

[21] John Toland, *The Rising Sun: The Decline and Fall of the Japanese Empire, 1936–1945* (New York: Modern Library, 2003), 213.（ジョン・トーランド『大日本帝国の興亡〔新版〕』〈1～5〉毎日新聞社訳、早川書房、2015 年）

[22] Lord, *Day of Infamy*, 395–96.（ロード『破滅の日』）

[23] Beevor, *Second World War*, 251.（ビーヴァー『第二次世界大戦』）

[24] Ibid.

[25] Lord, *Day of Infamy*, 395–96.（ロード『破滅の日』）

[26] Tully, *F.D.R., My Boss*, 256.

[27] 参照：Roll, *Hopkins Touch*, 162; and Hamilton, *Mantle of Command*, 66–67.

3

[1] Susan Dunn, *1940: FDR, Willkie, Lindbergh, Hitler—the Election amid the Storm* (New Haven, CT: Yale University Press, 2013), 58–70.

[2] たとえば、次を参照：Ben S. Bernanke, ed., *Essays on the Great Depression* (Princeton, NJ: Princeton University Press, 2004),（ベン・S・バーナンキ『大恐慌論』栗原潤・中村亨・三宅敦史訳、日本経済新聞出版社、2013 年）特に第 7 章。ほかには：Abigail Trollinger, *Becoming Entitled: Relief, Unemployment, and Reform during the Great Depression* (Philadelphia, PA: Temple University Press, 2020), 特に第 1 章。

[3] 1937 年 1 月 20 日のローズヴェルトの大統領就任演説：https://millercenter.org/the-presidency/presidential-speeches/january-20-1937-second-inaugural-address, visited May 23, 2022.

[4] United States Army Center of Military History, *Biennial Reports of the Chief of Staff of the United States Army to the Secretary of War: 1 July 1939–30 June 1945* (Washington, D.C.: U. S. Government Printing Office, 1996), v.

[5] Kershaw, *To Hell and Back*, 208–14.（カーショー『地獄の淵から』）

[6] Ibid., 228 32.

[7] 1940 年 2 月のヒトラーの演説は次を参照：*St. Louis Star and Times*, February 24, 1940.

[8] Kershaw, *To Hell and Back*, 118–19.（カー

原註

プロローグ

[1] ローズヴェルトが当日アメリカ公使館からソ連大使館までどのような道をたどったかについては次を参照：Michael F. Reilly, *Reilly of the White House* (New York: Simon & Schuster, 1947), 178–79; and Gary Kern, "How 'Uncle Joe' Bugged FDR," *Studies in Intelligence* 47, no. 1 (March 2003).

[2] Keith Sainsbury, *The Turning Point: Roosevelt, Stalin, Churchill, and Chiang Kai-shek, 1943: The Moscow, Cairo, and Tehran Conferences* (New York: Oxford University Press, 1985), 218–19.

[3] 会談の守秘については次を参照：Iurii Kuznets, *Tehran 43* (Moscow: Eskimo, 2003), 194.

[4] Sainsbury, *Turning Point*, 218–19.

[5] Ibid., 137–50.

[6] Reilly, *Reilly of the White House*, 178–79; and Kern, "How 'Uncle Joe' Bugged FDR."

[7] 本書の執筆にあたり、この暗殺計画をめぐる多くの議論、反論をつぶさに検証した。ソ連情報部の誇張された説もそこに含まれる。第71～74章を参照。私たちの調査によると、この出来事の入門編として信頼できる資料は次の通り：Reilly, *Reilly of the White House*, 178–88; Nikolai Dolgopolov, *Vartanian: zhizn' zamechatel'nykh liudei* (Moscow: Molodaia gvardiia, 2014), 25–73; and Kuznets, *Tehran 43*, 7–10.

[8] Ian Kershaw, *To Hell and Back: Europe 1914–1949* (New York: Penguin, 2015), 346–47.（イアン・カーショー『地獄の淵から：ヨーロッパ史1914-1949』三浦元博・竹田保孝訳、白水社、2017年）

[9] このイデオロギーの概要については次を参照：Ibid., 228–32.

[10] Ibid., 294.

[11] Ibid., 356–73.

[12] 1943年のテヘラン会談が世界大戦に及ぼした影響については、一例として次を参照：Sainsbury, *Turning Point*; and Keith Eubank, *Summit at Teheran: The Untold Story* (New York: William Morrow & Co., 1985).

1

[1] 参照：Walter Lord, *Day of Infamy: The Bombing of Pearl Harbor* (New York: Open Road Media, 2021), 73–89.（ウォルター・ロード『破滅の日：十二月八日の真珠湾』大久保康雄訳、早川書房、1957年）

[2] Ibid., 394.

[3] Jean Edward Smith, *FDR* (New York: Random House, 2007), 532.

[4] Ibid., 534.

[5] Antony Beevor, *The Second World War* (New York: Little, Brown & Co., 2012), 250.（アントニー・ビーヴァー『第二次世界大戦』〈上中下〉平賀秀明訳、白水社、2015年）

[6] Ibid.

[7] Ibid.

2

[1] Nigel Hamilton, *The Mantle of Command: FDR at War, 1941–1942* (New York: Houghton Mifflin Harcourt, 2014), 44.「覚書」の14本目が届いた午前9時、ローズヴェルトが「朝食の最中」だったとしたら、彼は午前8時45分には朝食を始めていたと推定される。

[2] ローズヴェルトの大統領官邸での典型的な朝は、午前8時30分にベッドで朝食と執務を開始、と次の資料に解説されている：Conrad Black, *Franklin Delano Roosevelt: Champion of Freedom* (New York: PublicAffairs, 2003), 284.

[3] Hamilton, *Mantle of Command*, 43–44.

[4] Smith, *FDR*, 506–40.

[5] Hamilton, *Mantle of Command*, 48–49.

Praeger Publishers, 1999.
Yenne, Bill. *Operation Long Jump : Stalin, Roosevelt, Churchill, and the Greatest Assassination Plot in History.* Washington, D.C.: Regnery History, 2015.

National Archives. https://www.archives.gov/historical-docs/day-of-infamy-speech.
Rosenman, Samuel I. *The Public Papers and Addresses of Franklin D. Roosevelt.* 13 vols. New York: Random House, 1938–1950.
Sainsbury, Keith. *The Turning Point: Roosevelt, Stalin, Churchill, and Chiang Kai-shek, 1943: The Moscow, Cairo, and Tehran Conferences.* New York: Oxford University Press, 1985.
Schellenberg, Walter. *Hitler's Secret Service (The Labyrinth).* Translated by Louis Hagen. New York: Harper & Row, 1971.（ヴァルター・シェレンベルク『秘密機関長の手記』大久保和郎訳、角川書店、1960 年）
Schultz, Colin. "Meet the Woman Who Taste-Tested Hitler's Dinner." *Smithsonian Magazine,* April 29, 2013. https://www.smithsonianmag.com/smart-news/meet-the-woman-who-taste-tested-hitlers-dinner-44682990/.
Scott, James M. "The Untold Story of the Vengeful Japanese Attack after the Doolittle Raid." *Smithsonian Magazine,* April 15, 2015. https://www.smithsonianmag.com/history/untold-story-vengeful-japanese-attack-doolittle-raid-180955001/.
The Security Service, KV 2. Folder 1477–1491. The National Archives, United Kingdom.
Skorzeny, Otto. *My Commando Operations: The Memoirs of Hitler's Most Daring Commando.* Translated by David Johnston. Atglen, PA: Schiffer Publishing, 1995.
———. *Skorzeny's Special Missions: The Memoirs of Hitler's Most Daring Commando.* Minneapolis: Zenith Press, 2011.
Sherwood, Robert E. *Roosevelt and Hopkins: An Intimate History.* New York: Harper and Brothers, 1948.（ロバート・シャーウッド『ルーズヴェルトとホプキンズ』村上光彦訳、未知谷、2015 年）
———. *The White House Papers of Harry L. Hopkins. Vol. 2, January 1942–July 1945.* London: Eyre & Spottiswoode, 1949.
Smith, Jean Edward. *FDR.* New York: Random House, 2007.
Smith, Stuart. *Otto Skorzeny: The Devil's Disciple.* New York: Bloomsbury USA, 2018.
Stephan, Robert W. *Stalin's Secret War: Soviet Counterintelligence against the Nazis, 1941–1945.* Lawrence: University Press of Kansas, 1995.
Sudoplatov, Pavel, Anatoli Sudoplatov, Jerrold L. Schecter, and Leona P. Schecter. *Special Tasks: The Memoirs of an Unwanted Witness—A Soviet Spymaster.* Boston: Little, Brown, 1994.（パヴェル・スドプラトフ、アナトーリー・スドプラトフ、ジェロルド・シェクター、レオナ・シェクター『KGB 衝撃の秘密工作』〈上下〉木村明夫監訳、ほるぷ出版、1994 年）
Toland, John. *The Rising Sun: The Decline and Fall of the Japanese Empire, 1936–1945.* New York: Modern Library, 2003.（ジョン・トーランド『大日本帝国の興亡〔新版〕』〈1 ～ 5〉毎日新聞社訳、早川書房、2015 年）
———. "Triple Jeopardy: The Nazi Plan to Kill WWII Leaders in Tehran." *Sputnik News,* 2007. http://sputniknews.com/20070104/94756632.html.
Trial of the Major War Criminals Before the International Military Tribunal, Vols. 4–5. Nuremberg: International Military Tribunal, 1947. The Avalon Project: Documents in Law, History and Diplomacy, Yale Law School's Lillian Goldman Law Library. https://avalon.law.yale.edu/subject_menus/imt.asp#proc.
Tully, Grace. *F.D.R., My Boss.* Chicago: People's Book Club, 1949.
West, Nigel. *Historical Dictionary of World War II Intelligence.* Lanham, MD: Scarecrow Press, 2007.
———. *Encyclopedia of Political Assassinations.* Lanham, MD: Rowman & Littlefield, 2017.
Wires, Richard. *The Cicero Spy Affair: German Access to British Secrets in World War II.* Westport, CT:

情報機関 1917-1991 年』伊藤綺訳、原書房、2009 年）
Kern, Gary. "How 'Uncle Joe' Bugged FDR." *Studies in Intelligence* 47, no.1 (March 2003).
Kershaw, Ian. *Hitler, 1936-1945: Nemesis.* London: W. W. Norton & Co., 2000.（イアン・カーショー『ヒトラー（下）1936-1945 天罰』福永美和子訳、石田勇治監修、白水社、2016 年）
———. *To Hell and Back: Europe 1914-1949.* New York: Penguin, 2015.（イアン・カーショー『地獄の淵から：ヨーロッパ史 1914-1949』三浦元博・竹田保孝訳、白水社、2017 年）
Kimball, Warren F. "A Different Take on FDR at Teheran: Raising Questions." *Studies in Intelligence* 49, no.3 (2005).
———. *Forged in War: Roosevelt, Churchill, and the Second World War.* New York: William Morrow and Company, 1997.
Kuznets, Iurii. *Tehran-43.* Moscow: Eskimo, 2003.
Lord, Walter. *Day of Infamy: The Bombing of Pearl Harbor.* New York: Open Road Media, 2021.（ウォルター・ロード『破滅の日：十二月八日の真珠湾』大久保康雄訳、早川書房、1957 年）
MacLean, Elizabeth Kimball. *Joseph E. Davies: Envoy to the Soviets.* Westport, CT: Praeger, 1992.
Mader, Julius. *Hitlers Spionagegenerale sagen aus.* Berlin, Verlag der Nation, 1970.
Medvedev, Dmitry N. *Silnyie dukhom (Eto bylo pod Rovno).* Moscow: Pravda Publishing, 1951/1989.
Ministry of Foreign Affairs of the U.S.S.R. *Correspondence between the Chairman of the Council of Ministers of the U.S.S.R. and the Presidents of the U.S.A. and the Prime Ministers of Great Britain during the Great Patriotic War of 1941-1945.* 2 Vols. Moscow, U.S.S.R.: Foreign Languages Publishing House, 1957.
Montefiore, Simon Sebag. *Stalin: The Court of the Red Tsar.* New York: Random House, 2003.（サイモン・セバーグ・モンテフィオーリ『スターリン：赤い皇帝と廷臣たち』〈上下〉染谷徹訳、白水社、2010 年）
Official Kremlin International News Broadcast. "Press Conference with Veterans of the Russian Foreign Intelligence Service." *Federation of American Scientists,* November 18, 2003. https://fas.org/irp/world/russia/teheran43.html.
O'Sullivan, Adrian. *Espionage and Counterintelligence in Occupied Persia (Iran): The Success of the Allied Secret Services, 1941-45.* New York: Palgrave Macmillan, 2015.
———. *Nazi Secret Warfare in Occupied Persia (Iran): The Failure of the German Intelligence Services, 1939-45.* New York: Palgrave Macmillan, 2014.
Paehler, Katrin. *The Third Reich's Intelligence Services: The Career of Walter Schellenberg.* New York: Cambridge University Press, 2017.
Payne, Robert. *The Life and Death of Adolf Hitler.* New York: Praeger Publishers, 1973.
Plutenko, Iurii, and Gevork Vartanian. "Tegeran-43: 'My byli ne takie!...'" *Zavtra,* October 31, 2007. https://zavtra.ru/blogs/2007-10-3122.
———. "Tehran-43: Wrecking the Plan to Kill Stalin, Roosevelt and Churchill." *RIA Novosti,* October 16, 2007. https://web.archive.org/web/20120629234011/http://en.rian.ru/analysis/20071016/84122320.html.
Reilly, Michael F. *Reilly of the White House.* New York: Simon & Schuster, 1947.
Rezun, Miron. *The Soviet Union and Iran: Soviet Policy in Iran from the Beginnings of the Pahlavi Dynasty until the Soviet Invasion in 1941.* Geneva: Stijthoff & Noordhoff International Publishers, 1981.
Roll, David L. *The Hopkins Touch: Harry Hopkins and the Forging of the Alliance to Defeat Hitler.* Oxford: Oxford University Press, 2013.
Roosevelt, Franklin D. *"Day of Infamy" Speech: Joint Address to Congress Leading to a Declaration of War Against Japan.* December 8, 1941. SEN 77A-H1, Records of the United States Senate. Record Group 46,

Great Britain During World War II. New York: D. McKay Company, 1972.（ラディスラス・ファラゴー『ザ・スパイ：第二次大戦下の米英対日独諜報戦』〈上下〉中山善之訳、サンケイ新聞社出版局、1973 年刊）

Foreign Relations of the United States: Diplomatic Papers: The Conferences at Cairo and Tehran, 1943. Washington, D.C.: United States Government Printing Office, 1961.

Gerwarth, Robert. *Hitler's Hangman: The Life of Heydrich.* New Haven, CT: Yale University Press, 2011.（ロベルト・ゲルヴァルト『ヒトラーの絞首人ハイドリヒ』宮下嶺夫訳、白水社、2016 年）

Gilbert, Martin. *Churchill: A Life.* London: Pimlico, 1991.

Goebbels, Joseph. *The Goebbels Diaries: 1942–1943.* Translated by Louis P. Lochner. Garden City, NY: Doubleday & Company, 1948.

Goodwin, Doris Kearns. *No Ordinary Time: Franklin and Eleanor Roosevelt: The Home Front in World War II.* New York: Simon & Schuster, 1994.（ドリス・カーンズ・グッドウィン『フランクリン・ローズヴェルト』〈上下〉砂村榮利子・山下淑美訳、中央公論新社、2014 年）

Hamilton, Nigel. *The Mantle of Command: FDR at War, 1941–1942.* New York: Houghton Mifflin Harcourt, 2014.

———. *Commander in Chief: FDR's Battle with Churchill, 1943.* New York: Houghton Mifflin Harcourt, 2016.

———. *War and Peace: FDR's Final Odyssey D-Day to Yalta, 1943–1945.* New York: Houghton Mifflin Harcourt, 2019.

Harriman, W. Averell, and Elie Abel. *Special Envoy to Churchill and Stalin, 1941–1946.* New York: Random House, 1975.

Harrison, Gordon A. *The European Theater of Operations: Cross-Channel Attack.* Washington, D.C.: U.S. Army Center of Military History, 1993.

Hastings, Max. *Inferno: The World at War, 1939–1945.* New York: Random House, 2011.

Havas, Laslo. *Hitler's Plot to Kill the Big Three.* Cowles Book Company: New York, 1967.

———. *The Long Jump: The 1943 Plot to Assassinate the Big Three.* Translated by Kathleen Szasz. London: Neville Spearman, 1967.

Hett, Benjamin Carter. *The Death of Democracy: Hitler's Rise to Power and the Downfall of the Weimar Republic.* New York: Henry Holt and Company, 2018.（ベンジャミン・カーター・ヘット『ドイツ人はなぜヒトラーを選んだのか：民主主義が死ぬ日』寺西のぶ子訳、亜紀書房、2020 年）

Hohne, Heinz. *Canaris: Patriot im Zwielicht.* Munich: C. Bertelsmann Verlag, 1976.

Irving, David, ed. *Breach of Security: The German Secret Intelligence File on Events Leading to the Second World War.* London: William Kimber, 1968.

Jackson, Ashley. *Persian Gulf Command: A History of the Second World War in Iran and Iraq.* New Haven, CT: Yale University Press, 2018.

Jewish Virtual Library. "Adolf Hitler: Speech Declaring War Against the United States (December 11, 1941)." Speeches and Declarations. https://www.jewishvirtuallibrary.org/hitler-s-speech-declaring-war-against-the-united-states.

Jörgensen, Christer. *Hitler's Espionage Machine: German Intelligence Agencies and Operations during World War II.* Staplehurst, UK: Spellmount Ltd., 2004.（クリステル・ヨルゲンセン『ヒトラーのスパイたち』大槻敦子訳、原書房、2009 年）

Kahn, David. *Hitler's Spies: German Military Intelligence in World War II.* New York: Macmillan, 1978.

Katamidze, Slava. *Loyal Comrades, Ruthless Killers: The Secret Services of the USSR, 1920's to the Present.* New York: Brown Reference Group, 2003.（スラヴァ・カタミーゼ『ソ連のスパイたち：KGB と

参考文献

Bates, John L. "The 'Eureka' Conference: A Busy Time in Teheran." *Military Review* 66, no.10 (October 1986): 74–82.

Bazna, Elyesa. *I Was Cicero.* Translated by Eric Mosbacher. New York: Harper and Row, 1962.（エリザ・バズナ「わが名はキケロ」香山清訳、『世界ノンフィクション全集 42』所収、筑摩書房、1963年）

Beevor, Antony. *The Second World War.* New York: Little, Brown and Company, 2012.（アントニー・ビーヴァー『第二次世界大戦』〈上中下〉平賀秀明訳、白水社、2015 年）

Bell, Leland V. "The Failure of Nazism in America: The German American Bund, 1936–1941." *Political Science Quarterly* 85, no.4 (1970): 585–99.

Beorn, Waitman Wade. *The Holocaust in Eastern Europe: At the Epicenter of the Final Solution.* London: Bloomsbury, 2018.

Beria, Sergo. *Beria, My Father: Inside Stalin's Kremlin.* Edited by Françoise Thom. Translated by Brian Pearce. London: Duckworth, 2001.

Blandford, Edmund L. *SS Intelligence: The Nazi Secret Service.* Edison, NJ: Castle Books, 2001.

Bohlen, Charles E. *Witness to History, 1929–1969.* New York: W.W. Norton & Co., 1973.

Blum, Howard. *Night of the Assassins: The Untold Story of Hitler's Plot to Kill FDR, Churchill, and Stalin.* New York: HarperCollins, 2020.

Breitman, Richard, and Lichtman, Allan J. *FDR and the Jews.* Cambridge, MA: Harvard University Press, 2013.

Butler, Susan, ed. *My Dear Mr. Stalin: The Complete Correspondence of Franklin D. Roosevelt and Joseph V. Stalin.* New Haven, CT: Yale University Press, 2006.

Central Intelligence Agency. *C/CI/R&A: Soviet Book for Alleged Nazi Plot against Tehran Conference, December 23, 1968.* Freedom of Information Act Electronic Reading Room. https://www.cia.gov/readingroom/docs/TPMURILLO%20%20%20VOL.%201_0046.pdf.

———. *Situation Report No.8: AMT VI of the RHSA, Gruppe VI C.* Ei-litz, Herbert. Special Collection: Nazi War Crime Disclosure Act. FOIA/ESDN (CREST): 519a6b26993294098b511029. Washington D.C.: 2001/2006. https://www.cia.gov/readingroom/document/519a6b26993294098d511029.

Churchill, Winston. *The Second World War.* 6 vols. Boston: Houghton Mifflin Co., 1948–1954.（ウィンストン・チャーチル『第二次世界大戦』；縮約版：佐藤亮一訳、河出文庫〈全 4 巻〉；完訳版：伏見威蕃訳、みすず書房〈全 6 巻〉2023 年から 2028 年にかけて刊行予定）

Doerries, Reinhard R. *Hitler's Intelligence Chief: Walter Schellenberg.* New York: Enigma Books, 2009.

———. *Hitler's Last Chief of Foreign Intelligence: Allied Interrogations of Walter Schellenberg.* London: Frank Cass, 2003.

Dolgopolov, Nikolai. "How 'the Lion and the Bear' Were Saved." *Russia Beyond The Headlines,* November 29, 2007. https://www.rbth.com/articles/2007/11/29/lion_and_bear.html.

———. *Vartanian: zhizn' zamechatel'nykh liudei.* Moscow: Molodaia gvardiia, 2014.

Dunn, Susan. *1940: FDR, Willkie, Lindbergh, Hitler—the Election amid the Storm.* New Haven, CT: Yale University Press, 2013.

Eubank, Keith. *Summit at Teheran: The Untold Story.* New York: William Morrow and Company, 1985.

Evans, Richard J. *The Third Reich at War.* New York: Penguin Books, 2008.

Farago, Ladislas. *The Game of the Foxes: The Untold Story of German Espionage in the United States and*

【著】ブラッド・メルツァー（Brad Meltzer）
数々の作品がニューヨーク・タイムズのベストセラーとなる人気作家。スリラーからノンフィクションなどまで幅広く執筆している。ジョシュ・メンシュとの共著に、*The Lincoln Conspiracy : The Secret Plot to Kill America's 16th President—and Why It Failed* など、邦訳に『運命の書』『偽りの書』（ともに角川書店）などがある。

【著】ジョシュ・メンシュ（Josh Mensch）
作家、ドキュメンタリー作品のTVプロデューサー。ブラッド・メルツァーとの共著多数。

【訳】花田知恵（はなだ・ちえ）
翻訳家。訳書に『CIA裏面史』『脱走王と呼ばれた男』『最高機密エージェント』など多数。

ローズヴェルト、スターリン、チャーチルを暗殺《あんさつ》せよ
知《し》られざるナチスの陰謀《いんぼう》

2024年4月20日　初版印刷
2024年4月30日　初版発行

著　者　ブラッド・メルツァー／ジョシュ・メンシュ
訳　者　花田知恵
装丁者　木庭貴信＋岩元萌（オクターヴ）
発行者　小野寺優
発行所　株式会社河出書房新社
〒151-0051 東京都渋谷区千駄ヶ谷2-32-2
電話（03）3404-1201［営業］（03）3404-8611［編集］
https://www.kawade.co.jp/
印　刷　株式会社亨有堂印刷所
製　本　小泉製本株式会社
Printed in Japan
ISBN978-4-309-22917-1